Sérotonine

DU MÊME AUTEUR

H.P. Lovecraft, Le Rocher, 1991 ; J'ai lu, 1999 ; nouvelle édition, 2010.

Rester vivant, La Différence, 1991 ; Librio, 1999.

La Poursuite du bonheur, La Différence, 1991 ; Librio, 2001.

Extension du domaine de la lutte, Maurice Nadeau, 1994 ; J'ai lu, 1997.

Le Sens du combat, Flammarion, 1996.

Rester vivant suivi de *La Poursuite du bonheur* (édition revue par l'auteur), Flammarion, 1997.

Les Particules élémentaires, Flammarion, 1998 ; J'ai lu, 2000.

Interventions, Flammarion, 1998.

Rester vivant et autres textes, Librio, 1999.

Renaissance, Flammarion, 1999.

Lanzarote, Flammarion, 2000.

Poésies (intégrale poche), J'ai lu, 2000.

Plateforme, Flammarion, 2001 ; J'ai lu, 2002.

Lanzarote et autres textes, Librio, 2002.

La Possibilité d'une île, Fayard, 2005 ; J'ai lu, 2013.

Ennemis publics (avec Bernard-Henri Lévy), Flammarion/ Grasset, 2008 ; J'ai lu, 2011.

Interventions 2, Flammarion, 2009.

La Carte et le Territoire (prix Goncourt 2010), Flammarion, 2010 ; J'ai lu, 2012.

Poésie (nouvelle édition), J'ai lu, 2010, 2015.

Configuration du dernier rivage, Flammarion, 2013 ; repris dans *Poésie*, J'ai lu, 2015.

Non réconcilié : Anthologie personnelle 1991-2013, Gallimard, 2014.

Soumission, Flammarion, 2015 ; J'ai lu, 2017.

Houellebecq 1991-2000, Flammarion, coll. « Mille et une pages », 2016.

Houellebecq 2001-2010, Flammarion, coll. « Mille et une pages », 2017.

Sérotonine, Flammarion, 2019 ; J'ai lu, 2020.

Interventions 2020, Flammarion, 2020.

MICHEL HOUELLEBECQ

Sérotonine

ROMAN

www.michelhouellebecq.com

C'est un petit comprimé blanc, ovale, sécable.

Vers cinq heures du matin ou parfois six je me réveille, le besoin est à son comble, c'est le moment le plus douloureux de ma journée. Mon premier geste est de mettre en route la cafetière électrique ; la veille, j'ai rempli le réservoir d'eau et le filtre de café moulu (en général du Malongo, je suis resté assez exigeant sur le café). Je n'allume pas de cigarette avant d'avoir bu une première gorgée ; c'est une contrainte que je m'impose, c'est un succès quotidien qui est devenu ma principale source de fierté (il faut avouer ceci dit que le fonctionnement des cafetières électriques est rapide). Le soulagement que m'apporte la première bouffée est immédiat, d'une violence stupéfiante. La nicotine est une drogue parfaite, une drogue simple et dure, qui n'apporte aucune joie, qui se définit entièrement par le manque, et par la cessation du manque.

Quelques minutes plus tard, après deux ou trois cigarettes, je prends un comprimé de

Captorix avec un quart de verre d'eau minérale
– en général de la Volvic.

J'ai quarante-six ans, je m'appelle Florent-Claude Labrouste et je déteste mon prénom, je crois qu'il tient son origine de deux membres de ma famille que mon père et ma mère souhaitaient, chacun de leur côté, honorer ; c'est d'autant plus regrettable que je n'ai par ailleurs rien à reprocher à mes parents, ils furent à tous égards d'excellents parents, ils firent de leur mieux pour me donner les armes nécessaires dans la lutte pour la vie, et si j'ai finalement échoué, si ma vie se termine dans la tristesse et la souffrance, je ne peux pas les en incriminer, mais plutôt un regrettable enchaînement de circonstances sur lequel j'aurai l'occasion de revenir – et qui constitue même, à vrai dire, l'objet de ce livre – je n'ai quoi qu'il en soit rien à reprocher à mes parents mis à part ce minime, ce fâcheux mais minime épisode du prénom, non seulement je trouve la combinaison Florent-Claude ridicule, mais ses éléments en eux-mêmes me déplaisent, en somme je considère mon prénom comme entièrement raté. Florent est trop doux, trop proche du féminin Florence, en un sens presque androgyne. Il ne correspond nullement à mon visage aux traits énergiques, sous certains angles brutaux, qui a souvent (par certaines femmes en tout cas) été considéré comme viril, mais pas du tout, vraiment pas du tout, comme le visage d'une pédale botticellienne. Quant à Claude n'en parlons pas, il me fait instantanément penser aux Claudettes, et l'image d'épouvante d'une vidéo vintage de Claude François repassée en boucle dans une soirée de vieux pédés me revient aussitôt, dès que j'entends prononcer ce prénom de Claude.

Changer de prénom n'est pas difficile, enfin je ne veux pas dire d'un point de vue administratif, presque rien n'est possible d'un point de vue administratif, l'administration a pour objectif de réduire vos possibilités de vie au maximum quand elle ne parvient pas tout simplement à les détruire, du point de vue de l'administration un bon administré est un administré mort, je parle plus simplement du point de vue de l'usage : il suffit de se présenter sous un prénom nouveau et au bout de quelques mois ou même de quelques semaines tout le monde s'y fait, il ne vient même plus à l'esprit des gens que vous ayez pu, par le passé, vous prénommer différemment. L'opération dans mon cas aurait été d'autant plus simple que mon second prénom, Pierre, correspondait parfaitement à l'image de fermeté et de virilité que j'aurais souhaité communiquer au monde. Mais je n'ai rien fait, j'ai continué à me laisser appeler par ce dégoûtant prénom de Florent-Claude, tout ce que j'ai obtenu de certaines femmes (de Camille et de Kate précisément, mais j'y reviendrai, j'y reviendrai), c'est qu'elles se limitent à Florent, de la société en général je n'ai rien obtenu, sur ce point comme sur presque tous les autres je me suis laissé ballotter par les circonstances, j'ai fait preuve de mon incapacité à reprendre ma vie en main, la virilité qui semblait se dégager de mon visage carré aux arêtes franches, de mes traits burinés n'était en réalité qu'un leurre, une arnaque pure et simple – dont, il est vrai, je n'étais pas responsable, Dieu avait disposé de moi mais je n'étais, je n'étais en réalité, je n'avais jamais été qu'une inconsistante lopette, et j'avais déjà quarante-six ans maintenant, je n'avais jamais été capable de contrôler ma propre vie, bref il paraissait très vraisemblable que la seconde partie de mon existence ne serait, à l'image de la première, qu'un flasque et douloureux effondrement.

Les premiers antidépresseurs connus (Seroplex, Prozac) augmentaient le taux de sérotonine sanguin en inhibant sa recapture par les neurones 5-HT$_1$. La découverte début 2017 du Capton D-L allait ouvrir la voie à une nouvelle génération d'antidépresseurs, au mécanisme d'action finalement plus simple, puisqu'il s'agissait de favoriser la libération par exocytose de la sérotonine produite au niveau de la muqueuse gastro-intestinale. Dès la fin de l'année, le Capton D-L fut commercialisé sous le nom de Captorix. Il se montra d'emblée d'une efficacité surprenante, permettant aux patients d'intégrer avec une aisance nouvelle les rites majeurs d'une vie normale au sein d'une société évoluée (toilette, vie sociale réduite au bon voisinage, démarches administratives simples) sans nullement favoriser, contrairement aux antidépresseurs de la génération précédente, les tendances au suicide ou à l'automutilation.

Les effets secondaires indésirables les plus fréquemment observés du Captorix étaient les nausées, la disparition de la libido, l'impuissance.

Je n'avais jamais souffert de nausées.

L'histoire commence en Espagne, dans la province d'Almeria, exactement cinq kilomètres au Nord d'Al Alquian, sur la N 340. Nous étions au début de l'été, sans doute vers la mi-juillet, plutôt vers la fin des années 2010 – il me semble qu'Emmanuel Macron était président de la République. Il faisait beau et extrêmement chaud, comme toujours dans le Sud de l'Espagne en cette saison. C'était le début de l'après-midi, et mon 4×4 Mercedes G 350 TD était garé sur le parking de la station Repsol. Je venais de faire le plein de diesel et je buvais lentement un Coca Zéro, appuyé contre la carrosserie, gagné par une morosité croissante à l'idée que Yuzu arriverait le lendemain, lorsqu'une Coccinelle Volkswagen se gara en face de la station de gonflage.

Deux filles dans la vingtaine en sortirent, même de loin on voyait qu'elles étaient ravissantes, ces derniers temps j'avais oublié à quel point les filles pouvaient être ravissantes, ça m'a fait un choc, comme une espèce de coup de théâtre exagéré, factice. L'air était tellement chaud qu'il semblait animé d'une légère vibration, de même que l'asphalte du parking, c'étaient exactement les conditions d'apparition d'un mirage. Les filles étaient réelles pourtant, et je fus saisi par une légère panique lorsque l'une d'elles vint vers moi. Elle avait de longs cheveux châtain clair, très légèrement ondulés, son front était ceint d'un mince bandeau de cuir recouvert de motifs géométriques colorés. Un bandeau de coton blanc recouvrait plus ou moins ses seins, et sa jupe courte, flottante, en coton blanc également, semblait prête à se soulever au moindre souffle d'air – il n'y avait, ceci dit, pas un souffle d'air, Dieu est clément et miséricordieux.

Elle était calme, souriante, et ne semblait pas du tout avoir peur – la peur, disons-le clairement, était de mon côté. Il y avait dans son regard de la bonté et du bonheur – je sus dès le premier regard qu'elle n'avait connu dans sa vie que des expériences heureuses avec les animaux, les hommes, avec les employeurs même. Pourquoi venait-elle à moi, jeune et désirable, en cette après-midi d'été ? Elle et son amie souhaitaient vérifier la pression de gonflage de leurs pneus (enfin des pneus de leur voiture, je m'exprime mal). C'est une mesure prudente, recommandée par les organismes de protection routière dans à peu près tous les pays civilisés, et même dans certains autres. Ainsi, cette jeune fille n'était pas seulement désirable et bonne, elle était également prudente et sage, mon admiration pour elle croissait à chaque seconde. Pouvais-je lui refuser mon aide ? À l'évidence, non.

Sa compagne était plus conforme aux standards attendus de l'Espagnole – cheveux d'un noir profond, yeux d'un brun foncé, peau mate. Son look était un peu moins baba cool, enfin elle semblait une fille assez cool aussi, mais moins baba, avec une petite touche un peu salope, un anneau d'argent perçait sa narine gauche, le bandeau recouvrant ses seins était multicolore, d'un graphisme agressif, traversé de slogans qu'on pouvait qualifier de punk ou de rock j'ai oublié la différence, disons de slogans punk-rock pour simplifier. Contrairement à sa compagne elle portait un short et c'était encore pire, je ne sais pas pourquoi on fabrique des shorts aussi moulants, il était impossible de ne pas être hypnotisé par son cul. C'était impossible, je ne l'ai pas fait, mais je me suis assez vite reconcentré sur la situation. La première chose à rechercher, expliquai-je, était la pression de gonflage souhaitable, compte tenu du modèle automobile considéré : elle figurait en général sur une petite plaque métallique soudée au bas de la portière avant gauche.

La plaque figurait bel et bien à l'endroit indiqué, et je sentis s'enfler leur considération pour mes compétences viriles. Leur voiture n'étant pas très chargée – elles avaient même étonnamment peu de bagages, deux sacs légers qui devaient contenir quelques strings et des produits de beauté usuels – une pression de 2,2 kBars était bien suffisante.

Restait à procéder à l'opération de regonflage proprement dite. La pression du pneu avant gauche, constatai-je d'emblée, n'était que de 1,0 kBar. Je m'adressai à elles avec gravité, voire avec la légère sévérité que m'autorisait mon âge : elles avaient bien fait de s'adresser à moi, il n'était que temps, elles étaient sans le savoir en réel danger : le sous-gonflage pouvait produire des pertes d'adhérence, un flou dans la trajectoire, l'accident à terme était presque certain. Elles réagirent avec émotion et innocence, la châtain posa une main sur mon avant-bras.

Il faut bien reconnaître que ces appareils sont chiants à utiliser, il faut guetter les sifflements du mécanisme et souvent tâtonner avant de positionner l'embout sur la valve, c'est plus facile de baiser en fait, c'est plus intuitif, j'étais sûr qu'elles auraient été d'accord avec moi là-dessus mais je ne voyais pas comment aborder le sujet, bref je fis le pneu avant gauche, puis dans la foulée le pneu arrière gauche, elles étaient accroupies à mes côtés, suivant mes gestes avec une attention extrême, gazouillant dans leur langage des « Chulo » et des « Claro que si », puis je leur passai le relais, leur intimant de s'occuper des autres pneus, sous ma paternelle surveillance.

La brune, plus impulsive je le sentais bien, s'attaqua d'entrée de jeu au pneu avant droit, et là c'est devenu très dur, une fois qu'elle fut agenouillée, ses fesses moulées dans son minishort, d'une rondeur si parfaite, et qui bougeaient à mesure qu'elle cherchait à contrôler l'embout, la châtain je pense compatissait à mon trouble, elle passa même brièvement un bras autour de ma taille, un bras sororal.

Le moment vint, enfin, du pneu arrière droit, dont se chargea la châtain. La tension érotique était moins intense, mais une tension amoureuse s'y superposait doucement, car nous le savions tous les trois c'était le dernier pneu, elles n'auraient d'autre choix, à présent, que de reprendre leur route.

Elles demeurèrent, cependant, avec moi pendant quelques minutes, entrelaçant remerciements et gestes gracieux, et leur attitude n'était pas entièrement théorique, du moins c'est ce que je me dis maintenant, à plusieurs années de distance, lorsqu'il me vient de me remémorer que j'ai eu, par le passé, une vie érotique. Elles m'entreprirent sur ma nationalité – française, je ne crois pas l'avoir mentionné –, sur l'agrément que je trouvais à la région – sur la question de savoir, en particulier, si je connaissais des endroits sympathiques. En un sens, oui, il y avait un bar à tapas, qui servait également de copieux petits déjeuners, juste en face de ma résidence. Il y avait également une boîte de nuit, un peu plus loin, qu'on pouvait en étant large qualifier de sympathique. Il y avait chez moi, j'aurais pu les héberger, au moins une nuit, et là j'ai la sensation (mais je fabule sans doute, avec le recul) que ça aurait pu être vraiment sympathique. Mais je ne dis rien de tout cela, je fis dans la synthèse, leur expliquant en gros que la région était agréable (ce qui était exact) et que je m'y sentais heureux (ce qui était faux, et l'arrivée prochaine de Yuzu n'allait pas arranger les choses).

Elles partirent enfin, avec de grands gestes de la main, la Coccinelle Volkswagen effectua un demi-tour sur le parking, puis s'engagea sur la voie d'accès à la nationale.

Là, plusieurs choses auraient pu se produire. Si nous avions été dans une comédie romantique, j'aurais, après quelques secondes d'une hésitation dramatique (importance à ce stade du jeu d'acteur, je pense que Kev Adams aurait pu le faire), bref j'aurais bondi au volant de mon 4×4 Mercedes, j'aurais rapidement rejoint la Coccinelle sur l'autoroute, la dépassant en lui faisant de grands gestes du bras un peu sots (comme en font les acteurs de rom'com), elle se serait arrêtée sur la bande d'arrêt d'urgence (en fait, dans une rom'com classique, il y aurait probablement eu une seule fille, sans doute la châtain), et différents actes humains émouvants se seraient produits, dans le souffle des poids lourds qui nous auraient frôlés à quelques mètres. Le dialoguiste, pour cette scène, aurait eu intérêt à chiader son texte.

Eussions-nous été dans un film porno que la suite eût encore été bien davantage prévisible, mais l'importance du dialogue moindre. Tous les hommes souhaitent des filles fraîches, écologiques et triolistes – enfin presque tous les hommes, moi en tout cas.

Nous étions dans la réalité, de ce fait je suis rentré chez moi. J'étais atteint par une érection, ce qui n'était guère surprenant vu le déroulement de l'après-midi. Je la traitai par les moyens habituels.

Ces jeunes filles, et tout spécialement la châtain, auraient pu donner un sens à mon séjour espagnol, et la conclusion décevante et banale de mon après-midi ne fit que souligner cruellement une évidence : je n'avais aucune raison d'être ici. J'avais acheté cet appartement avec Camille, et pour elle. C'était à l'époque où nous envisagions des projets de couple, un ancrage familial, un moulin romantique dans la Creuse ou que sais-je, il n'y a peut-être que la fabrication d'enfants que nous n'ayons pas envisagée – et encore, ce fut à un moment donné de justesse. Ce fut mon premier achat immobilier, et c'était d'ailleurs resté le seul.

L'endroit lui avait plu d'emblée. C'était une petite station naturiste, calme, à l'écart des énormes complexes touristiques qui s'échelonnent de l'Andalousie au Levant, et dont la population était essentiellement constituée de retraités d'Europe du Nord – Allemands, Hollandais, accessoirement Scandinaves, avec bien sûr les inévitables Anglais, curieusement par contre il n'y avait pas de Belges, alors que tout dans la station – l'architecture des pavillons, l'agencement des centres commerciaux, le mobilier des bars – semblait réclamer leur présence, enfin c'était vraiment un coin à Belges. La plupart des résidents avaient accompli leur carrière dans l'enseignement, le fonctionnariat au sens large, les professions intermédiaires. Ils achevaient maintenant leur vie de manière paisible, ils n'étaient pas les derniers à l'heure de l'apéritif, et promenaient avec bonhomie leurs fesses tombantes, leurs seins redondants et leurs bites inactives du bar à la plage, de la plage au bar. Ils ne faisaient pas d'histoires, n'étaient à l'origine d'aucun conflit de voisinage, ils étalaient avec civisme une serviette sur les chaises en plastique du *No problemo* avant de se plonger, avec une attention exagérée, dans l'examen d'une carte pourtant courte (c'était une politesse admise, dans l'enceinte de la station, d'éviter par l'apposition d'une serviette le contact entre un mobilier d'usage collectif et les parties intimes, possiblement humides, des consommateurs).

Une autre clientèle, moins nombreuse mais plus active, était constituée par des babas espagnols (adéquatement représentés, je m'en rendais compte avec douleur, par ces deux jeunes filles qui m'avaient requis pour le gonflage de leurs pneus). Un bref détour par l'histoire récente de l'Espagne ne sera pas inutile. Lors de la mort du général Franco en 1975, l'Espagne (la jeunesse espagnole, plus précisément) se trouva confrontée à deux tendances contradictoires. La première, directement issue des années 1960, mettait à haut prix l'amour libre, la nudité, l'émancipation des travailleurs et ce genre de choses. La seconde, qui devait définitivement s'imposer dans les années 1980, valorisait au contraire la compétition, le porno hard, le cynisme et les stock-options, enfin je simplifie mais il faut simplifier sinon on n'arrive à rien. Les représentants de la première tendance, dont la défaite était par avance programmée, se replièrent peu à peu vers des réserves naturelles telles que cette modeste station naturiste dans laquelle j'avais acheté un appartement. Cette défaite programmée s'était-elle d'ailleurs, finalement, produite ? Certains phénomènes bien postérieurs à la mort du général Franco, tels que le mouvement des *Indignados*, pouvaient laisser penser le contraire. Ainsi, plus récemment, que la présence de ces deux jeunes filles à la station Repsol d'Al Alquian, par cette après-midi troublante et funeste – la femelle de l'*indignado* était-elle une *indignada* ? avais-je donc été en présence de deux ravissantes *indignadas* ? je ne le saurais jamais, je n'avais pas su rapprocher ma vie de la leur, j'aurais pourtant pu leur proposer de visiter ma station naturiste, elles y auraient été dans leur environnement naturel, peut-être la brune serait-elle repartie mais j'aurais été heureux avec la châtain, enfin ça devenait un peu flou, à mon âge, les promesses de bonheur, mais pendant plusieurs nuits après cette rencontre je rêvai que la châtain revenait sonner à ma porte. Elle était revenue me chercher, mon errance dans ce monde avait pris fin, elle était revenue sauver d'un seul mouvement ma bite, mon être et mon âme. « Et, dans ma maison, librement et hardiment, pénètre en maîtresse. » Dans certains de ces rêves elle précisait que son amie brune attendait dans la voiture, pour savoir si elle pouvait monter se joindre à nous ; mais cette version des rêves devint de moins en moins fréquente, le scénario se simplifiait et sur la fin il n'y eut même plus de scénario, immédiatement après que j'avais ouvert la porte nous pénétrions dans un espace lumineux, irracontable. Ces divagations se poursuivirent pendant un peu plus de deux ans – mais n'anticipons pas.

Dans l'immédiat, dès le lendemain après-midi, j'allais devoir aller chercher Yuzu à l'aéroport d'Almeria. Elle n'était jamais venue ici, mais j'avais la certitude qu'elle détesterait l'endroit. Pour les retraités nordiques elle n'aurait que dégoût, pour les babas espagnols que mépris, aucune de ces deux catégories (qui cohabitaient entre elles sans grande difficulté) ne pouvait s'assimiler à sa vision élitiste de la vie sociale et du monde en général, tous ces gens n'avaient définitivement aucune *classe*, et d'ailleurs moi non plus je n'avais aucune *classe*, seulement j'avais de l'argent, pas mal d'argent même, à la suite de circonstances que je relaterai peut-être quand j'aurai le temps, et une fois qu'on avait dit ça on avait dit au fond tout ce qu'il y avait à dire sur ma relation avec Yuzu, naturellement je devais la quitter, c'était une évidence et même on n'aurait jamais dû s'installer ensemble, seulement il me fallait longtemps, très longtemps, pour reprendre ma vie en main, comme j'ai déjà dit, et même j'en étais la plupart du temps incapable.

Je trouvai facilement une place à l'aéroport, le parking était surdimensionné, tout d'ailleurs dans la région était surdimensionné, prévu à la mesure d'un succès touristique colossal qui n'était jamais venu.

Cela faisait des mois que je n'avais pas couché avec Yuzu, et surtout je n'envisageais pas de recommencer, en aucun cas, pour différentes raisons que j'expliquerai sans doute plus tard, au fond je ne comprenais pas du tout pourquoi j'avais organisé ces vacances, et j'avais déjà dans l'idée, en attendant sur un banc de plastique dans le hall des arrivées, de leur donner un terme plus rapide – j'avais prévu deux semaines, une semaine serait bien suffisante, j'allais mentir au sujet de mes obligations professionnelles, elle ne pourrait rien répliquer à ça la salope, elle dépendait entièrement de mon fric, ça me donnait tout de même certains droits.

L'avion en provenance de Paris-Orly était à l'heure, et la salle des arrivées agréablement climatisée, presque totalement déserte – le tourisme plongeait décidément de plus en plus, dans la province d'Almeria. Au moment où le panneau d'affichage électronique annonça que l'avion venait de se poser, je faillis me lever et me diriger vers le parking – elle n'avait aucune idée de l'adresse, elle ne pourrait en aucun cas me retrouver. Je me raisonnai rapidement : il faudrait bien un jour ou l'autre que je retourne à Paris, ne serait-ce que pour des raisons professionnelles, mon travail au ministère de l'Agriculture j'en étais d'ailleurs pratiquement aussi écœuré que de ma compagne japonaise, je traversais bel et bien une mauvaise passe, il y a des gens qui se suicident pour moins que ça.

Elle était comme d'habitude impitoyablement maquillée, presque peinte, le rouge à lèvres

écarlate et l'ombre à paupières violine soulignaient son teint pâle, sa peau « de porcelaine »
comme on dit dans les romans d'Yves Simon,
je me souvins à ce moment qu'elle ne s'exposait jamais au soleil, une peau blafarde (enfin
une peau de porcelaine, pour le dire dans les
termes d'Yves Simon) étant considérée par les
Japonaises comme le summum de la distinction, or que faire dans une station balnéaire
espagnole si l'on refuse de s'exposer au soleil,
ce projet de vacances était décidément absurde,
j'allais m'occuper le soir même de modifier les
réservations d'hôtel sur la route du retour, une
semaine c'était déjà trop, pourquoi pas garder
quelques jours au printemps pour les cerisiers
en fleur à Kyoto ?

Avec la châtain tout aurait été différent, elle
se serait désapée sur la plage sans ressentiment
et sans mépris, telle une fille obéissante d'Israël,
elle n'aurait pas été dérangée par les bourrelets
des grosses retraitées allemandes (tel était le destin des femmes, elle le savait, jusqu'à l'avènement
du Christ en gloire), elle aurait offert au soleil
(et aux retraités allemands, qui n'en auraient
pas perdu une miette) le spectacle glorieux de
ses fesses parfaitement rondes, de sa chatte candide mais cependant épilée (car Dieu a permis
la parure), et j'aurais bandé de nouveau, j'aurais
bandé comme un mammifère, mais elle ne m'aurait pas sucé directement sur la plage, c'était une
station naturiste familiale, elle aurait évité de
choquer les retraitées allemandes qui faisaient
des mouvements de hatha yoga sur la plage au
lever du soleil, cependant j'aurais senti qu'elle
en éprouvait le désir et ma virilité en aurait été

comme régénérée, mais elle aurait attendu que nous soyons dans l'eau, à une cinquantaine de mètres du rivage (la pente de la plage était très douce) pour offrir ses parties humides à mon phallus triomphant, et plus tard nous aurions dîné d'un *arroz con bogavante* dans un restaurant de Garrucha, le romantisme et la pornographie n'auraient plus été séparés, la bonté du Créateur se serait manifestée avec force, bref mes pensées allaient de-ci de-là mais je parvins quand même à mimer une vague expression de satisfaction en apercevant Yuzu qui pénétrait dans la salle des arrivées au milieu d'une horde compacte de backpackers australiens.

Nous esquissâmes une bise, enfin nos joues se frôlèrent mais c'était sans doute déjà trop, elle s'assit aussitôt, ouvrit son vanity-case (dont le contenu était strictement conforme aux normes imposées aux bagages à main sur l'ensemble des compagnies aériennes) et entreprit son repoudrage sans prêter nulle attention au tapis de distribution des bagages – manifestement, ça allait être à moi de me les coltiner.

Ses bagages je les connaissais bien, à force, c'était une marque célèbre que j'avais oubliée, Zadig et Voltaire ou bien Pascal et Blaise, le concept quoi qu'il en soit avait été de reproduire sur le tissu une de ces cartes géographiques de la Renaissance où le monde terrestre était représenté sous une forme très approximative, mais avec des légendes vintage du genre : « Icy, il doit y avoir des tygres », enfin c'étaient des bagages chic, leur exclusivité était renforcée du fait qu'ils n'étaient pas équipés de roulettes, contrairement à de vulgaires Samsonite pour cadres moyens, il fallait donc bel et bien se les *coltiner*, exactement comme les malles des élégantes de l'ère victorienne.

Comme tous les pays d'Europe Occidentale, l'Espagne, engagée dans un processus mortel d'augmentation de la productivité, avait peu à peu supprimé tous les emplois non qualifiés qui contribuaient jadis à rendre la vie un peu moins désagréable, condamnant du même coup la majeure partie de sa population au chômage de masse. De tels bagages, qu'ils soient siglés Zadig et Voltaire ou bien Pascal et Blaise, n'avaient de sens que dans une société où existait encore la fonction de *porteur*.

Ce n'était apparemment plus le cas, mais en fait si, me dis-je en sortant l'un après l'autre du tapis roulant les deux bagages de Yuzu (une valise, un sac de voyage d'une lourdeur presque identique, l'ensemble devait peser une quarantaine de kilos) : le porteur, c'était moi.

Je faisais également fonction de chauffeur. Peu après que nous eûmes rejoint l'autoroute A7 elle alluma son iPhone et brancha ses écouteurs avant de se recouvrir les yeux d'un bandeau imprégné d'une lotion décongestionnante à l'aloe vera. En direction du Sud, dans le sens qui menait à l'aéroport, c'était une autoroute qui pouvait être dangereuse, il n'était pas rare qu'un chauffeur de poids lourd letton ou bulgare perde le contrôle de son véhicule. Dans la direction opposée, les flottilles de camions qui alimentaient l'Europe du Nord en légumes cultivés sous serre ramassés par des clandestins maliens venaient d'entamer leur voyage, leurs conducteurs n'étaient pas encore en manque de sommeil, et je dépassai une trentaine de camions sans rencontrer de problème avant d'approcher de la sortie 537. À l'entrée du long virage qui conduisait au viaduc surplombant le Rambla del Tesoro, la rambarde de protection manquait sur un peu plus de cinq cents mètres ; pour mettre fin à l'affaire, il suffisait que je m'abstienne de tourner le volant. La pente était très raide à cet endroit, compte tenu de la vitesse acquise on pouvait s'attendre à un parcours parfait, la voiture ne dévalerait même pas la pente rocheuse, elle s'écraserait directement cent mètres plus bas, un moment de terreur pure et puis ce serait fini, je rendrais au Seigneur mon âme incertaine.

Le temps était clair et calme, j'approchais rapidement de l'entrée de la courbe. Je fermai les yeux en crispant mes mains sur le volant, il y eut quelques secondes d'équilibre paradoxal et de paix absolue, certainement moins de cinq, où j'eus l'impression d'être sorti du temps.

Dans un mouvement convulsif, parfaitement involontaire, je braquai violemment sur la gauche. Il était temps, la roue avant droite mordit brièvement le bas-côté pierreux. Yuzu arracha son masque et ses écouteurs. « Qu'est-ce qui se passe ? Qu'est-ce qui se passe ? » répéta-t-elle avec colère, mais avec un peu de peur aussi, et je me mis à jouer de cette peur. « Tout va bien… » dis-je le plus doucement que je pus, avec l'intonation onctueuse d'un serial killer civilisé, Anthony Hopkins était pour moi un modèle, enthousiasmant et presque indépassable, enfin le genre d'hommes qu'on a besoin de rencontrer, à un certain stade de sa vie. Je répétai encore plus doucement, subliminalement presque : « Tout va bien… »

Je n'allais pas bien du tout, en réalité ; je venais d'échouer dans ma seconde tentative de libération.

Comme je m'y attendais Yuzu accueillit avec calme, essayant seulement de ne pas manifester de satisfaction exagérée, ma décision de réduire notre période de vacances à une semaine, et mes explications d'ordre professionnel parurent la convaincre immédiatement ; la vérité, c'est qu'elle n'en avait absolument rien à foutre.

Mon prétexte n'en était d'ailleurs pas totalement un, j'étais en effet parti avant d'avoir remis ma note de synthèse sur les producteurs d'abricots du Roussillon, dégoûté par la vanité de ma tâche, dès que les accords de libre-échange actuellement en négociation avec les pays du Mercosur seraient signés il était évident que les producteurs d'abricots du Roussillon n'auraient plus aucune chance, la protection offerte par l'AOP « abricot rouge du Roussillon » n'était qu'une farce dérisoire, le déferlement des abricots argentins était inéluctable, on pouvait d'ores et déjà considérer les producteurs d'abricots du Roussillon comme virtuellement morts, il n'en resterait pas un, pas un seul, même pas un survivant pour compter les cadavres.

J'étais, je ne crois pas l'avoir dit, employé au ministère de l'Agriculture, ma tâche essentielle consistant à rédiger des notes et des rapports à destination des conseillers négociateurs au sein le plus souvent des administrations européennes, parfois dans le cadre de rounds commerciaux plus larges, dont le rôle était de « définir, soutenir et représenter les positions de l'agriculture française ». Mon statut de contractuel me permettait de toucher un salaire élevé, bien supérieur à celui que les textes en vigueur auraient permis d'allouer à un fonctionnaire. Ce salaire était en un sens justifié, l'agriculture française est complexe et multiple, rares sont ceux qui maîtrisent les enjeux de toutes les branches, et mes rapports étaient en général appréciés, on louait ma capacité d'aller à l'essentiel, de ne pas me perdre dans une multitude de chiffres, de savoir au contraire isoler quelques éléments clefs. D'un autre côté, je ne pouvais qu'aligner une impressionnante succession d'échecs dans ma défense des positions agricoles de la France, mais ces échecs au fond n'étaient pas les miens, ils étaient bien plus directement ceux des conseillers négociateurs, espèce rare et vaine dont les insuccès répétés n'entamaient nullement la morgue, j'avais eu affaire à quelques-uns (assez rarement, en général nous communiquions par mail) et j'étais ressorti écœuré de ces contacts, il ne s'agissait en général pas d'ingénieurs agronomes mais d'anciens élèves d'écoles de commerce, je n'avais depuis l'origine que dégoût pour le commerce et tout ce qui s'y apparente, l'idée de « hautes études commerciales » était à mes yeux une profanation de la notion même d'études, mais après tout c'était normal qu'on emploie à ce poste de conseiller négociateur des jeunes gens issus des hautes études commerciales, une négociation c'est toujours la même chose, que l'on négocie des abricots des calissons d'Aix des téléphones portables ou des fusées Ariane, la négociation est un univers autonome, qui obéit à ses propres lois, un univers à jamais inaccessible aux non-négociateurs.

Je repris quand même mes notes sur les producteurs d'abricots du Roussillon, je m'installai dans la chambre du haut (c'était un duplex), et finalement pendant une semaine je ne vis à peu près pas Yuzu, les deux premiers jours je fis l'effort de la rejoindre en bas, de maintenir l'illusion d'un lit conjugal et puis j'y renonçai, je pris l'habitude de manger seul, dans ce bar à tapas en effet assez sympa où j'avais laissé passer l'occasion de m'attabler avec la châtain d'Al Alquian, puis au fil des jours je me résignai à y passer toutes mes après-midi, dans cet espace de temps commercialement atone mais socialement incompressible qui sépare en Europe le déjeuner du dîner. L'atmosphère était reposante, il y avait des gens un peu comme moi mais en pire, dans la mesure où ils avaient vingt ou trente ans de plus que moi et pour eux le verdict avait été rendu ils étaient *battus*, il y avait beaucoup de veufs l'après-midi dans ce bar à tapas, les naturistes connaissent aussi le veuvage, enfin il y avait surtout des veuves, et pas mal de veufs homosexuels, dont le compagnon plus fragile s'était envolé au paradis des pédales, les distinctions d'orientation sexuelle semblaient d'ailleurs s'être évaporées, dans ce bar à tapas manifestement plébiscité par les seniors pour y achever leur vie, au profit de distinctions plus platement nationales : dans les tables en terrasse on pouvait facilement distinguer le coin des Anglais du coin des Allemands ; j'étais le seul Français ; quant aux Hollandais c'étaient vraiment des putes ils s'asseyaient n'importe où, une race de commerçants polyglottes et opportunistes les Hollandais on ne le dira jamais assez. Et tout cela s'abrutissait gentiment à coup de cervezas et de platos combinados, l'ambiance était en général très calme, le ton des conversations mesuré. De temps en temps pourtant une vague de juvéniles indignados s'abattait, directement venue de la plage, les cheveux des filles étaient encore humides et le niveau sonore montait d'un cran dans l'établissement. Je ne sais pas ce que Yuzu pouvait foutre de son côté puisqu'elle ne s'exposait pas au soleil, sans doute regardait-elle des séries japonaises sur le Net ; je me demande encore maintenant ce qu'elle pouvait bien comprendre à la situation. Un simple *gaijin* comme moi, même pas issu d'un milieu hors du commun, tout juste capable de ramener un salaire confortable sans être mirobolant, aurait dû normalement se sentir infiniment honoré de partager l'existence d'une Japonaise déjà, mais en plus d'une Japonaise jeune, sexy, appartenant à une famille japonaise éminente et de plus en contact avec les milieux artistiques les plus avancés des deux hémisphères, la théorie là-dessus était inattaquable, j'étais à peine digne de dénouer ses sandales cela allait de soi, le problème est que je manifestais une indifférence de plus en plus grossière à son statut et au mien, un soir en allant chercher des bières dans le frigidaire du bas je me heurtai à elle dans la cuisine et laissai échapper un « Pousse-toi grosse salope » avant de me saisir du pack de San Miguel et d'un chorizo entamé, bref elle se sentit sans doute quelque peu désarçonnée durant cette semaine, rappeler l'éminence de son statut social n'est guère évident quand l'autre risque en réponse de vous roter à la gueule ou de lâcher un pet, il y avait certainement beau-coup de personnes auxquelles elle pouvait faire part de son trouble, pas sa famille qui aurait immédiatement tiré la situation à son profit en concluant qu'il était temps pour elle de retour-ner au Japon, mais certainement des amies, des amies ou des connaissances, et je pense qu'elle utilisa abondamment Skype durant ces quelques jours où je me résignai à abandonner les pro-ducteurs d'abricots du Roussillon engagés dans leur descente vers l'anéantissement, mon indif-férence à l'époque aux producteurs d'abricots du Roussillon me paraît aujourd'hui un signe précurseur de cette indifférence que je mani-festai au moment décisif pour les producteurs laitiers du Calvados et de la Manche, en même temps que de cette indifférence plus fondamen-tale que je devais ensuite développer à l'égard de mon propre destin, et qui me faisait en ce moment rechercher avec avidité la compagnie des seniors, ce qui n'était paradoxalement pas si facile, ils étaient prompts à me démasquer comme un faux senior, je subis notamment quelques rebuffades de retraités anglais (ce qui n'était pas très grave, on ne peut jamais être bien accueilli par l'Anglais, l'Anglais est presque aussi raciste que le Japonais dont il constitue en quelque sorte une version allégée), mais aussi de Hollandais, qui ne me rejetaient évidemment pas par xénophobie (comment un Hollandais pourrait-il être xénophobe ? il y a déjà contradiction dans les termes, la Hollande n'est pas un pays c'est tout au plus une entreprise), mais parce qu'ils me refusaient l'accès à leur univers de seniors, je n'avais pas fait mes preuves, ils ne pouvaient pas s'ouvrir à moi avec aisance de leurs problèmes de prostate ni de leurs pontages coronariens, j'étais de manière surprenante bien plus facilement accueilli par les indignados, leur jeunesse s'accompagnait d'une naïveté réelle et pendant ces quelques journées j'aurais pu basculer, et il aurait fallu que je bascule c'était ma dernière chance en même temps j'avais beaucoup à leur apprendre, je connaissais parfaitement les dérives de l'agro-industrie, leur militantisme aurait acquis à mon contact de la consistance, d'autant que la politique de l'Espagne à l'égard des OGM était plus que contestable, l'Espagne était un des pays européens les plus libéraux et les plus irresponsables en matière d'OGM, c'était l'Espagne tout entière, l'ensemble des *campos* espagnols qui risquait du jour au lendemain de se transformer en bombe génétique, il aurait au fond suffi d'une fille, il suffit toujours d'une fille, mais rien ne se produisit qui puisse me faire oublier la châtain d'Al Alquian, et avec le recul je n'incrimine même pas les indignadas présentes, je suis même incapable de me souvenir vraiment de leur attitude à mon égard, j'ai l'impression en y repensant d'une bienveillance superficielle, mais je suppose que je n'étais moi-même que

33

superficiellement accessible, j'avais été détruit par le retour de Yuzu, par l'évidence qu'il fallait que je me débarrasse de Yuzu et que je m'en débarrasse le plus vite possible, j'avais été mis dans l'incapacité de vraiment remarquer et même si je les avais remarquées de croire à la réalité de leurs charmes, elles étaient comme un documentaire sur les cascades de l'Oberland bernois capté sur Internet par un réfugié somalien. Mes journées s'écoulaient de plus en plus douloureusement en l'absence d'événements tangibles et simplement de raisons de vivre, sur la fin j'avais même complètement abandonné les producteurs d'abricots du Roussillon ; je n'allais plus très souvent au café, de peur d'être confronté à une indignada aux seins nus. Je regardais les mouvements du soleil sur les dalles, je descendais des bouteilles de brandy Cardenal Mendoza, et c'était à peu près tout.

Malgré l'insupportable vacuité des jours, je voyais cependant arriver avec crainte le moment du retour, durant les quelques journées qu'il durerait je serais obligé de coucher dans le même lit que Yuzu, nous ne pouvions quand même pas prendre des chambres séparées, je me sentais incapable de heurter de plein fouet, à un tel degré, la Weltanschauung des réceptionnistes et même de l'ensemble du personnel hôtelier, nous serions donc collés l'un à l'autre en permanence, vingt-quatre heures sur vingt-quatre, et ce calvaire allait durer quatre jours entiers. Du temps de Camille il me suffisait de deux jours pour effectuer le trajet, d'abord parce qu'elle conduisait aussi et me relayait à tout moment, mais aussi parce que les limitations de vitesse n'étaient pas encore respectées en Espagne, ils n'avaient pas encore mis en place le système du permis à points, et la coordination des bureaucraties européennes était de toute façon moins parfaitement réalisée, d'où un laxisme général à l'égard des infractions mineures commises par les étrangers. Non seulement une vitesse de 150 ou 160 kilomètres/heure, à la place de cette ridicule limite de 120 kilomètres/heure, permettait évidemment de réduire le nombre d'heures de trajet, mais surtout elle permettait de rouler plus longtemps, et dans de meilleures conditions de sécurité. Sur ces interminables autoroutes espagnoles, rectilignes à l'infini, presque vides, écrasées par le soleil et traversant un paysage d'un ennui total, en particulier entre Valence et Barcelone, mais passer par l'intérieur n'arrangeait pas vraiment les choses, le tronçon entre Albacete et Madrid était lui aussi parfaitement plombant, sur ces autoroutes espagnoles même la consommation de cafés solos à chaque occasion, même le fait de fumer cigarette sur cigarette permettaient très difficilement d'éviter l'endormissement, au bout de deux ou trois heures de ce fastidieux parcours les yeux se fermaient nécessairement, seule la décharge d'adrénaline induite par la vitesse aurait pu permettre de conserver sa vigilance intacte, cette absurde limitation de vitesse était en réalité directement à l'origine de la recrudescence des accidents mortels sur les autoroutes espagnoles, et sauf à risquer un accident mortel – ce qui aurait il est vrai constitué une solution – j'étais maintenant obligé de me limiter à des parcours de 500 ou 600 kilomètres par jour.

Du temps de Camille la difficulté était déjà, sur la route, de trouver des hôtels acceptant les fumeurs, mais il nous suffisait pour les raisons que j'ai dites d'une journée pour traverser l'Espagne, d'une autre pour rallier Paris, et nous avions découvert quelques établissements dissidents, l'un sur la côte basque, l'autre sur la côte vermeille, un troisième dans les Pyrénées-Orientales également mais plus à l'intérieur des terres, à Bagnères-de-Luchon exactement, déjà dans les montagnes, et c'est peut-être de ce dernier, le château de Riell, que je conservais le plus féerique souvenir, en raison de la décoration kitsch, pseudo-exotique, improbable, de l'ensemble des chambres.

L'oppression légale était moins parfaite alors, il y avait encore quelques trous dans les mailles du filet, mais aussi j'étais plus jeune, j'espérais pouvoir demeurer dans les limites de la légalité, je croyais encore en la justice de mon pays, j'avais confiance dans le caractère globalement bénéfique de ses lois, je n'avais pas encore acquis ce savoir-faire de guérillero qui me permettrait par la suite de traiter avec indifférence les détecteurs de fumée : le couvercle du dispositif une fois dévissé, deux bons coups de pince coupante pour désactiver le circuit électrique de l'alarme et on n'en parle plus. Il est plus difficile de circonvenir les femmes de ménage, dont l'odorat surentraîné à la détection des odeurs de tabac ne souffre en général aucune faiblesse, la seule solution dans ce cas est de les arroser, un pourboire généreusement distribué permet toujours d'acheter leur silence, mais évidemment dans ces conditions le séjour finit par coûter cher, et on n'est jamais à l'abri d'une trahison.

J'avais prévu notre première étape dans le parador de Chinchon, c'était un choix peu contestable, les paradores en général sont un choix peu contestable mais celui-là en particulier était charmant, installé dans un couvent du XVIe siècle, les chambres donnaient sur un patio dallé où s'écoulait une fontaine, partout dans les couloirs et à la réception déjà on pouvait s'asseoir dans de magnifiques fauteuils espagnols en bois sombre. Elle s'y installa, croisant les jambes avec cette hauteur blasée qui lui était habituelle, et sans prêter la moindre attention au décor alluma aussitôt son smartphone, à l'avance prête à se plaindre qu'il n'y avait pas de réseau. Il y avait du réseau, ce qui était plutôt une bonne nouvelle, ça allait l'occuper pendant la soirée. Elle dut quand même se relever, non sans marquer quelques signes d'agacement, pour présenter elle-même son passeport, ainsi que son titre de séjour en France, et pour signer aux endroits indiqués, trois en tout sur les différentes fiches présentées par l'hôtelier, l'administration des paradores gardait un côté étrangement bureaucratique et tatillon, absolument inadapté à ce que doit être dans l'imaginaire touristique occidental la réception d'un hôtel de charme, les cocktails de bienvenue ce n'était pas leur genre, la photocopie des passeports si, les choses n'avaient probablement pas beaucoup changé depuis Franco, pourtant les paradores *étaient* des hôtels de charme, c'en était même l'archétype presque parfait, tout ce qui pouvait encore tenir debout en Espagne en termes de châteaux forts moyenâgeux ou de couvents Renaissance avait été converti en parador. Cette politique visionnaire, mise en place dès 1928, avait pris toute sa dimension un peu plus tard, avec l'arrivée au pouvoir d'un homme. Francisco Franco, indépendamment d'autres aspects parfois discutables de son action politique, pouvait être considéré comme le véritable inventeur, au niveau mondial, du *tourisme de charme*, mais son œuvre ne s'arrêtait pas là, cet esprit universel devait plus tard jeter les bases d'un authentique *tourisme de masse* (qu'on songe à Benidorm ! qu'on songe à Torremolinos ! existait-il dans le monde, durant les années 1960, quoi que ce soit qui puisse y être comparé ?), Francisco Franco était en réalité un authentique géant du tourisme, et c'est à cette aune qu'il finirait par être réévalué, il commençait d'ailleurs à l'être dans quelques écoles hôtelières suisses, et plus généralement sur le plan économique le franquisme avait récemment fait l'objet de travaux intéressants à Harvard et à Yale, montrant comment le caudillo, pressentant que l'Espagne ne parviendrait jamais à raccrocher au train de la révolution industrielle qu'elle avait il faut bien le dire totalement manqué, avait hardiment décidé de brûler les étapes en investissant dans la troisième phase, la phase finale de l'économie européenne, celle du tertiaire, du tourisme et des services, donnant ainsi à son pays un avantage concurrentiel décisif à l'heure où les salariés des nouveaux pays industriels, accédant à un pouvoir d'achat plus élevé, souhaiteraient l'utiliser en Europe soit dans le tourisme de charme, soit dans le tourisme de masse, conformément à leur statut, il n'y avait ceci dit pour l'instant aucun Chinois au parador de Chinchon, un couple d'universitaires anglais des plus ordinaires attendait son tour derrière nous, mais les Chinois viendraient, ils viendraient certainement, je n'avais aucun doute sur leur venue, la seule chose était peut-être quand même de simplifier les formalités d'accueil, quel que soit le respect que l'on puisse et que l'on

doive éprouver pour l'œuvre touristique du caudillo les choses avaient changé, il était peu probable maintenant que des espions venus du froid
songent à se glisser dans l'innocente cohorte des
touristes ordinaires, les espions venus du froid
étaient eux-mêmes devenus des touristes ordinaires à l'instar de leur chef, Vladimir Poutine,
le premier d'entre eux.

Les formalités une fois accomplies, l'ensemble
des fiches d'information de l'hôtel paraphées et
signées, je connus encore un instant de jubi-
lation masochiste en surprenant le regard ironique, voire méprisant, que me jeta Yuzu lorsque
je tendis au réceptionniste ma carte *Amigos de
Paradores* pour faire valider mes points ; elle ne
perdait rien pour attendre. Je me dirigeai vers
notre chambre, traînant ma Samsonite ; elle me
suivit, la tête hardiment dressée, ayant laissé ses
deux bagages Zadig et Voltaire (ou bien Pascal
et Blaise, j'ai oublié) au beau milieu du hall de
réception. Je feignis de ne rien remarquer, et
aussitôt arrivés dans notre chambre, je me servis
une Cruzcampo dans le minibar en allumant une
cigarette – je n'avais rien à craindre, différentes
expériences m'avaient convaincu que les détecteurs de fumée dans les paradores dataient eux
aussi de l'ère franquiste, plutôt de la fin de l'ère
franquiste, et que tout le monde s'en foutait,
qu'il ne s'agissait que d'une concession tardive
et superficielle aux normes du tourisme international, basée sur l'illusion d'une clientèle américaine qui de toute façon n'atteindrait jamais
l'Europe et encore moins les paradores, Venise
seule en Europe pouvait encore se prévaloir

d'une vague fréquentation américaine, il était temps à présent pour les professionnels européens du tourisme de se tourner vers des pays plus frustes et plus neufs, pour qui le cancer du poumon ne représentait qu'un inconvénient marginal et peu documenté. Pendant une dizaine de minutes il ne se passa rien ou à peu près, Yuzu tourna un peu en rond, vérifia que son smartphone captait toujours, qu'aucune boisson du minibar ne correspondait à son statut : il y avait des bières, du Coca ordinaire (même pas de Coca light) et de l'eau minérale. Puis elle lâcha, d'un ton qui n'arrivait même plus vraiment à être interrogatif : « Ils n'amènent pas les bagages ? – Je l'ignore » répondis-je avant d'ouvrir une seconde Cruzcampo. Les Japonais ne peuvent pas vraiment rougir, le mécanisme psychologique existe mais le résultat est plutôt ocre, enfin elle digéra l'affront je dois le reconnaître, il lui fallut une minute de tremblements mais elle digéra l'affront, elle se retourna sans un mot et se dirigea vers la porte. Elle revint quelques minutes plus tard, traînant sa valise, pendant que je terminais ma bière. Lorsqu'elle revint encore cinq minutes après avec son sac de voyage, j'en avais entamé une troisième – le voyage m'avait vraiment donné soif. Comme je l'escomptais elle ne m'adressa plus la parole de la soirée, ce qui me permit de me concentrer sur les mets – à l'exploitation du patrimoine architectural, les paradores ont depuis le début choisi d'adjoindre la mise en lumière des gastronomies régionales espagnoles, et le résultat à mes yeux est souvent délicieux, quoique en général un peu gras.

Pour notre seconde étape j'avais encore fait monter les enchères en optant pour un Relais Châteaux, le château de Brindos, situé sur le territoire de la commune d'Anglet, non loin de Biarritz. Cette fois il y eut un cocktail de bienvenue, des serviteurs empressés et multiples, des cannelés et des macarons disposés à notre intention dans des coupelles de porcelaine, une bouteille de Ruinart nous attendait au frais dans le minibar, enfin bref c'était un putain de Relais Châteaux dans cette putain de côte basque, tout aurait pu aller pour le mieux si je ne m'étais soudain rappelé, précisément en traversant le salon de lecture où de profonds fauteuils à oreillettes encadraient des tables recouvertes de piles de *Figaro Magazine*, *Côte Basque*, *Vanity Fair* et autres publications, que j'étais déjà venu dans cet hôtel avec Camille, à la fin de l'été précédant notre séparation, à la fin de notre dernier été, le minime et très temporaire regain de bienveillance que j'aurais pu éprouver pour Yuzu (qui dans cet environnement plus favorable avait repris du poil de la bête, qui s'était en quelque sorte remise à ronronner, et qui avait déjà commencé à étaler quelques tenues sur le lit, dans l'évidente intention d'être *éblouissante* à l'heure du dîner) avait aussitôt été annulé par la comparaison que j'étais inévitablement amené à faire entre leurs attitudes. Camille avait traversé bouche bée les salons de réception, contemplant le nez en l'air les tableaux dans leurs cadres, les murs de pierre apparente, les lampadaires ouvragés. En pénétrant dans la chambre elle s'était arrêtée, impressionnée, devant la masse immaculée du lit king size avant de s'asseoir timidement à son bord pour essayer sa souplesse et son moelleux. Notre junior suite avait vue sur le lac, elle avait aussitôt voulu prendre une photo de nous deux, et lorsque ouvrant la porte du minibar je lui avais demandé si elle voulait une coupe de champagne elle s'était exclamée : « Oh ouuui !... » avec une expression de bonheur total, et ce bonheur accessible aux classes moyennes supérieures je savais qu'elle en savourait chaque seconde, c'était différent pour moi j'avais déjà eu accès à cette catégorie d'hôtels, c'était dans ces hôtels que mon père faisait étape lorsque nous partions en vacances à Méribel, dans le château d'Igé en Saône-et-Loire, ou bien au « Domaine de Clairefontaine » de Chonas-l'Amballan, j'appartenais moi-même aux classes moyennes supérieures alors qu'elle était une enfant des classes moyennes moyennes, et à vrai dire plutôt paupérisées par la crise.

Je n'avais même plus envie d'aller me promener sur les bords du lac en attendant l'heure du dîner, l'idée même m'en était odieuse, comme une profanation, et c'est avec réticence que j'enfilai une veste (après avoir quand même terminé la bouteille de champagne) pour me rendre au restaurant de l'hôtel, *simplement étoilé* au guide Michelin, où John Argand *revisitait de manière créative* le terroir basque à travers son menu « Le marché de John ». Ces restaurants auraient d'ailleurs été supportables si les serveurs n'avaient récemment acquis la manie de déclamer la composition du moindre amuse-bouche, le ton enflé d'une emphase mi-gastronomique mi-littéraire, guettant chez le client des signes de complicité ou au moins d'intérêt, dans le but j'imagine de faire du repas une expérience conviviale partagée, alors que leur seule manière de lancer : « Bonne dégustation ! » à l'issue de leur harangue gourmande suffisait en général à me couper l'appétit.

Une autre innovation, encore plus regrettable, depuis ma venue en compagnie de Camille, était l'installation des détecteurs de fumée dans les chambres. Je les avais repérés dès mon entrée, en même temps j'avais noté que vu la hauteur sous plafond – au moins trois mètres, plus probablement quatre – il me serait impossible de les désactiver. Après avoir tergiversé une heure ou deux, je découvris des couvertures supplémentaires dans un placard, et m'installai pour dormir sur le balcon – heureusement la nuit était douce, j'avais vécu bien pire lors d'un congrès à Stockholm sur la filière porcine. Une des coupelles de porcelaine contenant les pâtisseries me servirait de cendrier ; il me suffirait de la nettoyer au matin, et d'enfouir les mégots dans une des jardinières d'hortensias.

La troisième journée de voyage fut interminable, l'autoroute A10 semblait presque entièrement en travaux, et il y eut deux heures de bouchons à la sortie de Bordeaux. C'est dans un état d'exaspération avancée que j'arrivai à Niort, une des villes les plus laides qu'il m'ait été donné de voir. Yuzu ne put réprimer une mimique de stupéfaction en s'apercevant que notre étape du jour nous conduisait à l'hôtel Mercure-Marais Poitevin. Pourquoi lui infligeais-je pareille humiliation ? Humiliation de surcroît vaine, puisque, m'apprit la réceptionniste avec une nuance visible de satisfaction mauvaise, l'hôtel venait tout récemment, « à la demande de la clientèle », de passer en 100 % non-fumeurs – oui c'est vrai, le site Internet n'avait pas encore été corrigé, elle en était consciente.

Pour la première fois de ma vie, c'est avec soulagement que je vis apparaître, le lendemain en milieu d'après-midi, les premiers contreforts de la banlieue parisienne. Jeune homme, lorsque chaque dimanche soir je quittais Senlis où j'avais vécu une enfance très protégée pour retourner poursuivre mes études dans le centre de Paris, lorsque je traversais Villiers-le-Bel, puis Sarcelles, puis Pierrefitte-sur-Seine, puis Saint-Denis, lorsque je voyais peu à peu autour de moi s'élever la densité de population et les barres d'immeubles, et dans l'autobus la violence des conversations augmenter, et le niveau de danger visiblement s'accroître, j'avais chaque fois la sensation nettement caractérisée de revenir en enfer, et dans un enfer bâti, à leur convenance, par les hommes. Maintenant c'était différent, un parcours social sans brio particulier mais correct m'avait permis d'échapper, je l'espérais définitivement, au contact physique et même visuel des classes dangereuses, j'étais maintenant dans mon propre enfer, que j'avais bâti à ma convenance.

Nous habitions un grand trois pièces au 29e étage de la tour Totem, une espèce de structure alvéolée de béton et de verre posée sur quatre énormes piliers de béton brut, qui évoquait ces champignons d'aspect répugnant mais paraît-il délicieux que l'on appelle je crois des morilles. La tour Totem était située au cœur du quartier Beaugrenelle, juste en face de l'île aux Cygnes. Je détestais cette tour et je détestais le quartier Beaugrenelle, mais Yuzu adorait cette gigantesque morille de béton, elle en était « immédiatement tombée amoureuse », c'est ce qu'elle déclarait à tous nos invités, au moins dans les premiers temps, elle le déclarait peut-être toujours d'ailleurs mais ça faisait bien longtemps que j'avais renoncé à rencontrer les invités de Yuzu, immédiatement avant leur arrivée je m'enfermais dans ma chambre et je n'en sortais plus de la soirée.

Nous faisions chambre à part depuis quelques mois, je lui avais laissé la « suite parentale » (une suite parentale c'est comme une chambre, mais avec un dressing et une salle de bains, je signale ça à l'intention de mes lecteurs des couches populaires) pour occuper la « chambre d'amis », et j'utilisais la salle d'eau attenante, une salle d'eau c'était bien suffisant pour moi : un brossage de dents, une douche rapide et j'en avais terminé.

Notre couple était en phase terminale, plus rien ne pouvait le sauver et d'ailleurs cela n'aurait même pas été souhaitable, cependant il faut en convenir nous disposions de ce qu'il est convenu d'appeler une « vue superbe ». Du salon comme de la suite parentale on donnait sur la Seine, et au-delà du 16e arrondissement sur le bois de Boulogne, le parc de Saint-Cloud et ainsi de suite ; par beau temps, on apercevait le château de Versailles. De ma chambre on avait directement vue sur l'hôtel Novotel, situé à moins d'une encablure, et au-delà sur la majeure partie de Paris, mais cette vue ne m'intéressait pas, je laissais constamment les doubles rideaux fermés, non seulement je détestais le quartier Beaugrenelle mais je détestais Paris, cette ville infestée de bourgeois écoresponsables me répugnait, j'étais peut-être un bourgeois moi aussi mais je n'étais pas écoresponsable, je roulais en 4 × 4 diesel – je n'aurais peut-être pas fait grand-chose de bien dans ma vie, mais au moins j'aurais contribué à détruire la planète – et je sabotais systématiquement le programme de tri sélectif mis en œuvre par le syndic de l'immeuble en balançant les bouteilles de vin vides dans la poubelle réservée aux papiers et emballages, les déchets périssables dans le bac de collecte du verre. Je m'enorgueillissais quelque peu de mon absence de civisme, mais aussi je tirais une mesquine vengeance du montant indécent du loyer et des charges – une fois que j'avais payé le loyer et les charges, versé à Yuzu l'allocation mensuelle qu'elle m'avait demandée pour « subvenir aux besoins du ménage » (pour l'essentiel, commander des sushis), j'avais dépensé exactement 90 % de mon salaire mensuel, en somme ma vie d'adulte se résumait à grignoter lentement l'héritage de mon père, mon père n'avait pas mérité ça, il était décidément temps que je mette un terme à ces bêtises.

Depuis que je la connaissais Yuzu travaillait à la Maison de la culture du Japon, quai Branly, c'était à cinq cents mètres de l'appartement mais elle y allait quand même à vélo, avec son stupide vélo hollandais qu'elle était ensuite obligée de monter dans l'ascenseur, puis de garer dans le living-room. C'étaient je suppose ses parents qui l'avaient pistonnée pour cette sinécure. Je ne savais pas exactement ce que foutaient ses parents mais ils étaient indéniablement riches (une fille unique de parents riches ça donne des gens comme Yuzu, quel que soit le pays, quelle que soit la culture), probablement pas extrêmement riches, je n'imaginais pas son père chairman de Sony ou de Toyota, plutôt fonctionnaire, un fonctionnaire de rang élevé.

Elle avait été engagée, m'expliqua-t-elle, pour « rajeunir et moderniser » le programme des manifestations culturelles. Ce n'était pas du luxe : le dépliant que je ramassai, la première fois que je lui rendis visite à son lieu de travail, dégageait un ennui mortel : ateliers d'origami, d'ikebana et de tenkoku, spectacles de kamishibai et de tambours jômon, conférences sur le jeu de go et la voie du thé (école Urasenke, école Omotesenke), les rares invités japonais étaient des trésors nationaux vivants mais de justesse, la plupart avaient au moins quatre-vingt-dix ans, on les aurait plus adéquatement qualifiés de trésors nationaux mourants. Bref, il lui suffirait d'organiser une ou deux expositions de mangas, un ou deux festivals sur les nouvelles tendances du porno japonais, pour remplir son contrat ; *it was quite an easy job.*

J'avais renoncé à aller aux expositions organisées par Yuzu six mois auparavant, après celle consacrée à Daikichi Amano. C'était un photographe et vidéaste qui présentait des images de filles nues recouvertes de différents animaux répugnants tels qu'anguilles, poulpes, cafards, vers annelés... Sur une vidéo, une Japonaise attrapait par les dents les tentacules d'un poulpe qui sortaient d'une cuvette de WC. Je crois que je n'avais jamais rien vu d'aussi dégueulasse. Malheureusement, comme d'habitude, j'avais commencé par le buffet avant de m'intéresser aux œuvres exposées ; deux minutes plus tard, je me précipitai dans les toilettes du centre culturel pour vomir mon riz et mon poisson cru.

Les week-ends étaient chaque fois un supplice, mais, sinon, je pouvais traverser les semaines sans presque rencontrer Yuzu. Lorsque je partais pour le ministère de l'Agriculture, elle était loin d'être réveillée – elle se levait rarement avant midi. Et lorsque je rentrais, vers sept heures du soir, elle n'était presque jamais là. Ce n'était probablement pas son travail qui l'incitait à des horaires si tardifs, après tout c'était normal, elle n'avait que vingt-six ans et j'en avais vingt de plus, le désir de vie sociale diminue avec la maturité, on finit par se dire qu'on a fait le tour de la question, en plus j'avais installé une box SFR dans ma chambre, je pouvais accéder aux chaînes sportives et suivre les championnats de football nationaux français, anglais, allemand, espagnol et italien, cela représentait un nombre d'heures de divertissement considérable, si Pascal avait connu la box SFR il aurait peut-être chanté une autre chanson, et tout cela pour un prix identique à celui des autres opérateurs, je ne comprenais pas que SFR ne mette pas davantage l'accent, dans ses publicités, sur son merveilleux bouquet sportif, enfin chacun son métier.

Ce qui était sans doute plus critiquable, du point de vue de la morale communément admise, c'est que Yuzu se rendait assez souvent, j'en avais la conviction, à des « soirées libertines ». Je l'avais accompagnée à l'une d'entre elles, juste au début de notre relation. Cela se passait dans un hôtel particulier quai de Béthune, dans l'île Saint-Louis. Je ne savais même pas combien une habitation pareille pouvait valoir sur le marché, vingt millions d'euros peut-être, enfin je n'avais jamais rien vu de tel. Il y avait une centaine de participants, deux hommes pour une femme à peu près, dans l'ensemble les hommes étaient plus jeunes que les femmes, et d'un niveau social nettement moins relevé, la plupart avaient même un look nettement « banlieue », on doit les payer me dis-je un instant mais en fait probablement pas, baiser gratuitement pour la plupart des hommes est déjà une aubaine, en plus il y avait du champagne et des petits fours, servis dans les trois salons de réception, en enfilade, où je passai la soirée.

Rien de sexuel ne se déroulait, dans ces salons de réception, mais la tenue extrêmement érotique des femmes, le fait que des couples ou des groupes se dirigent régulièrement vers les escaliers menant aux chambres, ou au contraire à la cave, ne laissaient planer aucun doute sur l'esprit de la réunion.

Au bout d'à peu près une heure, lorsqu'il devint évident que je n'avais aucune intention d'aller explorer ce qui se tramait ou s'échangeait au-delà du buffet, Yuzu appela un Uber. Sur le chemin du retour elle ne me fit aucun reproche, mais ne manifesta non plus aucun regret, aucune honte ; en fait elle ne fit aucune allusion à la soirée, et elle ne devait d'ailleurs jamais plus en faire mention.

Ce silence me semblait confirmer mon hypothèse qu'elle n'avait pas renoncé à ces distractions, et un soir j'eus envie d'en avoir le cœur net, c'était absurde elle pouvait rentrer à tout moment, et puis fouiller dans l'ordinateur de sa compagne ça n'a rien de très honorable, c'est une curieuse chose le besoin de savoir, enfin le mot de besoin est peut-être un peu fort, disons qu'il n'y avait que des matchs décevants ce soir-là.

En triant ses mails par taille, j'isolai facilement la dizaine qui comportaient des vidéos attachées. Dans la première, ma compagne était au centre d'un gang-bang de facture classique : elle branlait, suçait et se faisait pénétrer par une quinzaine d'hommes, qui attendaient leur tour sans empressement, et utilisaient un préservatif pour les pénétrations vaginales et anales ; personne ne prononçait une parole. À un moment donné elle tenta de prendre deux bites dans sa bouche, mais n'y parvint pas tout à fait. Dans un deuxième temps les participants éjaculèrent sur son visage, qui se recouvrit peu à peu de sperme, plus tard elle ferma les yeux.

Tout cela était très bien, enfin si je puis dire, disons que je n'étais pas exagérément surpris, mais il y avait autre chose qui m'interpellait davantage : j'avais tout de suite reconnu la décoration, cette vidéo avait été tournée dans mon appartement, et plus précisément dans la suite parentale, et ça, ça ne me plaisait pas beaucoup. Elle devait avoir profité d'un de mes déplacements à Bruxelles, et ça faisait plus d'un an que j'y avais définitivement mis fin, ça avait donc eu lieu tout au début de notre relation, donc à une époque où on baisait encore ensemble et où on baisait même beaucoup, je crois que je n'avais jamais autant baisé de ma vie, elle était disponible pour baiser à peu près en permanence, j'en avais alors déduit qu'elle était amoureuse de moi, c'était peut-être une erreur d'analyse, mais alors une erreur d'analyse commune à beaucoup d'hommes, ou alors ce n'est pas une erreur, c'est comme ça que la plupart des femmes fonctionnent (comme on dit dans les ouvrages de psychologie populaire), c'est dans leur logiciel (comme on dit dans les débats politiques sur Public Sénat), Yuzu pouvait donc bien être un cas particulier.

Un cas particulier elle l'était en effet, la seconde vidéo en attestait davantage. Cette fois ça ne se passait pas chez moi, et pas davantage dans l'hôtel particulier de l'île Saint-Louis. Autant l'ameublement de l'île Saint-Louis était classe, minimaliste, noir et blanc, autant le nouveau spot était cossu, bourgeois, Chippendale, on songeait à l'avenue Foch, à un gynécologue riche ou peut-être à un présentateur de télévision à succès, quoi qu'il en soit Yuzu se branlait sur une ottomane avant de se laisser glisser sur le sol recouvert d'un tapis aux motifs vaguement persans, ce sur quoi un doberman d'âge moyen la pénétrait avec la vigueur que l'on reconnaît à sa race. Ensuite la caméra changeait d'axe, et pendant que le doberman continuait à la besogner (les chiens éjaculent pourtant très vite dans l'état de nature, mais la chatte de la femme doit présenter de notables différences avec celle de la chienne, il ne retrouvait pas ses marques), Yuzu agaçait le gland d'un bull-terrier avant de le prendre dans sa bouche. Le bull-terrier, sans doute plus jeune, éjaculait en moins d'une minute avant d'être remplacé par un boxer.

Après ce mini gang-bang canin, j'interrompis mon visionnage, j'étais écœuré mais surtout pour les chiens, en même temps je ne pouvais pas me dissimuler que pour une Japonaise (d'après tout ce que j'avais pu observer de la mentalité de ce peuple), coucher avec un Occidental, c'est déjà presque copuler avec un animal. Avant de quitter la suite parentale, j'enregistrai l'ensemble des vidéos sur une clef USB. Le visage de Yuzu était très reconnaissable, et je commençai à envisager l'ébauche d'un nouveau plan de libération, qui consistait tout simplement (les bonnes idées sont toujours simples) à la jeter par la fenêtre.

La réalisation pratique n'offrait guère de difficultés. D'abord il s'agissait de la faire boire, prétextant que le breuvage était d'une qualité tout à fait étonnante, genre cadeau d'un petit producteur local de mirabelle dans les Vosges, elle était très sensible à ces arguments, en ce sens elle était vraiment restée une touriste. Les Japonais, et même plus généralement les Asiatiques, tiennent très mal l'alcool, par suite du mauvais fonctionnement chez eux de l'aldéhyde déshydrogénase 2, qui assure la transformation de l'éthanol en acide acétique. En moins de cinq minutes elle plongerait dans l'abrutissement éthylique, j'en avais déjà eu l'expérience ; il me suffirait alors d'ouvrir la fenêtre et de transporter son corps, elle pesait moins de cinquante kilos (à peu près le même poids que ses bagages), je parviendrais sans difficulté à la traîner, et vingt-neuf étages ça ne pardonne pas.

Je pouvais bien entendu essayer de faire croire à un accident imputable à l'ivresse, tout cela paraissait plutôt crédible, mais j'avais une confiance énorme, peut-être exagérée, dans la police de mon pays, et mon projet de départ était plutôt d'avouer : avec ces vidéos, pensais-je, je disposais de circonstances atténuantes. Le Code pénal de 1810, dans son article 324, stipule que « le meurtre commis par l'époux sur son épouse, ou par celle-ci sur son époux, n'est pas excusable (...) néanmoins, dans le cas d'adultère, prévu par l'article 336, le meurtre commis par l'époux sur son épouse, ainsi que sur le complice, à l'instant où il les surprend en flagrant délit dans la maison conjugale, est excusable ». En somme, si j'avais débarqué avec une kalachnikov le soir de la partouze, et que nous ayons été à l'époque de Napoléon, j'étais acquitté sans problème. Mais nous n'étions plus à l'époque de Napoléon, même plus à celle de *Divorce à l'italienne*, et une rapide recherche Internet m'apprit que la peine moyenne, pour un crime passionnel commis dans un cadre conjugal, était de dix-sept ans de prison ; certaines féministes souhaitaient aller plus loin, permettre le prononcé de peines plus lourdes en introduisant la notion de « féminicide » dans le Code pénal, ce que je trouvais plutôt amusant, ça faisait penser à insecticide, ou à raticide. Quand même, dix-sept ans, ça me paraissait beaucoup.

En même temps on n'est peut-être pas si mal en prison, me dis-je, les problèmes administratifs disparaissent, et on est également pris en charge d'un point de vue médical, le principal inconvénient est qu'on se fait constamment battre et sodomiser par les autres détenus, mais à bien réfléchir c'étaient peut-être surtout les pédophiles qui se faisaient humilier et enculer par les autres prisonniers, ou bien alors des jeunes mecs très mignons, avec un petit cul d'ange, des délinquants fragiles et mondains qui tombaient bêtement, pour un rail de coke, moi j'étais baraqué, trapu et un peu alcoolique, j'avais plutôt le profil d'un prévenu moyen en réalité. « Humiliés et enculés » c'était un bon titre, du Dostoïevski trash, d'ailleurs il me semblait que Dostoïevski avait écrit sur le monde carcéral, c'était peut-être transposable, enfin là je n'avais pas le temps de vérifier, il fallait que je prenne une décision rapidement, et ce qu'il me semblait c'est qu'un mec ayant tué sa femme pour « venger son honneur » devait bénéficier d'un certain respect des codétenus, c'est ce que me soufflait ma faible compréhension de la psychologie du milieu carcéral.

D'un autre côté, il y avait quand même des choses que j'aimais bien, à l'extérieur, une petite virée au G20 par exemple, ils avaient quatorze variétés différentes de houmous, ou bien une promenade en forêt, enfant j'aimais les promenades en forêt, j'aurais dû en faire davantage, j'avais trop perdu le contact avec mon enfance, enfin une incarcération prolongée n'était peut-être pas la meilleure solution, mais je crois que c'est le houmous qui emporta la décision. Sans parler des aspects moraux liés au meurtre, bien entendu.

Curieusement, c'est en regardant Public Sénat – une chaîne dont je n'attendais pas grand-chose, et en tout cas rien de ce genre – que la solution m'apparut enfin. Le documentaire, intitulé « Disparus volontaires », reconstituait le parcours de différentes personnes qui un jour, de manière totalement imprévisible, avaient décidé de couper les ponts avec leur famille, leurs amis, leur profession : un type qui, un lundi matin, en se rendant à son travail, avait abandonné sa voiture sur le parking d'une gare et pris le premier train, laissant au hasard le choix de sa destination ; un autre qui, au sortir d'une soirée, au lieu de rentrer chez lui, avait pris une chambre dans le premier hôtel venu avant d'errer pendant des mois dans différents hôtels parisiens, changeant d'adresse chaque semaine.

Les chiffres étaient impressionnants : plus de douze mille personnes, en France, chaque année, choisissaient de disparaître, d'abandonner leur famille et de refaire leur vie, parfois à l'autre bout du monde, parfois sans changer de ville. J'étais fasciné, et je passai le reste de la nuit sur Internet pour en apprendre davantage, de plus en plus convaincu que j'étais à la rencontre de mon propre destin : je serais, moi aussi, un disparu volontaire, et mon cas était particulièrement simple, je n'avais pas à échapper à une femme, à une famille, à un ensemble social patiemment constitué, mais à une simple concubine étrangère, qui n'avait aucun droit à me poursuivre. Tous les articles en ligne sur Internet insistaient, ceci dit, sur un point déjà bien mis en avant par le documentaire : en France, toute personne majeure était libre « d'aller et de venir », l'abandon de famille ne constituait pas un délit. Il aurait fallu graver cette phrase, en lettres énormes, sur tous les édifices publics : *l'abandon de famille, en France, ne constitue pas un délit.* Ils insistaient beaucoup sur ce point, alignaient des preuves impressionnantes : dans le cas où une personne portée disparue était contrôlée par la police ou la gendarmerie, il était *interdit* à la police ou à la gendarmerie de communiquer sa nouvelle adresse sans son consentement ; et, en 2013, la procédure de recherche dans l'intérêt des familles avait été supprimée. Il était stupéfiant que, dans un pays où les libertés individuelles avaient d'année en année tendance à se restreindre, la législation ait conservé celle-ci, fondamentale, et même plus fondamentale à mes yeux, et philosophiquement plus troublante, que le suicide.

Je ne dormis pas de la nuit, et dès la première heure je mis en œuvre les mesures appropriées. Sans avoir de destination précise en tête, il me semblait que mon chemin allait maintenant me conduire vers des zones rurales, j'optai donc pour le Crédit agricole. L'ouverture de compte était immédiate, mais il me faudrait attendre une semaine pour disposer d'un accès Internet et d'un chéquier. Clôturer mon compte à la BNP me prit quinze minutes, et le virement du solde sur mon nouveau compte fut instantané. Redomicilier les prélèvements que je souhaitais maintenir (assurance auto, mutuelle) fut l'affaire de quelques mails. L'appartement ce fut un peu plus long, je crus bon d'inventer la fiction d'un nouveau travail qui m'attendait en Argentine dans un domaine viticole immense situé dans la province de Mendoza, tout le monde à l'agence trouva que c'était formidable, dès qu'on parle de quitter la France tous les Français trouvent ça formidable c'est un point caractéristique chez eux, même si c'est pour aller au Groenland ils trouvent ça formidable alors l'Argentine n'en parlons pas, si ça avait été le Brésil je crois que la chargée de clientèle se serait carrément roulée par terre. J'avais deux mois de préavis, je les réglerais par virement ; quant à l'état des lieux de sortie je ne pourrais certainement pas être présent, mais cela n'avait rien d'indispensable.

Restait la question de mon travail. J'avais un statut de contractuel au ministère de l'Agriculture, et mon contrat était renouvelé annuellement, début août. Mon chef de service parut surpris que je l'appelle pendant ma période de vacances, mais m'accorda un rendez-vous le jour même. Pour cet homme relativement au fait des matières agricoles, un mensonge plus sophistiqué, quoique dérivé du premier, me parut nécessaire. J'inventai donc la fiction d'un emploi de conseiller « export agricole » à l'ambassade d'Argentine. « Ah, l'Argentine... » dit-il sombrement. De fait les exportations agricoles de l'Argentine explosaient littéralement depuis quelques années, dans tous les domaines, et ce n'était pas fini, les experts estimaient que l'Argentine, peuplée de quarante-quatre millions d'habitants, pourrait à terme nourrir six cents millions d'hommes, et le nouveau gouvernement l'avait bien compris, avec sa politique de dévaluation du peso, ces salauds allaient littéralement inonder l'Europe de leurs produits, en plus ils n'avaient aucune législation restrictive sur les OGM, c'est dire si on était mal barrés. « Leur viande est délicieuse... » objectai-je sur un ton conciliant. « S'il n'y avait que la viande... » répondit-il, de plus en plus sombre : les céréales, le soja, le tournesol, le sucre, l'arachide, l'ensemble des productions fruitières, la viande bien entendu et même le lait : voilà tous les domaines dans lesquels l'Argentine pouvait faire très mal à l'Europe, et cela dans les plus brefs délais. « En somme, vous passez à l'ennemi... » conclut-il sur un ton apparemment badin, mais empreint d'une réelle amertume ; je préférai conserver un silence prudent. « Vous êtes un de nos meilleurs experts ; je suppose que leur proposition est financièrement intéressante... » insista-t-il d'une voix qui donnait à craindre un dérapage proche ; là non plus, il ne me parut pas opportun de répondre, mais je tentai une grimace à la fois affirmative, désolée, complice et modeste – enfin, c'était une grimace difficile à réussir.

« Bien... », il tapota des doigts sur la table. Il se trouve que j'étais en congé, et que celui-ci s'achevait à la fin de ma période contractuelle ; techniquement, donc, je n'avais plus aucun besoin de revenir. Évidemment il était un peu perturbé, un peu pris de court, mais ça ne devait pas être la première fois. Le ministère de l'Agriculture paie bien ses contractuels dès qu'ils peuvent se prévaloir d'une compétence opérationnelle suffisante, il les paie largement mieux que ses fonctionnaires ; mais il ne peut évidemment pas s'aligner face au privé, ni même face à une ambassade étrangère, dès que celle-ci a décidé de mettre en place un véritable plan de conquête, leur budget alors est presque illimité, je me souviens d'un camarade de promotion à qui l'ambassade des États-Unis avait fait comme on dit un pont d'or, il avait d'ailleurs complètement échoué dans sa mission, les vins californiens étaient toujours aussi peu distribués en France et le bœuf du Middle West peinait à séduire alors que le bœuf argentin était en train d'y parvenir, allez savoir pourquoi, c'est un petit être impulsif le consommateur, bien plus impulsif que le bœuf, certains conseillers en communication avaient pourtant reconstitué un scénario plausible, l'image du cow-boy avait été selon eux largement surexploitée, tout le monde savait maintenant que le Middle West était un vague territoire anonyme où se succédaient les usines à viande, trop de burgers à servir quotidiennement, ce n'était pas possible autrement, il fallait être réaliste, prendre les bêtes au lasso ce n'était plus envisageable. Alors que l'image du gaucho (une magie latino était-elle à l'œuvre ?) continuait à faire rêver le consommateur européen, il imaginait de vastes prairies à perte de

61

vue, des bêtes fières et libres galopant dans la pampa (pour autant qu'un bœuf galope, c'était à vérifier), quoi qu'il en soit une voie royale s'ouvrait au bœuf argentin.

Mon ancien chef de service me serra quand même la main, mais de justesse, avant que je ne quitte son bureau, et il eut cet ultime courage de me souhaiter bonne chance dans ma nouvelle vie professionnelle.

Débarrasser mon bureau me prit un peu moins de dix minutes. Il était presque seize heures ; en moins d'une journée, je venais de réorganiser ma vie.

J'avais annulé les traces de ma vie sociale antérieure sans réel problème, à vrai dire les choses étaient devenues plus faciles avec Internet, toutes les factures, déclarations d'impôt et autres formalités pouvaient maintenant se traiter de manière électronique, une adresse physique était devenue inutile, une adresse mail pouvait suffire à tout. J'avais cependant encore un corps, ce corps avait certains besoins, et le plus difficile, en réalité, dans ma fuite, fut de découvrir un hôtel parisien acceptant les fumeurs. Il me fallut une bonne centaine de coups de téléphone, endurant à chaque fois le mépris triomphant du standardiste qui éprouvait un plaisir palpable à me répéter, avec une satisfaction mauvaise : « Non monsieur c'est impossible, notre établissement est entièrement non-fumeurs, je vous remercie de votre appel », enfin je consacrai deux jours entiers à cette quête, et ce n'est qu'à l'aube du troisième jour, alors que j'envisageais sérieusement de devenir SDF (un SDF avec sept cent mille euros sur son compte, c'était original et même piquant), que je repensai à l'hôtel Mercure de Niort – Marais Poitevin, encore fumeurs peu auparavant, il y avait peut-être une chance de ce côté.

En effet, une recherche Internet de quelques heures m'apprit que si la quasi-totalité des hôtels Mercure parisiens appliquaient une politique intégralement non-fumeurs, il y avait des exceptions. Ainsi la libération ne viendrait même pas d'un indépendant, mais de la répugnance d'un subalterne à respecter les consignes de sa hiérarchie, d'une sorte d'insoumission, de rébellion de la conscience morale individuelle, qui avait déjà été décrite dans différentes pièces de théâtre existentialistes immédiatement postérieures à la Seconde Guerre mondiale.

L'hôtel était situé avenue de la Sœur-Rosalie, dans le 13e arrondissement, près de la place d'Italie, je ne connaissais pas cette avenue ni cette sœur mais place d'Italie ça me convenait, c'était suffisamment loin de Beaugrenelle, je ne risquais pas d'y rencontrer par hasard Yuzu, elle ne sortait guère que dans le Marais et à Saint-Germain, il suffisait d'ajouter certaines soirées coquines dans le 16e ou le bon 17e et on avait tracé son parcours, je serais aussi tranquille place d'Italie que je l'aurais été à Vesoul, ou à Romorantin.

J'avais fixé mon départ au lundi 1er août. Au soir du 31 juillet, je m'installai dans le salon pour attendre le retour de Yuzu. Je me demandais combien de temps il lui faudrait pour prendre conscience de la réalité, pour se rendre compte que j'étais parti pour de bon, et que je ne reviendrais jamais. Son séjour en France, quoi qu'il en soit, était directement conditionné par les deux mois de préavis de la location de l'appartement. Je ne savais pas au juste quel pouvait être son salaire à la Maison de la culture du Japon, mais il ne suffirait certainement pas à couvrir la location, et je l'imaginais mal acceptant de se retrouver dans un studio minable, il lui faudrait déjà se débarrasser des trois quarts de ses vêtements et de ses produits de beauté, le dressing et la salle de bains de la suite parentale avaient beau être vastes, elle avait réussi à remplir chacun des rangements à ras bord, le nombre d'objets qui lui étaient indispensables pour maintenir son statut de femme était proprement sidérant, les femmes l'ignorent en général mais c'est une chose qui déplaît aux hommes, qui les écœure même, qui finit par leur donner la sensation d'avoir acquis un produit frelaté dont la beauté ne parvient à se maintenir que par d'infinis artifices, artifices que l'on en vient vite (quelle que soit l'indulgence initiale que peut manifester un macho pour les travers féminins répertoriés) à tenir pour immoraux, et le fait est qu'elle passait un temps incroyable dans la salle de bains, j'avais pu m'en rendre compte lors de nos vacances communes : entre la toilette du matin (aux alentours de midi), la réfection un peu plus sommaire du milieu de l'après-midi et l'interminable et exaspérant cérémonial de son bain du soir (elle m'avait confié un jour employer dix-huit crèmes et lotions différentes), j'avais calculé qu'elle y consacrait six heures quotidiennes, et c'était d'autant plus déplaisant que toutes les femmes n'étaient pas ainsi, il y avait des contre-exemples et je fus traversé par un élan de tristesse déchirant en repensant à la châtain d'Al Alquian, à son minuscule bagage, certaines femmes donnent l'impression d'être plus naturelles, plus naturellement accordées au monde, parfois même parviennent à feindre l'indifférence à l'égard de leur propre beauté, bien entendu il s'agit d'une rouerie supplémentaire mais en pratique le résultat est là, Camille par exemple passait au maximum une demi-heure par jour dans notre salle de bains, et j'étais sûr qu'il en aurait été de même pour la châtain d'Al Alquian.

Dans l'incapacité de payer son loyer, Yuzu serait donc condamnée à retourner au Japon, à moins peut-être qu'elle ne décide de se prostituer, elle avait certaines des capacités nécessaires, ses prestations sexuelles étaient d'un très bon niveau, en particulier dans le domaine crucial de la pipe, elle léchait le gland avec application sans jamais perdre de vue l'existence des couilles, elle avait juste une lacune pour ce qui est de la gorge profonde, en raison de la petite taille de sa bouche, mais la gorge profonde n'était à mes yeux qu'une obsession de maniaques minoritaires, si l'on veut que sa bite soit entièrement entourée de chair eh bien il y a tout simplement la chatte, elle est faite pour ça, la supériorité de la bouche, qui est la langue, se voit de toute façon annulée dans l'univers clos de la gorge profonde, où la langue est ipso facto privée de toute possibilité d'action, enfin ne polémiquons pas, mais le fait est que Yuzu branlait bien, et qu'elle le faisait volontiers, en toutes circonstances (combien de mes voyages en avion n'avaient-ils pas été embellis par ses surprenantes branlettes !), et surtout qu'elle était exceptionnellement douée dans le domaine de l'anal, son cul était réceptif et d'accès aisé, elle l'offrait d'ailleurs avec une parfaite bonne volonté, or l'anal, dans le domaine de l'escorting, se voit toujours appliquer un supplément tarifaire, elle pourrait même en réalité demander beaucoup plus qu'une simple pute avec anal, je situais son tarif probable autour de 700 euros/heure et 5 000 euros/nuit : sa réelle élégance, son niveau de culture limité mais suffisant pouvaient faire d'elle une authentique escort, une femme que l'on emmènerait sans difficulté dans un dîner, et même dans un important dîner d'affaires, sans parler de ses fonctions artistiques, source d'appréciables conversations, les milieux d'affaires on le sait sont friands de conversations artistiques, et d'ailleurs je savais que certains de mes collègues de travail m'avaient soupçonné d'être avec Yuzu précisément pour ces raisons, une Japonaise de toute façon c'est toujours un peu classe, pratiquement par définition, mais elle était, je pouvais le dire sans fausse modestie, une Japonaise particulièrement classe, je savais qu'on m'avait admiré pour cela, mais pourtant je l'atteste, et croyez-moi je suis proche de la fin l'envie de mentir m'a définitivement déserté, ce ne furent pas ses qualités d'escort « haut de gamme » qui me firent m'éprendre de Yuzu, mais bel et bien ses aptitudes de pute ordinaire.

Au fond, pourtant, Yuzu pute, je n'y croyais guère. J'avais fréquenté beaucoup de putes, tantôt seul, tantôt avec les femmes qui avaient partagé ma vie, et il manquait à Yuzu la qualité essentielle de ce merveilleux métier : la générosité. Une pute ne choisit pas ses clients, c'est le principe, c'est l'axiome, elle donne du plaisir à tous, sans distinction, et c'est par là qu'elle accède à la grandeur.

Yuzu avait certes pu être le centre de gang-bangs, mais il s'agit là d'une situation particulière où c'est la multiplicité des bites mises à son service qui plonge la femme dans un état d'ivresse narcissique, le plus excitant étant sans doute d'être entourée d'hommes qui se branlent en attendant leur tour, enfin je renvoie aux livres de Catherine Millet, décisifs sur ce point, toujours est-il que Yuzu, en dehors des gang-bangs, choisissait ses amants, elle les choisissait avec soin, j'en avais rencontré quelques-uns, il s'agissait en général d'artistes (mais pas tellement d'artistes maudits, plutôt l'inverse en réalité), parfois de décideurs culturels, en tout cas des gens plutôt jeunes, plutôt beaux, plutôt élégants et plutôt riches, ce qui représente pas mal de monde dans une ville comme Paris, il y a en permanence quelques milliers d'hommes qui correspondent à ce portrait-robot, je dirais quinze mille pour fixer un chiffre, mais elle en avait eu moins, sans doute quelques centaines, et quelques dizaines pendant le temps qu'avait duré notre relation, enfin on peut quand même dire qu'elle s'était bien éclatée en France, mais maintenant c'était fini, la fête était finie.

Jamais, pendant tout le temps de notre relation, elle n'était retournée au Japon ni n'avait envisagé de le faire, et j'avais assisté à certaines de ses conversations téléphoniques avec ses parents, elles m'étaient apparues formelles et froides, en tout cas brèves, c'était au moins une dépense qu'on ne pouvait pas lui reprocher. Je soupçonnais (non qu'elle s'en soit ouverte à moi, mais la vérité avait filtré au cours de dîners que nous organisions au début de notre relation, du temps où nous envisagions encore d'avoir des amis, de nous insérer dans un réseau social raffiné, chaleureux et exigeant, la vérité avait filtré parce que d'autres femmes, qu'elle considérait comme appartenant au même milieu qu'elle, des créatrices de mode par exemple ou des *talent scouts*, étaient présentes, et la présence de ces femmes était sans doute nécessaire à ses élans de confession), je soupçonnais donc que ses parents, du fond de leur incertain Japon, nourrissaient pour elle des projets matrimoniaux, et même des projets matrimoniaux extrêmement précis (il n'y avait semblait-il que deux prétendants possibles, et peut-être même seulement un), et qu'il lui serait, dès qu'elle se retrouverait à nouveau sous leur coupe, extrêmement difficile de s'y soustraire, voire au fond franchement impossible, sauf à créer du *kanjei*, et à se retrouver dans une situation d'*hiroku* (là j'invente un peu les mots, enfin pas tout à fait, je me souviens de combinaisons de sonorités lors des conversations téléphoniques), en bref son destin était scellé dès qu'elle poserait les pieds à l'aéroport international de Tokyo Narita.

C'est la vie.

Il est peut-être nécessaire à ce stade que je donne quelques éclaircissements sur l'amour, plutôt destinés aux femmes, car les femmes comprennent mal ce qu'est l'amour chez les hommes, elles sont constamment déconcertées par leur attitude et leurs comportements, et en arrivent quelquefois à cette conclusion erronée que les hommes sont incapables d'aimer, elles perçoivent rarement que ce même mot d'amour recouvre, chez l'homme et chez la femme, deux réalités radicalement différentes.

Chez la femme l'amour est une puissance, une puissance génératrice, tectonique, l'amour quand il se manifeste chez la femme est un des phénomènes naturels les plus imposants dont la nature puisse nous offrir le spectacle, il est à considérer avec crainte, c'est une puissance créatrice du même ordre qu'un tremblement de terre ou un bouleversement climatique, il est à l'origine d'un autre écosystème, d'un autre environnement, d'un autre univers, par son amour la femme crée un monde nouveau, de petits êtres isolés barbotaient dans une existence incertaine et voici que la femme crée les conditions d'existence d'un couple, d'une entité sociale, sentimentale et génétique nouvelle, dont la vocation est bel et bien d'éliminer toute trace des individus préexistants, cette nouvelle entité est déjà parfaite en son essence, comme l'avait aperçu Platon, elle peut parfois se complexifier en famille mais c'est presque un détail, contrairement à ce que pensait Schopenhauer, la femme en tout cas se voue entièrement à cette tâche, elle s'y abîme, elle s'y voue corps et âme comme on dit et d'ailleurs elle ne fait pas tellement la différence, cette différence entre corps et âme n'est pour elle qu'un ergotage masculin sans conséquence. À cette tâche qui n'en est pas une, car elle n'est que manifestation pure d'un instinct vital, elle sacrifierait sans hésiter sa vie.

L'homme, au départ, est plus réservé, il admire et respecte ce déchaînement émotionnel sans pleinement le comprendre, il lui paraît un peu étrange de faire tant d'histoires. Mais peu à peu il se transforme, il est peu à peu aspiré par le vortex de passion et de plaisir créé par la femme, plus exactement il reconnaît la volonté de la femme, sa volonté inconditionnelle et pure, et il comprend que cette volonté, même si l'hommage de pénétrations vaginales fréquentes et de préférence quotidiennes est exigé par la femme, car elles sont la condition ordinaire de sa manifestation, est une volonté en soi absolument bonne, où le phallus, noyau de son être, change de statut car il devient également la condition de possibilité de manifestation de l'amour, l'homme ne disposant guère d'autres moyens, et par cet étrange détour le bonheur du phallus devient un but en soi pour la femme, un but qui ne tolère guère de restrictions dans les moyens employés. Peu à peu, l'immense plaisir donné par la femme modifie l'homme, il en conçoit reconnaissance et admiration, sa vision du monde s'en voit transformée, de manière à ses yeux imprévue il accède à la dimension kantienne du *respect*, et peu à peu il en vient à envisager le monde d'une autre manière, la vie sans femme (et même, précisément, sans cette femme qui lui donne tant de plaisir) devient véritablement impossible, et comme la caricature d'une vie ; à ce moment, l'homme se met réellement à aimer. L'amour chez l'homme est donc une fin, un accomplissement, et non pas, comme chez la femme, un début, une naissance ; voilà ce qu'il faut considérer.

Il advient cependant, rarement, chez les hommes les plus sensibles et les plus imaginatifs, que l'amour se produise dès le premier instant, le *love at first sight* n'est donc pas absolument un mythe ; mais c'est alors que l'homme, par un prodigieux mouvement mental d'anticipation, a d'ores et déjà imaginé l'ensemble des plaisirs que la femme pourrait au fil des années (et jusqu'à ce que la mort, comme on dit, les sépare) lui prodiguer, que l'homme a déjà (toujours déjà, comme l'aurait dit Heidegger en ses jours de bonne humeur) anticipé la fin glorieuse, et c'était déjà cette infinité, cette infinité glorieuse de plaisirs partagés que j'avais entrevue dans le regard de Camille (mais je reviendrai à Camille), et aussi de manière plus hasardeuse (et aussi avec un peu moins de force, mais il est vrai que j'avais dix ans de plus, et le sexe au moment de notre rencontre avait entièrement disparu de ma vie, il n'y avait plus sa place, j'étais déjà résigné, je n'étais déjà plus tout à fait un homme) dans le regard trop brièvement croisé de la châtain d'Al Alquian, l'éternellement douloureuse châtain d'Al Alquian, la dernière et probablement ultime possibilité de bonheur que la vie avait placée sur ma route.

Je n'avais rien ressenti de tel avec Yuzu, ce n'est que peu à peu qu'elle m'avait conquis, encore l'avait-elle fait par des moyens secondaires, ressortissant à ce qu'on appelle ordinairement la perversion, par son impudicité surtout, par sa manière de me branler (et de se branler) en toutes circonstances, pour le reste je ne savais pas, j'avais connu de plus belles chattes, la sienne était un peu trop compliquée, trop de replis de peau (on pouvait même sous certains angles la qualifier de pendante, malgré son jeune âge), le mieux quand j'y repensais était son cul, la disponibilité permanente de son cul apparemment étroit mais en réalité si traitable, on se retrouvait en permanence dans une situation de choix ouvert entre les trois trous, combien de femmes peuvent-elles en dire autant ? Et en même temps comment les considérer comme femmes, ces femmes qui ne peuvent en dire autant ?

On me reprochera peut-être de donner trop d'importance au sexe ; je ne le crois pas. Même si je n'ignore pas que d'autres joies prennent peu à peu sa place, au cours du déroulement normal d'une vie, le sexe reste le seul moment où l'on engage personnellement, et directement, ses organes, ainsi le passage par le sexe, et par un sexe intense, demeure un passage obligé pour que s'opère la fusion amoureuse, rien ne peut avoir lieu sans lui, et tout le reste, ordinairement, en découle avec douceur. Il y a de surcroît autre chose, c'est que le sexe demeure un moment dangereux, le moment par excellence où on intéresse la partie. Je ne parle pas spécialement du SIDA, encore que le risque de mort puisse constituer un piment vrai, mais plutôt de la procréation, danger en soi beaucoup plus grave, j'avais pour ma part dès que possible renoncé à utiliser des préservatifs, lors de chacune de mes relations, à vrai dire l'absence de préservatif était devenue une condition nécessaire de mon désir, où la peur d'engendrer figurait pour une part notable, et je savais bien que si par malheur l'humanité occidentale en venait à séparer effectivement la procréation du sexe (comme le projet lui en venait parfois), elle condamnerait du même coup non seulement la procréation, mais également le sexe, et se condamnerait elle-même par un identique mouvement, cela les catholiques identitaires l'avaient bien senti, même si leurs positions comportaient par ailleurs d'étranges aberrations éthiques, comme leurs réticences sur d'aussi innocentes pratiques que le triolisme ou la sodomie, mais je m'égarais peu à peu à force de boire des verres de cognac en attendant Yuzu qui n'était de toute façon nullement catholique et encore moins catholique identitaire, il était déjà vingt-deux heures, je n'allais pas y passer la nuit, partir sans la revoir m'ennuyait quand même un peu, je me fis un sandwich au thon pour patienter, j'avais terminé le cognac mais il restait une bouteille de calvados.

Ma réflexion s'approfondit peu à peu, grâce au calvados, le calvados est un alcool puissant, profond, et injustement ignoré. Certes les infidélités (pour employer un terme faible) de Yuzu m'avaient peiné, ma vanité virile en avait souffert, et surtout j'avais été envahi par un doute, aimait-elle toutes les bites à l'égal de la mienne, voilà la question que les hommes, classiquement, se posent en ces moments, et moi aussi je me l'étais posée, avant hélas de conclure par l'affirmative, il est vrai que notre amour en avait été souillé, et que les compliments à l'égard de ma bite qui me causaient tant d'orgueil au début de notre relation (taille confortable sans être excessive, endurance exceptionnelle), je les voyais maintenant d'un autre œil, j'y voyais la manifestation d'un jugement froidement objectif, résultat d'une fréquentation suivie de multiples bites, plutôt que l'illusion lyrique émanant de l'esprit échauffé d'une femme amoureuse, ce que j'aurais je l'avoue bien humblement préféré, je ne nourrissais aucune ambition particulière à l'égard de ma bite, il suffisait qu'on l'aime et je l'aimerais moi aussi, voilà où j'en étais, par rapport à ma bite.

Ce n'était pas là, pourtant, que mon amour pour elle s'était définitivement éteint, mais en une circonstance apparemment plus anodine et quoi qu'il en soit plus brève, notre échange verbal n'avait pas duré plus qu'une minute, et il avait immédiatement suivi une des conférences téléphoniques bimensuelles que Yuzu tenait avec ses parents. Elle y avait évoqué, je ne pouvais m'y tromper, son retour au Japon, et naturellement je l'interrogeai là-dessus, mais sa réponse se voulut rassurante, ce retour n'aurait lieu que dans pas mal de temps, et de toute façon je n'aurais pas à m'en préoccuper, c'est alors que je compris, en une fraction de seconde je compris, une espèce d'immense éclat blanc anéantit en moi toute conscience claire, puis je revins à un état plus normal et me livrai à un bref interrogatoire, qui confirma immédiatement mon soupçon essentiel : elle avait déjà programmé, dans un plan de vie idéal, son retour au Japon, mais ce serait dans une vingtaine d'années ou peut-être une trentaine, ce serait pour être précis immédiatement après ma mort, elle avait donc déjà programmé ma mort dans son plan de vie future, elle l'avait prise en compte.

Ma réaction était sans doute irrationnelle, elle avait vingt ans de moins que moi, tout laissait à penser qu'elle allait me survivre, et même largement, mais c'est là une chose justement que l'amour inconditionnel vise à ignorer et même franchement à nier, l'amour inconditionnel s'est construit sur cette impossibilité, cette négation, et qu'elle soit validée par la foi en Christ ou par la croyance dans le programme d'immortalité Google n'intervient à ce stade que fort peu, dans l'amour inconditionnel l'être aimé ne peut pas mourir, il est par définition immortel, le réalisme de Yuzu était l'autre nom d'une absence d'amour, et cette infirmité, cette absence avaient un caractère définitif, elle venait en une fraction de seconde de sortir du cadre de l'amour romantique, inconditionnel, pour rentrer dans celui de l'arrangement, et dès ce moment je sus que c'était fini, notre relation était terminée et même il valait mieux maintenant qu'elle s'achève au plus vite, parce que je n'aurais plus jamais l'impression d'avoir à mes côtés une femme mais une sorte d'araignée, une araignée qui se repaissait de mon fluide vital, et qui demeurait pourtant en apparence une femme, elle avait des seins, elle avait un cul (que j'ai déjà eu l'occasion de louer) et même une chatte (sur laquelle j'ai exprimé certaines réserves), mais rien de tout cela ne comptait plus, à mes yeux elle était devenue une araignée, une araignée piqueuse et venimeuse qui m'injectait jour après jour un fluide paralysant et mortel, il importait qu'elle sorte, le plus tôt possible, de ma vie.

La bouteille de calvados était elle aussi terminée, il était plus de vingt-trois heures, partir sans l'avoir revue était peut-être la meilleure solution, en fin de compte. Je marchai jusqu'à la baie vitrée : un bateau-mouche, sans doute le dernier de la journée, effectuait son demi-tour à la pointe de l'île aux Cygnes ; c'est alors que je me rendis compte que je l'oublierais très vite.

Je passai une mauvaise nuit, traversée de rêves déplaisants où j'étais menacé de rater l'avion, ce qui m'amenait à entreprendre différentes actions dangereuses comme m'envoler du dernier étage de la tour Totem pour tenter de rejoindre Roissy par la voie des airs – parfois il me fallait battre des mains, parfois simplement planer, j'y parvenais mais de justesse, et la moindre chute de concentration m'aurait conduit à m'écraser, je passai un mauvais moment au-dessus du Jardin des Plantes, mon altitude était tombée à quelques mètres, c'est à peine si je parvenais à survoler les enclos des fauves. L'interprétation de ce rêve débile mais spectaculaire était sans doute limpide : je craignais de ne pas réussir à m'échapper.

Je me réveillai à cinq heures pile, j'avais envie d'un café mais je ne pouvais pas courir le risque de faire du bruit dans la cuisine. Yuzu était très probablement rentrée. Quel que soit le déroulement de ses soirées, il n'arrivait jamais qu'elle découche : s'endormir sans s'être enduite de ses dix-huit crèmes de beauté n'était pas envisageable. Elle dormait sans doute déjà, mais cinq heures c'était encore un peu tôt, c'est vers sept ou huit heures que son sommeil était le plus profond, il allait falloir que je patiente. J'avais choisi l'option d'early check-in à l'hôtel Mercure, ma chambre serait à ma disposition dès neuf heures, je trouverais certainement un café ouvert dans le quartier.

J'avais préparé ma valise dès la veille, je n'avais plus rien à faire avant mon départ. Il était un peu triste de constater que je n'avais aucun souvenir personnel à emmener : aucune lettre, aucune photo ni même aucun livre, tout cela tenait sur mon Macbook Air, un mince parallélépipède d'aluminium brossé, mon passé pesait 1 100 grammes. Je pris également conscience que durant les deux années de notre relation Yuzu ne m'avait jamais offert de cadeau – absolument rien, pas un seul.

Je pris ensuite conscience d'une chose beaucoup plus surprenante, c'est que la veille au soir, obnubilé par l'acceptation tacite de ma mort par Yuzu, j'avais pendant quelques minutes oublié les circonstances de la mort de mes parents. Il y avait bel et bien une troisième solution, pour les amants romantiques, indépendamment de l'hypothétique immortalité transhumaniste, de la tout aussi hypothétique Jérusalem céleste ; une solution immédiatement praticable, qui ne nécessitait ni recherches génétiques de haut niveau, ni prières ferventes adressées à l'Éternel ; la solution même que mes parents avaient adopté, voilà une vingtaine d'années.

Un notaire de Senlis qui comptait dans sa clientèle tous les notables de la ville, une ancienne étudiante à l'école du Louvre qui s'était ensuite contentée de son rôle de femme au foyer : mes parents, à première vue, n'avaient rien qui puisse laisser imaginer une histoire d'amour fou. Les apparences, je l'avais constaté, étaient rarement trompeuses ; mais, dans ce cas, elles l'étaient.

La veille de son soixante-quatrième anniversaire, mon père, qui était atteint depuis quelques semaines de maux de tête persistants, consulta notre médecin de famille, qui lui prescrivit une tomodensitométrie. Trois jours plus tard, il lui communiqua les résultats : les images laissaient apparaître une tumeur de forte taille, mais on ne pouvait pas dire à ce stade si elle était cancéreuse ou non, une biopsie était nécessaire.

Une semaine plus tard, les résultats de la biopsie furent d'une clarté parfaite : la tumeur était effectivement cancéreuse et c'était une tumeur agressive, à évolution rapide, mélange de glioblastomes et d'astrocytomes anaplasiques. Le cancer du cerveau est relativement rare mais très souvent mortel, le taux de survie à un an est inférieur à 10 % ; les causes de son apparition sont inconnues.

Compte tenu de l'emplacement de la tumeur, une opération chirurgicale n'était pas envisageable ; la chimiothérapie et la radiothérapie avaient parfois pu donner certains résultats.

Il est à noter que ni mon père ni ma mère ne jugèrent bon de m'informer de ces faits ; je ne les découvris que par hasard, lors d'une visite à Senlis, en interrogeant ma mère sur une enveloppe provenant du laboratoire qu'elle avait oublié de ranger.

Une autre chose, aussi, me donna pas mal à penser par la suite, c'est que le jour de ma visite ils avaient probablement déjà pris leur décision, peut-être même déjà commandé les produits sur Internet.

On les retrouva une semaine plus tard, allongés côte à côte sur le lit conjugal. Toujours soucieux d'éviter tout désagrément à autrui, mon père avait prévenu par lettre la gendarmerie, allant jusqu'à placer un double des clefs dans l'enveloppe.

Ils avaient pris les produits en début de soirée, c'était le jour de leur quarantième anniversaire de mariage. Leur trépas avait été rapide, m'assura gentiment l'officier de gendarmerie ; rapide mais pas instantané, on devinait facilement à leurs positions dans le lit qu'ils avaient souhaité se tenir par la main jusqu'au bout, mais des convulsions d'agonie s'étaient produites, leurs mains s'étaient disjointes.

Comment ils s'étaient procuré les produits on ne le sut jamais, ma mère avait effacé l'historique de navigation sur l'ordinateur de la maison (c'était certainement elle qui avait pris les choses en main, mon père détestait l'informatique et plus généralement tout ce qui pouvait ressembler à un progrès technologique, il avait freiné autant qu'il avait pu avant de se résigner à équiper son étude et c'était sa secrétaire qui avait la main sur tout, lui-même de toute sa vie n'avait peut-être jamais touché un clavier d'ordinateur). Évidemment, me dit l'officier de gendarmerie, on pouvait peut-être, si on y tenait vraiment, retrouver trace de leur commande, rien ne s'efface jamais totalement sur le cloud ; c'était possible, mais était-ce bien nécessaire ?

J'ignorais qu'on pouvait être enterré à deux dans le même cercueil, il y a tellement de réglementations sanitaires sur tout et n'importe quoi qu'on s'imagine toujours qu'à peu près tout est interdit, mais là non, apparemment, c'était possible, à moins que mon père n'ait fait jouer ses relations post mortem en écrivant quelques lettres, il connaissait comme je l'ai dit à peu près tous les notables de la ville, et même la plupart de ceux du département, enfin quoi qu'il en soit il en fut fait ainsi, et ils furent transportés en terre dans la même bière, dans le coin Nord du cimetière de Senlis. Ma mère au moment de sa mort avait cinquante-neuf ans, et elle était en parfaite santé. Le prêtre m'avait un peu énervé pendant son sermon avec ses effets faciles sur la magnificence de l'amour humain, prélude à la magnificence encore plus grande de l'amour divin, je trouvais un peu indécent que l'Église catholique essaie de les *récupérer*, quand il est mis en présence d'un cas d'amour authentique un prêtre *ça ferme sa gueule*, voilà ce que j'avais envie de lui dire, qu'est-ce qu'il pouvait bien y comprendre, ce charlot, à l'amour de mes parents ? Moi-même je n'étais pas sûr de vraiment le comprendre, j'avais toujours senti dans leurs gestes, dans leurs sourires, quelque chose qui leur était exclusivement personnel, quelque chose à quoi je n'aurais jamais tout à fait accès. Je ne veux pas dire par là qu'ils ne m'aimaient pas, ils m'aimaient sans aucun doute, et ils furent à tous points de vue d'excellents parents, attentifs, présents sans exagération, généreux quand c'était nécessaire ; mais ce n'était pas le même amour, et le cercle magique, surnaturel qu'ils formaient tous les deux (leur niveau de communication était vraiment surprenant, je suis certain d'avoir assisté entre eux au moins à deux cas nettement avérés de télépathie), j'y demeurai toujours extérieur. Ils n'eurent pas d'autre enfant, et je me souviens, l'année où je rentrai après le bac en classe préparatoire Agro au lycée Henri IV, lorsque je leur expliquai que, compte tenu de la mauvaise desserte de Senlis par les transports en commun, il serait beaucoup plus pratique pour moi de prendre une chambre à Paris, je me souviens nettement d'avoir surpris chez ma mère, fugitif mais indiscutable, un mouvement de soulagement ; la première pensée qui lui était venue, c'est qu'ils allaient, enfin, pouvoir se retrouver tous les deux. Quant à mon père, c'est à peine s'il avait songé à dissimuler sa joie, il avait aussitôt pris les choses en main et une semaine plus tard j'emménageais dans un studio inutilement luxueux, bien plus grand je m'en rendis compte tout de suite que les chambres de bonne dont se contentaient mes camarades, situé rue des Écoles, à cinq minutes à pied du lycée.

À sept heures du matin exactement je me levai, traversai le salon sans faire le moindre bruit. La porte de l'appartement, blindée et massive, était aussi silencieuse que celle d'un coffre-fort.

En ce premier jour d'août la circulation à Paris était fluide, je trouvai même à me garer avenue de la Sœur-Rosalie, à quelques mètres de l'hôtel. Contrairement aux axes majeurs (l'avenue d'Italie, l'avenue des Gobelins, les boulevards Auguste-Blanqui et Vincent-Auriol...) qui, au départ de la place d'Italie, drainent la plus grande partie du trafic des arrondissements du sud-est parisien, l'avenue de la Sœur-Rosalie s'achevait au bout de cinquante mètres dans la rue Abel-Hovelacque, elle-même de modeste importance. Son statut d'avenue aurait pu paraître usurpé s'il n'y avait eu sa surprenante, son inutile largeur, et le terre-plein planté d'arbres qui séparait les deux voies de circulation à présent désertes, en un sens l'avenue de la Sœur-Rosalie ressemblait davantage à une avenue privée, elle évoquait ces pseudo-avenues (Vélasquez, Van Dyck, Ruysdael) que l'on rencontre aux abords du parc Monceau, en somme elle avait quelque chose de luxueux, et cette impression se renforçait encore à l'entrée de l'hôtel Mercure, curieusement constituée par un grand porche donnant sur une cour intérieure décorée de statues, un décor que l'on aurait plutôt imaginé dans un palace de rang moyen. Il était sept heures et demie et trois cafés, sur la place d'Italie, étaient déjà ouverts : le Café de France, le café Margeride (spécialités du Cantal, mais il était un peu tôt pour des spécialités du Cantal) et le café O'Jules, au coin de la rue Bobillot. J'optai pour ce dernier malgré son nom stupide, parce que les patrons avaient eu l'originale idée de traduire les happy hours, qui devenaient ici les « heures heureuses » ; j'étais sûr qu'Alain Finkielkraut aurait approuvé mon choix.

D'emblée la carte de l'établissement me transporta d'enthousiasme, et me fit même reconsidérer le jugement négatif que j'avais d'abord formé sur son nom : l'emploi du nom Jules avait en effet permis l'élaboration d'un système de carte profondément innovant, où la créativité des dénominations s'associait à une contextualisation porteuse de sens, comme en témoignait déjà le chapitre des salades, qui faisait voisiner « Jules dans le Sud » (salade, tomates, œuf, crevettes, riz, olives, anchois, poivron) avec « Jules en Norvège » (salade, tomates, saumon fumé, crevettes, œuf poché, toasts). Pour ma part, je sentais bien que je n'allais pas tarder (peut-être ce midi même) à succomber aux attraits de « Jules à la ferme » (salade, jambon de pays, cantal, pommes sautées, cerneaux de noix, œuf dur), à moins que ce ne soit à ceux de « Jules berger » (salade, tomates, crottin de chèvre chaud, miel, lardons).

Plus généralement, les mets proposés faisaient litière d'une polémique obsolète, traçant les contours d'une cohabitation paisible entre cuisine de tradition (soupe à l'oignon gratinée, filets de hareng pommes tièdes) et fooding novateur (crevettes panko avec leur sauce salsa verde, bagel aveyronnais). Une même volonté de synthèse se lisait dans la carte des cocktails, qui, outre l'ensemble des références classiques, recelait quelques créations véritables telles que l'« enfer vert » (malibu, vodka, lait, jus d'ananas, menthe alcool), le « zombie » (rhum ambré, crème d'abricot, jus de citron, jus d'ananas, grenadine) et le surprenant mais simplissime « Bobillot beach » (vodka, jus d'ananas, sirop de fraise). Bref, je sentais que ce n'étaient pas des heures, mais des journées, des semaines, voire des années heureuses que j'allais vivre dans cet établissement.

Vers neuf heures, ayant terminé mon breakfast de nos régions, ayant laissé un pourboire suffisant pour m'assurer la bienveillance des serveurs, je me dirigeai vers la réception de l'hôtel Mercure, où l'accueil reçu confirma largement mes a priori positifs. La réceptionniste me le confirma avant même de me demander ma carte Visa, précédant mes attentes : on m'avait bel et bien réservé une chambre fumeurs, comme je le souhaitais. « Vous êtes notre hôte pour une semaine ? » poursuivit-elle avec une nuance d'interrogation exquise ; je confirmai.

J'avais dit une semaine comme j'aurais dit autre chose, mon seul projet avait été de me libérer d'une relation toxique qui était en train de me tuer, mon projet de disparition volontaire avait pleinement réussi, et maintenant j'en étais là, homme occidental dans le milieu de son âge, à l'abri du besoin pour quelques années, sans proches ni amis, dénué de projets personnels comme d'intérêts véritables, profondément déçu par sa vie professionnelle antérieure, ayant connu sur le plan sentimental des expériences variées mais qui avaient eu pour point commun de s'interrompre, dénué au fond de raisons de vivre comme de raisons de mourir. Je pouvais en profiter pour prendre un nouveau départ, pour « rebondir », comme on le dit comiquement dans les programmes télévisés et les articles traitant de la psychologie humaine dans les magazines spécialisés ; je pouvais aussi me laisser glisser dans une inaction léthargique. Ma chambre d'hôtel, j'en pris conscience tout de suite, m'orienterait dans cette seconde direction : elle était réellement minuscule, 10 m^2 tout compris à mon avis, le lit double occupait presque tout l'espace, on pouvait se mouvoir alentour mais de justesse ; face à lui, sur une étroite console, étaient posés l'indispensable télévision et un plateau de courtoisie (c'est-à-dire une bouilloire, des tasses de carton et des dosettes de café soluble). On avait encore réussi, dans cet espace restreint, à caser un minibar et une chaise faisant face à un miroir de trente centimètres de côté ; et voilà, c'était tout. C'était ma nouvelle maison.

Étais-je capable d'être heureux dans la solitude ? Je ne le pensais pas. Étais-je capable d'être heureux en général ? C'est le genre de questions, je crois, qu'il vaut mieux éviter de se poser.

La seule difficulté de la vie à l'hôtel, c'est qu'il faut sortir quotidiennement de sa chambre – et donc de son lit – pour que la femme de ménage puisse faire son travail. Le temps de sortie est dans son principe indéterminé, l'emploi du temps des femmes de chambre n'est jamais communiqué au client. J'aurais préféré pour ma part, sachant que le ménage ne durait jamais bien longtemps, qu'on m'impose une heure de sortie, mais ce n'était pas prévu comme ça, et en un sens je le comprenais, cela n'aurait pas été conforme aux valeurs de l'hôtellerie, cela aurait plutôt rappelé le fonctionnement mettons d'une prison. Je devais donc faire confiance à l'esprit d'initiative et à la réactivité de la – ou plutôt des – femmes de ménage.

Je pouvais cependant les aider, leur donner un indice en retournant le petit carton d'information accroché à la poignée de la porte, le faisant passer de la position « Chhhuut je dors – Please do not disturb » (état symbolisé par l'image d'un bouledogue anglais assoupi sur une moquette) à la position « Je suis réveillé(e) – Please make up the room » (on avait cette fois deux poules, photographiées sur le fond d'un rideau de théâtre, dans un état d'éveil éclatant et presque agressif).

Après quelques tâtonnements les premiers jours, je conclus qu'une absence de deux heures serait suffisante. Je ne tardai pas à mettre au point un mini-circuit qui commençait par le O'Jules, peu fréquenté entre dix heures et midi. Je remontais ensuite l'avenue de la Sœur-Rosalie, cette rue s'achevait sur une sorte de petit rond-point arboré, par beau temps je stationnais sur un des bancs disposés entre les arbres, j'étais généralement seul mais de temps à autre il y avait un retraité sur un des bancs, parfois accompagné d'un petit chien. Puis je tournais à droite dans la rue Abel-Hovelacque ; au coin de l'avenue des Gobelins, je ne manquais jamais de marquer un arrêt au Carrefour City. Ce magasin, j'en avais eu l'intuition dès ma première visite, allait être amené à jouer un rôle dans ma nouvelle vie. Le rayon oriental, sans atteindre la luxuriance du G20 proche de la tour Totem où j'avais mes habitudes encore quelques jours auparavant, alignait tout de même huit variétés différentes de houmous dont l'abugosh premium, le misadot, le zaatar et le rarissime mesabecha ; quant à l'espace sandwicherie, je me demande même s'il n'était pas supérieur. Je croyais jusque-là le segment du minimarket entièrement dominé, à Paris et dans la petite couronne, par les Daily Monop' ; j'aurais dû me douter qu'une enseigne comme Carrefour, lorsqu'elle entrait sur un nouveau marché, « n'y entrait pas », comme le rappelait récemment son PDG dans une interview à *Challenges*, « pour faire de la figuration ».

Les horaires d'ouverture, d'une amplitude exceptionnelle, témoignaient de la même volonté de conquête : de 7 heures à 23 heures en semaine, de 8 heures à 13 heures le dimanche, même les Arabes n'avaient jamais fait aussi bien. Encore cette plage dominicale réduite était-elle le résultat d'un âpre conflit, initié par une procédure lancée par l'inspection du travail du 13ᵉ arrondissement, m'apprit une affichette placardée dans le magasin, qui, en des termes d'une virulence à couper le souffle, stigmatisait la « décision aberrante » prise par le tribunal de grande instance, qui les avait finalement conduits à s'incliner, sous la menace d'une astreinte « dont le montant exorbitant aurait mis en péril votre commerce de proximité ». La liberté du commerce, et au-delà celle du consommateur, avait donc perdu une bataille ; mais la guerre, on le sentait au ton martial de l'affichette, était loin d'être terminée.

Je m'arrêtais rarement au café La Manufacture, situé juste en face du Carrefour City ; certaines bières de brasserie y paraissaient alléchantes, mais je n'adhérais guère à cette ambiance laborieusement imitée de « café ouvrier », dans un quartier où les derniers ouvriers avaient probablement disparu vers 1920. Je n'allais pas tarder à connaître bien pire, lorsque mes pas m'amèneraient jusqu'à la sinistre zone de la Butte-aux-Cailles ; mais je l'ignorais encore.

Je redescendais ensuite l'avenue des Gobelins sur une cinquantaine de mètres avant de retrouver l'avenue de la Sœur-Rosalie, et ceci constituait la seule partie véritablement urbaine de mon circuit, celle qui allait me permettre, à travers l'augmentation du trafic des piétons et des véhicules, de sentir que nous avions franchi la barrière du 15 août, première étape de la reprise de la vie sociale, puis celle, plus décisive, du 1er septembre.

Étais-je, au fond, si malheureux ? Si par extraordinaire l'un des humains avec lesquels j'étais en contact (la réceptionniste de l'hôtel Mercure, les serveurs du café O'Jules, la vendeuse du Carrefour City) m'avait interrogé sur mon humeur, j'aurais plutôt eu tendance à la qualifier de « triste », mais il s'agissait d'une tristesse paisible, stabilisée, non susceptible d'augmentation ni de diminution d'ailleurs, une tristesse en somme que tout aurait pu porter à considérer comme définitive. Je ne tombais cependant pas dans ce piège ; je savais que la vie pouvait encore me réserver de nombreuses surprises, atroces ou exaltantes c'est selon.

Je n'éprouvais cela dit pour l'instant aucun désir, ce que de nombreux philosophes, j'en avais du moins l'impression, avaient considéré comme un état enviable ; les bouddhistes étaient en gros sur la même longueur d'onde. Mais d'autres philosophes, ainsi que l'ensemble des psychologues, considéraient au contraire cette absence de désir comme pathologique et malsaine. Au bout d'un mois de séjour à l'hôtel Mercure, je me sentais toujours incapable de trancher ce débat classique. Je renouvelais mon séjour toutes les semaines, afin de me maintenir dans un état de liberté (état qui, lui, est considéré avec faveur par l'ensemble des philosophies existantes). À mon avis, je n'allais pas si mal. Il n'y avait en réalité qu'un point sur lequel mon état mental me causait de vives inquiétudes, c'était celui des soins du corps, et même simplement des ablutions. Je parvenais à peu près à me brosser les dents, ça c'était encore possible, mais j'envisageais avec une franche répugnance la perspective de prendre une douche ou un bain, j'aurais aimé en réalité ne plus avoir de corps, la perspective d'avoir un corps, de devoir y consacrer attentions et soins, m'était de plus en plus insupportable, et même si l'impressionnante multiplication du nombre des SDF avait peu à peu conduit la société occidentale à assouplir ses critères dans ce domaine, je savais qu'un état de puanteur trop prononcé finirait obligatoirement par me conduire à me singulariser de manière inappropriée.

Je n'avais jamais consulté de psychiatre, et au fond je croyais peu en l'efficacité de cette corporation, je choisis donc sur Doctolib un praticien consultant dans le 13e, pour au moins minimiser le temps de transport.

Quitter la rue Bobillot pour bifurquer dans la rue de la Butte-aux-Cailles (les deux se rejoignant au niveau de la place Verlaine), c'était quitter l'univers de la consommation ordinaire pour pénétrer dans un monde de crêperies militantes et de bars alternatifs (le « Temps des cerises » et le « Merle moqueur » étaient pratiquement face à face), entrecoupés de magasins bio équitables et d'échoppes proposant piercings ou coupes afro ; j'avais toujours eu l'intuition que les années 1970 n'avaient pas disparu en France, qu'elles avaient juste opéré un repli. Certains grafs n'étaient pas mal, et je suivis la rue jusqu'au bout, ratant l'embranchement de la rue des Cinq-Diamants, où consultait le docteur Lelièvre.

Lui-même avait un peu une tête de zadiste, me dis-je au premier regard, avec ses cheveux mi-longs et frisés, qui commençaient à être envahis de fils blancs ; mais son nœud papillon contredisait un peu cette première impression, ainsi que le luxe global de l'ameublement de son cabinet, je reconsidérai mon point de vue, c'était tout au plus un sympathisant.

Lorsque je lui eus résumé ma vie ces derniers temps, il convint que j'avais, en effet, un réel besoin d'une prise en charge, et me demanda si j'étais traversé par des idées de suicide. Non, répondis-je, la mort ne m'intéresse pas. Il réprima une grimace de mécontentement, reprit d'un ton coupant, je ne lui étais manifestement pas sympathique : il existait un antidépresseur de nouvelle génération (c'était la première fois que j'entendais ce nom de Captorix, qui devait en venir à jouer un rôle si important dans ma vie), qui pouvait s'avérer efficace dans mon cas, il fallait compter une à deux semaines pour en ressentir les premiers effets, mais c'était un médicament qui demandait une surveillance médicale rigoureuse, il me faudrait impérativement reprendre rendez-vous dans un mois.

J'acquiesçai avec empressement, m'efforçant de ne pas m'emparer de l'ordonnance avec une avidité excessive ; j'étais bien décidé à ne jamais revoir ce con.

De retour chez moi, je veux dire dans ma chambre d'hôtel, j'étudiai avec soin la notice, qui m'apprit que j'allais vraisemblablement devenir impuissant, et que ma libido allait disparaître. Le Captorix fonctionnait en augmentant la sécrétion de sérotonine, mais les informations que je pus recueillir sur Internet au sujet des hormones du fonctionnement psychique donnaient une impression de confusion et d'incohérence. Il y avait certaines remarques de bon sens, du style : « Un mammifère ne décide pas, chaque matin au réveil, s'il va rester avec le groupe ou s'en éloigner pour vivre sa vie », ou encore : « Un reptile ne possède aucun sentiment d'attache avec les autres reptiles ; les lézards ne font pas confiance aux lézards. » Plus spécifiquement, la sérotonine était une hormone liée à l'estime de soi, à la reconnaissance obtenue au sein du groupe. Mais par ailleurs elle était essentiellement fabriquée au niveau de l'intestin, et on signalait son existence chez de très nombreuses créatures vivantes, y compris les amibes. De quelle estime de soi pouvaient bien se prévaloir les amibes ? De quelle reconnaissance au sein du groupe ? La conclusion qui se dégageait peu à peu, c'est que l'art médical demeurait en ces matières confus et approximatif, et que les antidépresseurs faisaient partie de ces nombreux médicaments qui fonctionnent (ou pas) sans que l'on sache exactement pourquoi.

Dans mon cas cela paraissait fonctionner, enfin la douche c'était quand même trop violent, mais je parvins peu à peu à prendre un bain tiède, et même à me savonner vaguement. Et du point de vue de la libido ça ne changeait pas grand-chose, je n'avais de toute façon rien éprouvé qui ressemble à un désir sexuel depuis la châtain d'Al Alquian, la peu oubliable châtain d'Al Alquian.

Ce n'est donc certainement pas un élan de concupiscence qui me poussa, quelques jours plus tard, en milieu d'après-midi, à téléphoner à Claire. Qu'est-ce qui m'y poussa, alors ? Je n'en avais absolument aucune idée. Cela faisait plus de dix ans que nous n'avions eu aucun contact ; je m'attendais à vrai dire à ce qu'elle ait changé de numéro de téléphone. Mais non, elle n'avait pas changé. Elle n'avait pas changé d'adresse non plus – mais ça, c'était normal. Elle parut un peu surprise de m'entendre – mais, au fond, pas plus que ça, et elle proposa qu'on dîne ensemble le soir même dans un restaurant de son quartier.

Lorsque je rencontrai Claire j'avais vingt-sept ans, mes années d'étudiant étaient derrière moi, il y avait déjà eu pas mal de filles – des étrangères essentiellement. Il faut bien se rendre compte qu'à l'époque les bourses Erasmus, qui devaient plus tard tellement faciliter les échanges sexuels entre étudiants européens, n'existaient pas, et qu'un des seuls lieux possibles de drague d'étudiantes étrangères était la Cité Internationale Universitaire du boulevard Jourdan, où miraculeusement l'Agro disposait d'un pavillon, où avaient lieu quotidiennement des concerts et des fêtes. Je connus donc charnellement des jeunes filles de différents pays, et j'acquis la conviction que l'amour ne peut se développer que sur la base d'une certaine différence, que le semblable ne tombe jamais amoureux du semblable, même si en pratique de nombreuses différences peuvent faire l'affaire : une extrême différence d'âge, on le sait, peut donner lieu à des passions d'une violence inouïe ; la différence raciale conserve son efficacité ; et même la simple différence nationale et linguistique n'est pas à dédaigner. Il est mauvais que des aimés parlent la même langue, il est mauvais qu'ils puissent réellement se comprendre, qu'ils puissent échanger par des mots, car la parole n'a pas pour vocation de créer l'amour, mais la division et la haine, la parole sépare à mesure qu'elle se produit, alors qu'un informe babillage amoureux, semi-linguistique, parler à sa femme ou à son homme comme l'on parlerait à son chien, crée les conditions d'un amour inconditionnel et durable. Si encore l'on pouvait se limiter à des sujets immédiats et concrets – où sont les clefs du garage ? À quelle heure va passer l'électricien ? – ça pourrait encore aller, mais au-delà commence le règne de la désunion, du désamour et du divorce.

Il y eut donc différentes femmes, essentiellement des Espagnoles et des Allemandes, quelques Sud-Américaines, une Hollandaise également, appétissante et ronde, qui ressemblait vraiment à une publicité de gouda. Il y eut Kate enfin, la dernière de mes amours de jeunesse, la dernière et la plus grave, après elle on peut dire que ma jeunesse était terminée, je n'ai plus jamais connu ces états mentaux qu'on associe habituellement au mot de « jeunesse », cette insouciance charmante (ou, au choix, cette dégoûtante irresponsabilité), cette sensation d'un monde indéfini, ouvert, après elle le réel s'est refermé sur moi, définitivement.

Kate était danoise, et c'est sans doute la personne la plus intelligente que j'aie jamais rencontrée, enfin je dis ça non que ça ait une réelle importance, les qualités intellectuelles n'ont guère d'importance dans une relation amicale, encore moins évidemment dans une relation amoureuse, elles ont bien peu de poids par rapport à la bonté du cœur ; j'en parle surtout parce que son incroyable agilité intellectuelle, ses capacités d'assimilation hors du commun étaient vraiment une curiosité, un phénomène. Elle avait vingt-sept ans au moment de notre rencontre – cinq ans de plus que moi, donc – et son expérience de la vie était largement plus étendue, je me sentais un petit garçon à ses côtés. Après des études de droit accomplies à une vitesse record, elle était devenue avocat d'affaires dans un cabinet londonien. « *So, you should have met some kind of yuppies...* », je me souviens de lui avoir dit ça, au matin de notre première nuit d'amour. « *Florent, I was a yuppie* » me répondit-elle doucement, je me souviens de cette réponse et je me souviens de ses petits seins fermes, dans la lumière matinale, à chaque fois que ça me revient j'ai une très forte envie de crever, enfin passons. Après deux ans, elle s'était rendue à l'évidence : la yuppietude ne correspondait nullement à ses aspirations, ses goûts, sa manière générale d'envisager la vie. Aussi avait-elle décidé de reprendre des études, de médecine cette fois. Je ne me souviens plus très bien de ce qu'elle faisait à Paris, je crois qu'un hôpital parisien bénéficiait d'une grande reconnaissance internationale dans je ne sais plus quelle maladie tropicale, telle était la raison de sa présence. Pour situer les capacités de cette fille : le soir de notre rencontre – elle était tombée sur moi, plus exactement je m'étais proposé pour l'aider à porter ses bagages jusqu'à sa chambre au troisième étage du pavillon du Danemark, ensuite on a bu une bière et puis deux, etc., elle venait d'arriver à Paris le matin même et ne parlait pas un mot de français ; deux semaines plus tard, elle maîtrisait à peu près parfaitement la langue.

La dernière photo que j'ai de Kate doit être quelque part dans mon ordinateur mais je n'ai pas besoin de l'allumer pour m'en souvenir, il me suffit de fermer les yeux. Nous venions de passer les fêtes de Noël chez elle, enfin chez ses parents, ce n'était pas à Copenhague, le nom de la ville m'échappe, quoi qu'il en soit j'avais eu envie de revenir en France lentement, par le train, le début du voyage était étrange, le train filait à la surface de la mer Baltique, deux mètres seulement nous séparaient de la surface grise des eaux, parfois une vague plus forte que les autres venait frapper les hublots de notre habitacle, nous étions seuls dans la rame au milieu de deux immensités abstraites, le ciel et la mer, je n'avais jamais été aussi heureux de ma vie et probablement est-ce que ma vie aurait dû s'arrêter là, une lame de fond, la mer

Baltique, nos corps définitivement mêlés, mais ceci ne se produisit pas, le train atteignit sa gare de destination (était-ce Rostock ou Stralsund ?), Kate avait décidé de m'accompagner quelques jours, sa rentrée universitaire commençait le lendemain mais elle allait s'arranger.

La dernière photo que j'ai de Kate est prise dans le parc du château de Schwerin, petite ville allemande, capitale du land de Mecklembourg-Poméranie Occidentale, et les allées du parc sont recouvertes d'une neige épaisse, au loin on aperçoit les tourelles du château. Kate se retourne vers moi et me sourit, j'ai probablement dû lui crier de se retourner pour que je la prenne en photo, elle me regarde et son regard est plein d'amour, mais aussi d'indulgence et de tristesse parce qu'elle a probablement déjà compris que je vais la trahir, et que l'histoire va se terminer.

Le même soir nous avons dîné dans une brasserie de Schwerin, je me souviens du serveur, quadragénaire maigre, nerveux et malheureux, probablement ému par notre jeunesse et par l'amour qui irradiait de notre couple et à vrai dire surtout d'elle, le serveur qui avait carrément interrompu son service, les assiettes une fois posées, pour se tourner vers moi (enfin vers nous deux mais surtout vers moi, il devait avoir senti que j'étais le maillon faible) pour me dire en français (il devait être français lui-même, comment un Français avait-il pu se retrouver serveur dans une brasserie de Schwerin, la vie des gens est un mystère), enfin pour me dire avec une gravité inhabituelle, sacrée : « Restez comme ça tous les deux. Je vous en prie, restez comme ça. »

Nous aurions pu sauver le monde, et nous aurions pu sauver le monde en un clin d'œil, *in einem Augenblick*, mais nous ne l'avons pas fait, enfin je ne l'ai pas fait, et l'amour n'a pas triomphé, j'ai trahi l'amour et souvent quand je n'arrive plus à dormir c'est-à-dire à peu près toutes les nuits je réentends dans ma pauvre tête le message de son répondeur, « Hello this is Kate leave me a message », et sa voix était si fraîche, c'était comme plonger sous une cascade à la fin d'une poussiéreuse après-midi d'été, on se sentait aussitôt lavé de toute souillure, de toute déréliction et de tout mal.

Les dernières secondes eurent lieu à Francfort, dans la gare centrale, la *Frankfurter Hauptbahnhof*, elle devait cette fois vraiment rentrer à Copenhague, ses obligations universitaires elle avait quand même exagéré, enfin elle ne pouvait en aucun cas m'accompagner à Paris, je me revois debout à la portière du train, et elle sur le quai, on avait baisé toute la nuit et jusqu'à onze heures du matin jusqu'à ce qu'il soit vraiment l'heure d'aller à la gare, elle m'avait baisé et sucé jusqu'à la limite de ses forces et ses forces étaient grandes moi aussi à l'époque je rebandais facilement enfin à vrai dire la question n'est pas là elle n'est pas *essentiellement* là, elle est surtout que Kate, à un moment donné, debout sur le quai, s'est mise à pleurer, pas vraiment à pleurer, quelques larmes ont coulé sur son visage, elle me regardait, elle m'a regardé pendant plus d'une minute, jusqu'au départ du train, son regard n'a pas quitté le mien une seule seconde et à un moment donné, malgré elle, des larmes se sont mises à couler, et je n'ai pas bougé, je n'ai pas sauté sur le quai, j'ai attendu que les portes se referment.

Pour cela je mérite la mort, et même des châtiments beaucoup plus graves, je ne peux pas me le dissimuler : je terminerai ma vie malheureux, acariâtre et seul, et je l'aurai mérité. Comment un homme, l'ayant connue, pouvait-il se détourner de Kate ? C'est incompréhensible. J'ai fini par l'appeler, après avoir laissé je ne sais combien de ses messages sans réponse, et tout ça pour une immonde Brésilienne qui allait m'oublier dès le lendemain de son retour à Sao Paulo, j'ai appelé Kate et je l'ai appelée exactement *trop tard*, le lendemain elle partait en Ouganda, elle s'était engagée dans une mission humanitaire, les Occidentaux l'avaient déçue forcément, mais moi en particulier.

On finit toujours par s'intéresser au décompte des charges. Claire avait eu sa part de mélodrame, elle avait connu des années agitées, sans véritablement s'approcher du bonheur – mais cela, qui le peut ? pensait-elle. Plus personne ne sera heureux en Occident, pensait-elle encore, plus jamais, nous devons aujourd'hui considérer le bonheur comme une rêverie ancienne, les conditions historiques n'en sont tout simplement plus réunies.

Insatisfaite et même, sur le plan personnel, désespérée, Claire avait par contre connu des joies immobilières intenses. Lorsque sa mère avait rendu sa vilaine petite âme à Dieu – ou plus probablement au néant – le troisième millénaire venait de commencer, et c'était peut-être, pour l'Occident antérieurement qualifié de judéo-chrétien, le millénaire de trop, dans le même sens qu'on parle pour les boxeurs du combat de trop, l'idée en tout cas s'en était largement répandue, dans l'Occident antérieurement qualifié de judéo-chrétien, enfin j'en parle pour situer sur le plan historique, mais de tout ça Claire ne se préoccupait nullement, elle avait bien d'autres soucis en tête, sa carrière d'actrice avant tout – puis, peu à peu, le décompte des charges avait pris une place prédominante dans sa vie, mais n'anticipons pas.

Je l'avais rencontrée le soir du réveillon du 31 décembre 1999, que j'avais passé chez un spécialiste de la communication de crise que j'avais rencontré à mon travail – je travaillais à l'époque chez Monsanto, et Monsanto était à peu près en permanence dans une situation de communication de crise. Je ne sais pas comment il connaissait Claire, je crois en fait qu'il ne la connaissait pas, mais qu'il couchait avec une de ses amies – enfin amie ce n'est peut-être pas le mot juste, disons une autre actrice qui jouait dans la même pièce.

Claire était alors à l'aube de son premier grand succès théâtral – qui devait, d'ailleurs, être le dernier. Elle avait dû jusque-là se contenter de figurations dans des films français à budget faible ou moyen, et de quelques pièces radiophoniques sur France Culture. Cette fois, elle tenait le rôle féminin principal dans une pièce de théâtre de Georges Bataille – enfin ce n'était pas exactement et même pas du tout une pièce de théâtre de Georges Bataille, le metteur en scène s'était livré à un *travail d'adaptation* à partir de différents textes de Georges Bataille, les uns de fiction, les autres théoriques. Son projet était, à ce qu'il déclara dans plusieurs interviews, de relire Bataille à la lumière des nouvelles sexualités virtuelles. Il se déclarait particulièrement requis par la masturbation. Il ne cherchait pas à dissimuler la différence, voire l'opposition entre les positions de Bataille et de Genet. Toute l'affaire se montait dans un théâtre subventionné de l'Est parisien. Bref, on pouvait s'attendre cette fois à d'importantes retombées médiatiques.

Je me rendis à la première. Je ne couchais avec Claire que depuis un peu plus de deux mois, mais elle s'était déjà installée chez moi, il faut dire que la chambre où elle vivait était franchement minable, la douche sur le palier, qu'elle partageait avec une vingtaine de locataires, était si crasseuse qu'elle avait fini par s'inscrire au Club Med Gym uniquement pour se laver. Je ne fus pas tellement impressionné par le spectacle – mais par Claire davantage, elle dégageait durant toute la pièce une sorte d'érotisme glacé, la costumière et l'éclairagiste avaient fait un bon travail, ce n'est pas tant qu'on avait envie de la baiser mais on avait envie de se laisser baiser par elle, on sentait que c'était une femme qui pouvait, d'un instant à l'autre, être traversée par l'impulsion irrésistible de vous baiser, et d'ailleurs c'est ce qui se passait, dans notre vie quotidienne, rien ne transparaissait sur son visage et d'un seul coup elle posait une main sur ma bite, défaisait la braguette en quelques secondes et s'agenouillait pour me sucer, ou bien variante elle enlevait sa culotte et commençait à se branler, et cela je m'en souviens à peu près n'importe où, y compris une fois dans la salle d'attente du service municipal des impôts directs, il y avait une Noire avec deux enfants qui avait paru un peu choquée, bref elle maintenait en matière sexuelle un suspense permanent. La critique fut unanimement élogieuse, la pièce eut droit à une page entière dans les pages culture du *Monde*, et deux dans celles de *Libération*. Claire avait plus que sa part dans ce concert de louanges, *Libération* en particulier la comparait à ces héroïnes de Hitchcock blondes et froides mais en réalité brûlantes à l'intérieur, enfin ces comparaisons style omelette norvégienne que j'avais déjà lues des dizaines de fois au point de voir immédiatement de quoi il était question sans même jamais avoir vu aucun film de Hitchcock, moi j'étais plutôt de la génération Mad Max, mais enfin quoi qu'il en soit c'était assez juste, dans le cas de Claire.

Dans l'avant-dernière scène de la pièce, que le metteur en scène considérait manifestement comme une scène clef, Claire retroussait ses jupes et, jambes écartées face au public, se masturbait pendant qu'une autre actrice lisait un long texte de Georges Bataille dans lequel il était essentiellement question, m'avait-il semblé, de l'anus. Le critique du *Monde* avait spécialement goûté cette scène, et louait le « hiératisme » dont Claire faisait preuve dans son interprétation. Hiératisme le mot me paraissait fort, mais disons qu'elle était calme, et ne semblait pas du tout excitée – elle ne l'était d'ailleurs effectivement pas du tout, comme elle me le confirma le soir de la première.

Sa carrière en somme était lancée, et cette première joie fut complétée d'une seconde lorsque le vol Air France AF232 à destination de Rio de Janeiro s'abîma au beau milieu de l'Atlantique Sud, un dimanche de mars. Il n'y avait aucun survivant, et la mère de Claire faisait partie des passagers. Une cellule d'assistance psychologique fut immédiatement mise en place à destination des proches des victimes. « C'est là que je me suis trouvée bonne actrice... me dit Claire au soir de sa première rencontre avec les psychologues-experts, j'ai fait la fille dévastée anéantie, je crois que j'ai vraiment réussi à cacher ma joie. »

De fait, malgré la haine qu'elles éprouvaient l'une pour l'autre, sa mère était, elle le pressentait, beaucoup trop égocentrique pour avoir pris la peine de rédiger un testament, pour avoir consacré une seule minute à songer à ce qui pouvait se produire après sa mort, et il est de toute façon bien difficile de déshériter ses enfants, en tant que fille unique elle avait le droit légal et inaliénable à une part réservataire de 50 %, bref Claire n'avait pas grand-chose à craindre, et un mois après ce miraculeux crash aérien elle se trouva en effet en possession de son héritage, essentiellement constitué par un magnifique appartement situé passage du Ruisseau-de-Ménilmontant, dans le 20e arrondissement. Nous déménageâmes deux semaines plus tard, le temps de nous débarrasser des affaires de la vieille – qui n'était d'ailleurs pas si vieille que ça, elle avait quarante-neuf ans, et le crash aérien qui lui avait coûté la vie s'était produit alors qu'elle partait en vacances au Brésil avec un type de vingt-six ans, mon âge exactement.

L'appartement se situait dans une ancienne tréfilerie qui avait fermé ses portes au début des années 1970, était restée inoccupée quelques années avant d'être rachetée par le père de Claire, un architecte entreprenant et prompt à flairer les affaires juteuses, qui l'avait aménagée en lofts. L'entrée était un grand porche sécurisé par une grille aux barreaux énormes, le digicode venait d'être remplacé par un système biométrique d'identification de l'iris ; les visiteurs, eux, disposaient d'un interphone couplé à une caméra vidéo.

Une fois ce barrage franchi on pénétrait dans une vaste cour pavée, qu'entouraient les anciens bâtiments industriels – il y avait une vingtaine de copropriétaires. Le loft qui était revenu à la mère de Claire, l'un des plus vastes, était constitué d'un grand open space de 100 m² – d'une hauteur sous plafond de 6 mètres – donnant sur une cuisine ouverte équipée d'un îlot central, d'une grande salle de bains avec douche à l'italienne et baignoire jacuzzi, de deux chambres dont l'une en mezzanine et l'autre complétée par un dressing, et d'un bureau ouvrant sur un petit coin de jardin. L'ensemble faisait un peu plus de 200 m².

Même si le terme était encore peu répandu à l'époque, les autres copropriétaires étaient exactement ce qu'on devait par la suite appeler des bobos, et ils ne pouvaient que se réjouir d'avoir pour voisine une actrice de théâtre, que serait le théâtre sans les bobos on se le demande, le journal *Libération* à l'époque n'était pas encore uniquement lu par les intermittents du spectacle mais aussi par une partie (quoique décroissante) de leur public, et *Le Monde* maintenait encore à peu près ses ventes et son prestige, bref Claire fut accueillie avec enthousiasme dans l'immeuble. Mon cas, j'en étais conscient, pouvait être plus délicat, Monsanto devait leur apparaître comme une firme à peu près aussi honorable que la CIA. Un bon mensonge emprunte toujours certains éléments à la réalité, je fis tout de suite savoir que je travaillais dans la recherche génétique sur les maladies orphelines, les maladies orphelines c'est inattaquable, on imagine tout de suite soit un autiste soit un de ces pauvres petits enfants victimes de progeria qui, à l'âge de douze ans, ont déjà l'apparence de vieillards, j'aurais été bien incapable de travailler dans ce domaine mais j'en savais bien assez en génétique pour tenir tête à n'importe quel bobo, fût-ce un bobo instruit.

À vrai dire, je me sentais moi-même de plus en plus mal à l'aise dans mon emploi. Rien n'établissait clairement la dangerosité des OGM, et les écologistes radicaux étaient la plupart du temps des imbéciles ignorants, mais rien n'établissait non plus leur innocuité, et mes supérieurs au sein de la firme étaient tout simplement des menteurs pathologiques. La vérité est qu'on ne savait rien, ou à peu près rien, sur les conséquences à long terme des manipulations génétiques végétales, mais le problème à mes yeux n'était même pas là, il était que les semenciers, les producteurs d'engrais et de pesticides jouaient par leur existence même, sur le plan agricole, un rôle destructeur et létal, il était que cette agriculture intensive, basée sur des exploitations gigantesques et sur la maximisation du rendement à l'hectare, cette agro-industrie entièrement basée sur l'export, sur la séparation de l'agriculture et de l'élevage, était à mes yeux l'exact contraire de ce qu'il fallait faire si l'on voulait aboutir à un développement acceptable, il fallait au contraire privilégier la qualité, consommer local et produire local, protéger les sols et les nappes phréatiques en revenant à des assolements complexes et à l'utilisation des fertilisants animaux. Je dus en surprendre plus d'un, lors des multiples *apéros de voisins* qui suivirent les premiers mois de notre installation, par la véhémence et le caractère extrêmement documenté de mes interventions sur ces sujets, bien sûr ils pensaient la même chose que moi mais sans y connaître quoi que ce soit, par pur conformisme de gauche en vérité, toujours est-il que j'avais eu des idées, j'avais peut-être même eu un idéal, ce n'est pas par hasard que j'avais fait l'Agro plutôt qu'une école généraliste du type Polytechnique ou HEC, bref j'avais eu un idéal et j'étais en train de le trahir.

Il n'était cependant pas question que je démissionne, mon salaire était indispensable à notre survie, parce que la carrière de Claire, malgré le succès critique de cette pièce adaptée de Georges Bataille, demeurait obstinément au point mort. Son passé la confinait au domaine culturel et c'était un malentendu parce que son rêve était de travailler dans le cinéma de divertissement, elle-même n'allait jamais voir que des films immédiatement accessibles à tous, elle avait adoré *Le Grand Bleu* et plus encore *Les Visiteurs* alors que le texte de Bataille elle l'avait trouvé « complètement con », et ce fut la même chose avec un texte de Leiris dans lequel elle fut embringuée un peu plus tard, mais le pire sans doute fut une lecture d'une heure de Blanchot pour France Culture, jamais elle n'aurait soupçonné me dit-elle l'existence de merdes pareilles, c'était stupéfiant me dit-elle qu'on ose proposer au public de telles conneries. Je n'avais pour ma part aucune opinion sur Blanchot, je me souvenais juste d'un amusant paragraphe de Cioran dans lequel il explique que Blanchot est l'auteur idéal pour apprendre à taper à la machine, parce qu'on n'est pas « dérangé par le sens ».

Son physique, malheureusement pour Claire, allait dans le même sens que son CV : sa beauté blonde, élégante et froide semblait la prédisposer à des textes lus d'une voix blanche dans un théâtre subventionné, l'industrie du divertissement lourd était à l'époque plutôt friande de bombes latinos ou de métisses un peu chaudasses, bref elle n'était absolument pas dans le *move* et pendant l'année qui suivit elle ne décrocha aucun rôle en dehors des cultureries que j'ai mentionnées, malgré une lecture régulière du *Film français*, malgré un acharnement jamais démenti à se présenter à peu près à n'importe quel casting. Même dans les pubs pour déodorants, il n'y avait décidément aucune place pour les omelettes norvégiennes. C'est peut-être, paradoxalement, dans l'industrie du porno qu'elle aurait eu le plus de chances : sans évidemment mésestimer les bombasses latinos ou blacks, ce secteur s'efforçait de maintenir une grande diversité de physiques et d'ethnies parmi ses actrices. Elle s'y serait peut-être résolue en mon absence, même si elle savait bien qu'une carrière dans le porno n'avait jamais débouché sur une carrière d'actrice dans le cinéma normal, mais je crois qu'à niveau de rémunération à peu près égal, elle aurait encore préféré ça à lire du Blanchot sur France Culture. Ça n'aurait de toute façon pas duré bien longtemps, l'industrie du porno vivait ses derniers mois avant d'être détruite par le porno amateur sur Internet, YouPorn allait détruire l'industrie du porno encore plus rapidement que YouTube l'industrie musicale, le porno a toujours été à la pointe de l'innovation technologique, comme l'ont d'ailleurs déjà fait remarquer de nombreux essayistes, sans qu'aucun ne s'avise de ce que cette constatation avait de paradoxal, parce qu'après tout la pornographie est quand même le secteur de l'activité humaine où l'innovation tient le moins de place, il ne s'y produit même absolument rien de nouveau, tout ce qu'on peut imaginer en matière de pornographie existait déjà largement à l'époque de l'antiquité grecque ou romaine.

De mon côté, Monsanto commençait à me porter vraiment sur les nerfs, et je me mis à réellement regarder les annonces, à peu près par tous les moyens offerts à un ancien de l'Agro, en particulier par l'intermédiaire de l'Association des anciens élèves, mais ce ne fut que début novembre que je tombai sur une offre réellement intéressante qui émanait de la Direction régionale de l'agriculture et de la forêt de Basse-Normandie. Il s'agissait de créer une nouvelle structure dédiée à l'exportation des fromages français. J'envoyai un CV et obtins rapidement un rendez-vous, je fis l'aller-retour à Caen dans la journée. Le directeur de la DRAF était lui aussi un ancien de l'Agro, un jeune ancien, je le connaissais de vue, il était en deuxième année quand moi j'étais en première. Je ne sais pas où il avait fait son stage de fin d'études, mais il en avait gardé la manie (peu répandue alors dans l'administration française) d'employer assez inutilement des termes anglo-saxons. Son constat de départ était que le fromage français continuait à s'exporter presque uniquement en Europe, que ses positions restaient insignifiantes aux États-Unis, et surtout que contrairement au vin (il rendit à ce stade un hommage long et appuyé à l'interprofession des vins de Bordeaux), le secteur fromage n'avait pas su anticiper l'arrivée des émergents, essentiellement la Russie, mais bientôt la Chine, et sans doute l'Inde un peu plus tard. Cela valait pour tous les fromages français ; mais nous étions en Normandie, souligna-t-il avec pertinence, et la *task force* qu'il envisageait de mettre en place aurait pour première ambition de promouvoir les « seigneurs de la trilogie normande » : le camembert, le pont-l'évêque, le livarot. Seul le camembert, jusqu'à présent, bénéficiait d'une réelle notoriété internationale, pour des raisons historiques d'ailleurs passionnantes mais sur lesquelles il n'avait pas le temps de s'étendre, le livarot et même le pont-l'évêque demeuraient en Russie et en Chine de parfaits inconnus, il ne disposait pas de moyens illimités mais enfin il avait quand même réussi à décrocher le budget nécessaire pour recruter cinq personnes, et ce qu'il cherchait en premier lieu c'était le chef de cette *task force*, étais-je intéressé par le *job* ?

Je l'étais, et le confirmai avec un mélange approprié de professionnalisme et d'enthousiasme. Une première idée m'était venue, et je crus bon de lui en faire part : de nombreux Américains, enfin nombreux je ne savais pas au juste, disons des Américains, venaient chaque année visiter les plages du Débarquement où des membres de leur famille, et parfois leurs propres parents, avaient accompli le sacrifice suprême. Naturellement le temps du recueillement devait être respecté, il n'était pas question d'organiser des dégustations de fromage à la sortie des cimetières militaires ; mais enfin on finit toujours par manger, et était-il certain que les fromages normands mettent suffisamment à profit ce tourisme de la mémoire ? Il s'enthousiasma : c'est exactement ce genre de choses, en effet, qu'il convenait de mettre en place, et plus généralement l'imagination devait toujours rester au rendez-vous ; les synergies qu'avait su développer la viticulture champenoise avec l'industrie française du luxe avaient peu de chances d'être immédiatement reproductibles : imaginait-on Gisele Bündchen dégustant du livarot (alors qu'une coupe de Moët et Chandon, si) ? Bref, j'aurais plus ou moins carte blanche, il s'en serait voulu de brider ma créativité, d'ailleurs mon travail chez Monsanto n'avait pas dû être facile non plus (en réalité je n'avais pas eu trop d'efforts à faire, l'argumentation mise en place par le semencier était d'une simplicité brutale : sans les OGM, nous n'aurions pas les moyens de nourrir une population humaine en croissance constante ; en gros, c'était Monsanto ou la famine). Bref, au moment où je quittai son bureau, je savais déjà, surtout par la manière dont il avait parlé au passé de mon emploi chez Monsanto, que ma candidature était retenue.

Mon contrat démarrait le 1ᵉʳ janvier 2001. Après quelques semaines à l'hôtel je trouvai une jolie maison à louer, isolée au milieu d'un paysage vallonné de bosquets et d'herbages, à deux kilomètres du village de Clécy, qui s'enorgueillissait du titre un peu exagéré de « capitale de la Suisse normande ». C'était vraiment une maison ravissante, à colombages ; il y avait un grand séjour au sol recouvert de tomettes de terre cuite, trois chambres parquetées, un bureau. En annexe, un ancien pressoir réaménagé pouvait servir de maison d'amis ; le chauffage central avait été installé.

C'était une maison ravissante, et je sentis tout au long de la visite que son propriétaire l'avait beaucoup aimée, qu'il l'avait entretenue avec un soin méticuleux, c'était un petit vieux tout rabougri, entre soixante-quinze et quatre-vingts ans, il avait bien vécu ici me dit-il tout de suite mais maintenant ça n'allait plus, il avait besoin d'une assistance médicale fréquente, une infirmière à domicile au moins trois fois par semaine et en période de crise tous les jours, alors voilà un appartement à Caen c'était plus raisonnable, il avait de la chance ceci dit ses enfants s'occupaient bien de lui, sa fille avait tenu à choisir l'infirmière elle-même, il avait de la chance avec ce qu'on voyait de nos jours, et en effet, j'étais de son avis, il avait de la chance, seulement voilà depuis que sa femme était morte ce n'était plus pareil, et ce ne serait jamais plus pareil, il était de toute évidence croyant et le suicide est une chose qu'il n'aurait jamais envisagée, mais il trouvait parfois que Dieu tardait un peu à le rappeler à lui, à son âge à quoi ça pouvait bien servir, j'eus les larmes aux yeux pendant à peu près toute la visite.

C'était une maison ravissante, mais j'allais l'habiter seul. À l'idée de déménager dans un village de Basse-Normandie, Claire avait opposé un refus clair et net. J'avais un moment envisagé de lui suggérer qu'elle pourrait « revenir à Paris pour les castings » avant de prendre conscience de l'absurdité de l'idée, elle se rendait à peu près à dix castings par semaine, ça n'avait aucun sens, déménager à la campagne serait un suicide dans sa carrière, en même temps est-ce vraiment grave de suicider ce qui est déjà mort ? voilà ce que je pensais au fond de moi-même, mais évidemment je ne pouvais pas le lui dire, pas aussi directement, et comment le dire indirectement ? Aucune solution ne m'apparut.

Nous convînmes donc, en apparence raisonnablement, que c'est moi qui reviendrais à Paris pour le week-end, sans doute même eûmes-nous l'illusion partagée que cette séparation et ces retrouvailles hebdomadaires donneraient de la respiration et de l'énergie à notre couple, que chaque week-end deviendrait une fête amoureuse, etc.

Il n'y eut pas de rupture entre nous, pas de rupture nette et définitive. Ce n'est pas compliqué de prendre le train Caen-Paris, c'est direct et ça dure un peu plus de deux heures, il se produisit juste que je le pris de moins en moins souvent, d'abord en prétextant un surcroît de travail, puis sans rien prétexter du tout, et au bout de quelques mois tout fut dit. Au fond de moi-même, je n'avais jamais renoncé à l'idée que Claire viendrait me rejoindre dans cette maison, qu'elle renoncerait à son improbable carrière d'actrice, qu'elle accepterait d'être simplement ma femme. À plusieurs reprises je lui avais même posté des photos de la maison, prises par beau temps, les fenêtres grandes ouvertes sur les bosquets et les herbages, j'avais un peu honte d'y repenser.

Le plus remarquable avec le recul, c'est que, comme avec Yuzu vingt ans plus tard, l'ensemble de mes possessions terrestres tenait dans une valise. J'avais décidément peu d'appétit pour les possessions terrestres ; ce qui, aux yeux de certains philosophes grecs (épicuriens ? stoïciens ? cyniques ? un peu les trois ?) était une disposition mentale très favorable ; la position inverse, me semblait-il, avait rarement été soutenue ; il y avait donc, sur ce point précis, *consensus* chez les philosophes – ce qui est suffisamment rare pour être souligné.

Il était un peu plus de cinq heures quand je raccrochai d'avec Claire, il me restait trois heures à tuer avant le dîner. Assez vite, en l'espace de quelques minutes, je commençai à me demander si cette rencontre était vraiment une bonne idée. Elle ne déboucherait à l'évidence sur rien de positif, son seul résultat serait de réveiller des sentiments de déception et d'amertume que nous avions, après une vingtaine d'années, plus ou moins réussi à enfouir. Que la vie soit amère et décevante nous le savions tous les deux assez, était-il bien utile de payer un taxi, une note de restaurant, pour obtenir une confirmation supplémentaire ? Et avais-je vraiment envie de savoir ce que Claire *était devenue* ? Rien probablement de très brillant, rien de conforme en tout cas à ses espérances, sinon j'aurais pu m'en rendre compte rien qu'en regardant les affiches de film dans la rue. Mes propres aspirations professionnelles étaient moins bien définies, et l'échec de ce fait moins visible, je n'en avais pas moins le sentiment, assez net, d'être à ce jour un raté. La rencontre de deux losers quadragénaires et anciens amants, ça aurait pu être une scène magnifique dans un film français, avec les acteurs appropriés, mettons pour situer Benoît Poelvoorde et Isabelle Huppert ; dans la vie réelle, en avais-je si envie que ça ?

Dans certaines circonstances critiques de ma vie, j'avais eu recours à une forme de *télémancie*, dont j'étais à ma connaissance l'inventeur. Les chevaliers du Moyen âge, plus tard les puritains de la Nouvelle-Angleterre, lorsqu'ils avaient une décision difficile à prendre, ouvraient leur Bible au hasard, posaient au hasard leur doigt sur la page, et tentaient de donner une interprétation au verset pointé, de prendre leur décision dans le sens indiqué par Dieu. De même, il m'arrivait d'allumer la télévision au hasard (sans choisir la chaîne, il fallait juste appuyer sur la touche On) et d'essayer d'interpréter les images qui m'étaient transmises.

À 18 heures 30 exactement, j'appuyai sur la touche On du téléviseur de ma chambre de l'hôtel Mercure. Le résultat me parut d'abord déconcertant, difficile à décoder (mais cela arrivait aussi parfois aux chevaliers du Moyen âge, et même aux puritains de la Nouvelle-Angleterre) : je tombai sur une émission d'hommage à Laurent

Baffie, ce qui était en soi surprenant (était-il mort ? il était encore jeune, mais certains animateurs de télévision sont foudroyés en pleine gloire, et brutalement enlevés à l'amour de leurs fans, c'est la vie). Le ton en tout cas était bien celui de l'hommage, et tous les intervenants soulignaient la « profonde humanité » de Laurent, pour certains c'était un « super-pote, un roi de la déconne, un déglinguos total », d'autres qui l'avaient connu de plus loin mettaient l'accent sur le « professionnel impeccable », cette polyphonie bien orchestrée par le montage conduisait à une vraie relecture du travail de Laurent Baffie, et s'achevait de manière symphonique par la reprise quasi chorale d'une expression qui faisait l'unanimité des intervenants : Laurent était, par quelque bout qu'on le prenne, une « belle personne ». J'appelai un taxi à 19 heures 20.

J'arrivai à 20 heures précises au *Bistrot du Parisien*, rue Pelleport, Claire avait en effet réservé une table, c'était un point positif mais je sentis dès les premières secondes, rien qu'en traversant le restaurant peu fréquenté mais après tout on était un dimanche soir, que ce serait le seul de la soirée.

Au bout de dix minutes, un serveur vint me demander si je souhaitais prendre un apéritif pour patienter. De nature il paraissait bienveillant et dévoué, surtout je sentis d'emblée qu'il avait anticipé un rendez-vous à problèmes (comment un serveur dans un bistrot du 20ᵉ ne serait-il pas un peu chamane, voire un peu psychopompe ?), et je perçus aussi que ce soir-là il se rangerait plutôt de mon côté (avait-il déjà perçu mon angoisse qui montait ? il est vrai que j'avais déjà dévoré de nombreux gressins), au point où j'en étais je pris un Jack Daniels, un triple.

Claire arriva vers 20 h 30, elle marchait avec précaution, s'appuya sur deux tables avant de rejoindre la nôtre, elle était visiblement déjà pas mal torchée, la pensée de me revoir était-elle si

118

bouleversante, le rappel si douloureux des promesses de bonheur dont l'avait frustrée la vie ?
J'eus cet espoir quelques secondes, deux ou trois
pas davantage, puis une pensée plus réaliste me
vint, qui était que Claire était vraisemblablement
dans le même état que tous les jours à la même
heure, à peu près identiquement torchée.

J'ouvris les bras avec élan pour m'exclamer
qu'elle avait l'air en pleine forme, qu'elle n'avait
absolument pas changé, je ne sais pas d'où ça
me vient cette aptitude au mensonge, pas de mes
parents en tout cas, de mes premières années
de lycée peut-être, mais le fait est qu'elle avait
horriblement morflé, il y avait de la graisse qui
dépassait d'un peu partout et son visage était
franchement envahi par la couperose, son premier regard fut d'ailleurs un peu dubitatif, sa
première pensée fut sans doute que je me foutais
de sa gueule mais cela ne dura pas plus de dix
secondes, elle baissa rapidement la tête puis la
releva aussitôt et son expression était changée,
la jeune fille de nouveau se manifestait en elle,
elle me fit un clin d'œil presque coquin.

L'examen de la carte, plaisamment bistrotière,
me permit de laisser passer pas mal de temps.
J'optai finalement pour une cassolette d'escar-
gots de Bourgogne (6) au beurre d'ail, à suivre
des noix de Saint-Jacques poêlées à l'huile d'olive
et leurs tagliatelles. Je souhaitais ainsi dépasser
le traditionnel dilemme terre/mer (vin rouge *vs*
vin blanc) en optant pour un choix qui nous
permettrait de prendre une bouteille de chaque.
Le raisonnement de Claire semblait adopter les
mêmes voies, puisqu'elle se prononça pour une

tartine d'os à moelle au sel de Guérande, suivie par une bourride de lotte à la provençale et son aïoli.

Je craignais d'avoir à m'exprimer sur un plan personnel, d'avoir à raconter ma vie, mais ceci ne se produisit pas, dès la commande passée Claire se lança dans une longue narration qui ne visait à rien de moins qu'à synthétiser la vingtaine d'années qui s'étaient écoulées depuis notre dernière rencontre. Elle buvait vite, sec, et il devint rapidement évident que nous aurions besoin de deux bouteilles de rouge (ainsi, un peu plus tard, que de deux bouteilles de blanc). Après mon départ rien ne s'était arrangé, sa recherche de rôles était demeurée vaine, et la situation avait fini par devenir un peu bizarre, entre 2002 et 2007 le prix de l'immobilier à Paris avait doublé, et dans son quartier l'augmentation avait été encore plus rapide, la rue de Ménilmontant devenait de plus en plus *hype* et le bruit courait obstinément que Vincent Cassel venait d'y emménager, qu'il ne tarderait pas à être suivi par Kad Merad et Béatrice Dalle, prendre son café dans le même établissement que Vincent Cassel était un privilège considérable et cette information non démentie avait provoqué un nouveau bond en avant des prix, vers 2003-2004 elle s'était rendu compte que son appartement gagnait tous les mois beaucoup plus qu'elle, elle devait absolument tenir, vendre maintenant aurait été sur le plan immobilier un suicide, elle en vint à des solutions de désespoir comme se lancer pour le compte de France Culture dans l'enregistrement d'une série de CD de Maurice Blanchot, elle tremblait de plus en plus en me racontant ça, elle me regardait avec des yeux fous et rongeait littéralement son os à moelle, je fis signe au serveur d'accélérer le mouvement.

La bourride de lotte lui apporta un léger apaisement, et coïncida avec un moment plus paisible de son récit. Début 2008, elle répondit à une offre de Pôle Emploi : l'organisme se proposait de mettre en place des ateliers théâtre à destination des chômeurs, l'idée étant de leur redonner confiance en eux-mêmes, le salaire n'était pas énorme mais il tombait régulièrement tous les mois, cela faisait maintenant plus de dix ans qu'elle gagnait sa vie comme ça, à Pôle Emploi elle faisait partie des meubles et l'idée, elle pouvait maintenant le dire avec un vrai recul, n'était pas absurde, cela marchait en tout cas mieux que les psychothérapies, c'est vrai que le chômeur de longue durée se transformait inéluctablement en un petit être recroquevillé et mutique, et que le théâtre, en particulier pour d'obscures raisons le répertoire de vaudeville, redonnait à ces tristes créatures le minimum d'aisance sociale requis pour un entretien d'embauche, en tout cas elle aurait maintenant pu, avec ce salaire modeste mais régulier, s'en sortir, n'eût été le problème des charges, parce qu'une partie des copropriétaires, enivrés par la gentrification foudroyante du quartier de Ménilmontant, avaient envisagé de se lancer dans des investissements proprement délirants, le remplacement du digicode par un système biométrique d'identification de l'iris n'avait été que le prélude à une succession de projets insensés tels que le remplacement de la cour pavée par un jardin zen avec petites cascades et blocs de granite directement importés des Côtes-d'Armor, le tout sous la surveillance d'un maître japonais mondialement connu. À présent sa décision était prise, d'autant qu'après une seconde et plus brève flambée vers 2015-2017 le marché de l'immobilier parisien s'était durablement tassé, elle allait revendre, et de fait elle venait de contacter une première agence.

Sur le plan sentimental elle avait moins à dire, il y avait eu quelques relations, et même deux tentatives de vie commune, elle parvint à mobiliser une émotion suffisante pour en parler, mais, quand même, elle ne pouvait se le dissimuler : les deux hommes (deux acteurs, au succès à peu près égal au sien) qui avaient envisagé de partager sa vie étaient beaucoup moins amoureux d'elle que de son appartement. Au fond, j'étais peut-être le seul homme qui l'ait vraiment aimée, conclut-elle avec une sorte de surprise. Je m'abstins de la détromper.

Malgré le caractère désenchanté et même nettement triste de ce récit, j'avais apprécié mes Saint-Jacques, et me penchai avec intérêt sur la carte des desserts. Le vacherin glacé et son coulis de framboises retint aussitôt mon attention ; Claire opta pour les profiteroles au chocolat chaud, un classique ; je commandai une troisième bouteille de vin blanc. Je commençais vraiment à me demander si, à un moment donné, elle allait me dire : « Et toi ? », enfin les choses qu'on dit dans ce genre de circonstances, au moins dans les films et même, me semblait-il, dans la vie réelle.

Vu le déroulement de la soirée, j'aurais normalement dû refuser de « prendre un dernier verre » chez elle, et encore maintenant je me demande ce qui m'a poussé à accepter. Peut-être un peu la curiosité de revoir cet appartement où j'avais quand même passé un an de ma vie ; mais, aussi, je devais commencer à me demander ce que j'avais bien pu trouver à cette fille. Il devait quand même y avoir eu autre chose que le sexe ; ou bien non, c'était effrayant à penser, il n'y avait eu que le sexe.

Ses intentions à elle, en tout cas, étaient sans ambiguïté, et après m'avoir proposé un verre de cognac elle m'entreprit à la manière directe qui était la sienne. Plein de bonne volonté j'ôtai mon pantalon et mon slip afin de lui faciliter la prise en bouche, mais en réalité j'étais déjà traversé d'une prémonition inquiétante, et lorsqu'elle eut pendant deux à trois minutes mastiqué sans résultat mon organe inerte, je sentis que la situation risquait de dégénérer, et je lui avouai que je prenais en ce moment des antidépresseurs (des « doses massives » d'antidépresseurs, ajoutai-je pour faire bonne mesure), ce qui avait pour inconvénient de supprimer en moi toute libido.

L'effet de ces quelques paroles fut magique, je la sentis aussitôt rassurée, évidemment on préfère toujours incriminer les antidépresseurs de l'autre plutôt que ses propres bourrelets, mais de plus un mouvement de compassion sincère traversa son visage, pour la première fois de la soirée elle sembla s'intéresser à moi, lorsqu'elle me demanda si je traversais un moment de déprime, pourquoi et depuis quand.

Je produisis alors un récit simplifié de mes dernières mésaventures conjugales, disant à peu près la vérité sur tout (à part les aventures canines de Yuzu, que j'estimais inutiles à la compréhension d'ensemble), la seule différence notable étant que dans mon récit c'était Yuzu qui avait finalement décidé de repartir au Japon, obtempérant finalement aux représentations répétées de sa famille, et présenté comme ça le truc devenait assez beau, un conflit classique entre l'amour et le devoir familial et/ou social (comme l'aurait écrit un gauchiste des années 1970), c'était un peu comme un roman de Theodor Fontane, précisai-je à Claire, bien qu'elle ne connût vraisemblablement pas cet auteur.

La Japonaise ajoutait à l'aventure un cachet exotique à la Loti, ou à la Segalen je les confonds, en tout cas l'histoire lui plaisait visiblement beaucoup. Profitant de ce que je la voyais mariner dans d'amples méditations femelles aggravées d'un second verre de cognac, je me réajustai discrètement, et au moment même où je refermais ma braguette je fus traversé par la pensée que nous étions aujourd'hui le 1er octobre, dernier jour du préavis de l'appartement de la tour Totem. Yuzu avait certainement attendu le dernier jour, et sans doute était-elle en ce moment dans le vol qui la ramenait à Tokyo, peut-être même l'appareil entamait-il son approche de l'aéroport de Narita et ses parents étaient déjà derrière les barrières du hall d'arrivée des voyageurs, le fiancé attendait probablement près de la voiture dans le parking, tout était écrit et maintenant tout allait s'accomplir, et c'était peut-être précisément pour cette raison que j'avais téléphoné à Claire, j'avais oublié jusqu'il y a quelques minutes que nous étions le 1er octobre mais quelque chose en moi, mon inconscient sans doute, n'avait pas oublié, nous vivons sous l'emprise de divinités incertaines, « le chemin que nous firent prendre ces jeunes filles était absolument fallacieux, il faut ajouter qu'il pleuvait », comme l'écrit probablement Nerval quelque part, je ne pensais plus trop souvent à Nerval ces temps-ci, il s'était pourtant pendu à quarante-six ans, et Baudelaire lui aussi était mort à cet âge, ce n'est pas un âge facile.

La tête de Claire reposait maintenant sur sa poitrine et des ronflements montaient de sa gorge, elle était visiblement blindée et en principe j'aurais dû partir à ce moment, mais je me sentais bien sur le gigantesque canapé de son open space, une extrême lassitude m'envahit à l'idée de retraverser Paris, je m'allongeai et me tournai sur le côté pour éviter de la voir, une minute plus tard je m'endormis.

Il n'y avait dans cette taule que du café soluble, ce qui était déjà en soi un scandale, s'il n'y avait pas de machine Nespresso dans un appartement pareil où pouvait-il y en avoir on se le demande, enfin je me fis un café soluble, un jour faible filtrait par les persiennes et malgré toutes mes précautions je heurtai quelques meubles, Claire apparut presque aussitôt sur le seuil de la cuisine, sa nuisette courte et semi-transparente dissimulait peu ses appas, heureusement elle semblait penser à autre chose et accepta le verre de café soluble que je lui tendais, putain elle n'avait même pas de tasses, une seule gorgée lui suffit et elle se mit aussitôt à parler, c'était amusant que j'habite tour Totem dit-elle (je n'avais pas mentionné ma récente installation à l'hôtel Mercure), parce que son père était à l'origine du projet, il avait été l'assistant d'un des deux architectes, elle avait peu connu son père il était mort quand elle avait six ans mais elle se souvenait que sa mère avait gardé une coupure de presse dans laquelle il se justifiait des polémiques qu'avait engendrées la construction, la tour Totem avait plusieurs fois été classée parmi les bâtiments les plus laids de Paris, sans jamais se hisser à la hauteur de la tour Montparnasse, régulièrement désignée dans les sondages comme l'immeuble le plus laid de France, et dans un sondage récent de *Touristworld* comme le plus laid du monde, juste derrière l'hôtel de ville de Boston.

Elle se déplaça jusqu'à l'open space, et à mon léger effarement revint deux minutes plus tard avec un album photos qui menaçait d'être le support d'une ample narration de vie. Durant les lointaines années 1960, son père avait de toute évidence été une sorte de *minet* – des photos de lui en costume Renoma, à la sortie du Bus Palladium, ne laissaient planer aucun doute là-dessus, il avait en somme mené la vie aisée d'un jeune homme aisé des années 1960, d'ailleurs il ressemblait un peu à Jacques Dutronc, et par la suite il était devenu un architecte entreprenant (et sans doute un peu affairiste) tout au long des années Pompidou et Giscard, avant de trouver la mort au volant de sa Ferrari 308 GTB, de retour d'un week-end à Deauville qu'il avait passé en compagnie de sa maîtresse suédoise, le jour même de l'élection de François Mitterrand à la présidence de la République. Sa carrière déjà très convenable aurait alors pu prendre un nouvel essor, ses amis au Parti socialiste étaient nombreux et François Mitterrand un président bâtisseur, peu de choses l'empêchaient d'arriver au plus haut niveau de sa profession, mais un trente-cinq tonnes qui s'était déporté sur le milieu de la chaussée en avait décidé autrement.

Sa mère avait regretté ce mari volage mais munificent, et qui d'ailleurs lui laissait pas mal de liberté de son côté, mais surtout elle n'avait pas supporté l'idée de se retrouver seule avec sa fille, son mari était certes un queutard mais également un père assez tendre, qui prenait une grande part dans les soins de l'enfant, et elle ne se sentait aucune fibre maternelle, absolument aucune, et avec les enfants dans le cas de la mère c'est tout un, soit on se dévoue totalement à eux, on oublie son propre bonheur pour se consacrer au leur, soit c'est l'inverse qui se produit, et ils ne sont plus qu'une présence immédiatement gênante et rapidement hostile.

À l'âge de sept ans, Claire avait été casée dans un internat de filles à Ribeauvillé, tenu par la congrégation des Sœurs de la Divine Providence, je connaissais déjà cette partie de l'histoire et il n'y avait même pas de croissants, même pas un pain au chocolat, que dalle, Claire se servit un verre de vodka, ça y était, elle partait au quart de tour dès sept heures du matin. « Tu t'es enfuie à l'âge de onze ans… » coupai-je pour abréger sa narration. Je me souvenais de sa fuite, c'était un moment fort de sa geste héroïque, de sa conquête de l'indépendance, elle était revenue à Paris en auto-stop, quand même c'était risqué il aurait pu lui arriver n'importe quoi d'autant qu'elle commençait sérieusement, selon ses propres termes, à « s'intéresser à la bite », mais il ne lui était rien arrivé du tout, c'était selon elle un signe, à ce moment je sentis venir le tunnel de ses relations avec sa mère et j'eus le courage d'exiger que nous sortions dans un café prendre un petit déjeuner normal, un double express avec des tartines, et peut-être même une omelette au jambon, j'avais faim arguai-je d'un ton plaintif, j'avais vraiment faim.

Elle passa un manteau au-dessus de sa nuisette, rue de Ménilmontant il devait y avoir tout ce qu'il fallait, peut-être même aurions-nous la chance de voir Vincent Cassel attablé devant un noisette, en tout cas on était sortis de l'appartement c'était une étape, dehors c'était déjà un matin d'automne, venteux et un peu frais, au cas où l'affaire se prolongerait j'avais prévu d'invoquer un rendez-vous médical en milieu de matinée.

À ma grande surprise, immédiatement après que nous fûmes attablés, Claire revint sur l'histoire de « ma Japonaise », elle souhaitait en savoir plus, la coïncidence de la tour Totem l'avait frappée. « Les coïncidences sont les clins d'œil de Dieu », était-ce de Vauvenargues ou de Chamfort je l'avais oublié, peut-être de La Rochefoucauld ou de personne, quoi qu'il en soit je pouvais tenir longtemps sur le thème du Japon, j'avais déjà expérimenté, je commençais par prononcer avec subtilité : « Le Japon est une société plus traditionaliste qu'on ne le croit souvent », ensuite je pouvais enchaîner pendant deux heures sans risque d'être contredit, de toute façon personne ne comprenait rien au Japon ni aux Japonais.

Au bout de deux minutes je me rendis compte que parler me fatiguait encore plus qu'écouter, c'étaient les relations humaines en général qui me posaient un problème, et tout particulièrement, il fallait bien en convenir, les relations humaines avec Claire, je lui repassai le dé de la conversation, le décor de ce café était agréable mais le service un peu lent, et nous replongeâmes vers les onze ans de Claire alors que des clients qui ressemblaient tous à des intermittents du spectacle envahissaient peu à peu le café.

D'emblée une lutte s'était engagée avec sa mère, une lutte qui avait duré presque sept ans, une lutte féroce, basée avant tout sur une compétition sexuelle de tous les instants. J'en connaissais certains moments forts, comme celui où Claire, ayant découvert des préservatifs en fouillant dans le sac à main de sa mère, avait traité celle-ci de « vieille pute ». Je savais moins, et je l'appris, que Claire, joignant en quelque sorte le geste à la parole, avait entrepris de séduire la plupart des amants de sa mère en utilisant cette technique, simple mais efficace, que je l'avais vue employer avec moi. Je savais encore moins que la mère de Claire, contre-attaquant avec les moyens plus sophistiqués dont la femme mûre apprend peu à peu à user par la lecture des féminins de référence, avait de son côté entrepris de se taper les petits amis de Claire.

Dans un film YouPorn nous aurions eu une séquence du genre « *Mom teaches daughter* », mais la réalité était comme souvent moins riante. Les croissants arrivèrent assez vite mais l'omelette au jambon mit plus de temps, elle arriva au moment où Claire atteignait ses quatorze ans, et je l'eus terminée avant qu'elle ne fête son seizième anniversaire, j'étais calé maintenant et je me sentais assez bien, il me parut soudain réalisable d'abréger la rencontre en synthétisant d'un ton intense et heureux : « Et puis le jour de tes dix-huit ans tu es partie, tu as trouvé un emploi dans un bar près de la Bastille et une chambre à toi, après quoi nous

130

nous sommes rencontrés mon amour, j'avais oublié de te le dire mais j'ai un rendez-vous chez mon cardiologue à dix heures allez bisous on s'appelle très vite », j'avais déjà déposé un billet de vingt euros sur la table, je ne lui ai laissé aucune chance. Elle me jeta un regard un peu bizarre, un peu battu, lorsque je sortis du café en agitant largement la main, je luttai une à deux secondes contre un ultime réflexe de compassion puis m'engageai avec rapidité dans la descente de la rue de Ménilmontant. Par pur réflexe j'obliquai dans la rue des Pyrénées, je maintins un trot soutenu et en moins de cinq minutes j'étais au métro Gambetta, elle était de toute évidence foutue, sa consommation d'alcool n'allait cesser de s'accroître et rapidement cela ne lui suffirait plus, elle y rajouterait des médicaments le cœur finirait par lâcher et on la retrouverait étouffée dans ses vomissures au milieu de son petit deux pièces sur cour du boulevard Vincent-Lindon. Non seulement je n'étais pas en état de sauver Claire mais plus personne n'était en état de sauver Claire, hormis peut-être certains membres de sectes chrétiennes (ceux-là mêmes qui accueillent ou feignent d'accueillir avec amour, comme des frères en Christ, les vieillards, les handicapés et les miséreux) dont Claire de toute façon ne voudrait pas entendre parler, leur compassion fraternelle lui sortirait immédiatement par les yeux, ce dont elle avait besoin c'était de tendresse conjugale ordinaire et plus immédiatement d'une bite dans sa chatte, mais c'était justement cela qui n'était plus possible, la tendresse conjugale ordinaire n'aurait pu venir que comme accompagnement d'une sexualité rassasiée, il aurait impérativement fallu repasser par la case « sexe », qui lui était désormais, et à jamais, interdite.

C'était certes bien triste, pendant quelques années pourtant, avant de sombrer dans un alcoolisme définitif, Claire avait dû être une quadragénaire relativement flamboyante, peut-être même assimilable à une cougar ou à une MILF, une MILF sans enfants certes, quoi qu'il en soit j'en étais persuadé sa chatte était long-temps restée humidifiable, allons elle n'avait pas eu une si mauvaise vie. Je me souvenais par contraste il y a trois ans, immédiatement avant de tomber entre les griffes de Yuzu, d'avoir eu la fâcheuse idée de revoir Marie-Hélène, j'étais dans une de mes nombreuses périodes d'apathie sexuelle, sans doute avais-je uniquement l'inten-tion de prendre langue, probablement même pas de tirer un coup, ou alors il aurait vrai-ment fallu que les circonstances s'y prêtent, et cela me paraissait peu vraisemblable avec cette pauvre Marie-Hélène, je m'attendais en sonnant à sa porte au pire mais la situation en fait était encore bien plus pénible que ce que j'avais pu imaginer, elle venait d'être victime d'une crise psychiatrique quelconque, bipolarité ou schizo-phrénie je ne sais plus, et elle en était restée effroyablement diminuée, elle vivait dans une résidence ultrasécurisée de l'avenue René-Coty, ses mains tremblaient sans cesse et elle avait littéralement peur de tout : du soja modifié, de l'arrivée au pouvoir du Front national, de la pollution aux particules fines... Elle se nourris-sait de thé vert et de graines de lin, pendant la demi-heure qu'avait duré ma visite elle m'avait uniquement parlé de son allocation d'adulte handicapée. J'étais ressorti avec des envies de demis pression et de sandwiches aux rillettes, en même temps conscient qu'elle allait tenir très longtemps comme ça, au moins jusqu'à quatre-vingt-dix ans, elle me survivrait sans doute largement, de plus en plus tremblante, de plus en plus desséchée et craintive, créant sans cesse des problèmes de voisinage alors qu'en réalité elle était déjà morte, j'avais été conduit à *fourrer mon nez dans le con d'une morte*, pour reprendre la parlante expression que j'avais lue je ne sais plus où, probablement dans un roman de Thomas Disch, auteur de science-fiction et poète qui avait eu son heure de gloire, aujourd'hui injustement méconnu, suicidé un 4 juillet, un peu c'est vrai parce que son compagnon venait de mourir du SIDA mais aussi parce que ses revenus d'auteur ne lui permettaient tout simplement plus de vivre, et qu'il voulait témoigner, par le choix symbolique de cette date, du sort que l'Amérique réservait à ses auteurs.

Par comparaison Claire allait presque bien, après tout elle pouvait encore s'inscrire aux Alcooliques anonymes, ils obtiennent parfois paraît-il des résultats surprenants, et aussi, j'en pris conscience lors de mon retour à l'hôtel Mercure, certes Claire mourrait solitaire, elle mourrait malheureuse, mais au moins elle ne mourrait pas pauvre. Après la vente de son loft, compte tenu des prix du marché, elle se retrouverait avec trois fois plus d'argent que moi. Ainsi, une seule opération immobilière avait suffi à son père à gagner largement davantage que ce que le mien avait mis quarante ans à péniblement amasser, à force de rédaction d'actes authentiques et d'enregistrement d'hypothèques, l'argent n'avait jamais récompensé le travail, ça n'avait strictement rien à voir, aucune société humaine n'avait jamais été construite sur la rémunération du travail, et même la société communiste future n'était pas censée reposer sur ces bases, le principe de la répartition des richesses était réduit par Marx à cette formule parfaitement creuse : « À chacun selon ses besoins », source de chicaneries et d'ergotages sans fin si par malheur on avait tenté de la mettre en pratique, heureusement cela ne s'était jamais produit, dans les pays communistes pas davantage que dans les autres, l'argent allait à l'argent et accompagnait le pouvoir, tel était le dernier mot de l'organisation sociale.

Lors de ma séparation d'avec Claire, mon sort avait été notablement adouci par la fréquentation des vaches normandes, elles avaient été pour moi une consolation, presque une révélation. Les vaches, pourtant, ne m'étaient pas étrangères ; nous séjournions quand j'étais enfant chaque année un mois d'été à Méribel, où mon père avait acquis des parts d'un chalet en multipropriété. Pendant que mes parents passaient leurs journées à randonner en amoureux sur les sentiers de montagne, je regardais la télévision, en particulier le Tour de France, pour lequel je devais développer une addiction durable. De temps en temps quand même je sortais, les centres d'intérêt des adultes étaient pour moi un mystère, et il devait certainement y avoir un intérêt, me disais-je, à sillonner ces montagnes élevées, puisque tant d'entre eux, à commencer par mes propres parents, le faisaient.

J'échouai à développer en moi une réelle émotion esthétique devant les paysages alpins ; mais je me pris d'affection pour les vaches, dont je croisais fréquemment un troupeau ambulant d'une estive à l'autre. Il s'agissait de tarentaises, vaches petites et vives, à la robe fauve, excellentes marcheuses, au tempérament primesautier ; elles avançaient souvent en gambadant sur les chemins de montagne, et les cloches pendues à leur cou produisaient, avant même qu'on les ait aperçues, un bruit joli.

À l'opposé, on n'imaginait pas qu'une vache normande se mette à *gambader*, l'idée même avait quelque chose d'irrévérencieux, une simple accélération de leur démarche n'aurait pu à mon avis se produire que dans une situation de péril vital extrême. Amples et majestueuses, les vaches normandes *étaient*, et ceci semblait largement leur suffire ; ce n'est qu'en découvrant les vaches normandes que je compris pourquoi les Hindous tenaient cet animal pour sacré. Au long de ces week-ends solitaires que je passais à Clécy, dix minutes de contemplation d'un des troupeaux de vaches qui paissaient dans les bocages environnants suffisaient à chaque fois à me faire oublier la rue de Ménilmontant, les castings, Vincent Cassel, les efforts désespérés de Claire pour se faire accepter par ce milieu qui ne voulait pas d'elle, et finalement à oublier Claire elle-même.

Je n'avais pas trente ans mais j'entrais peu à peu dans une zone hivernale que n'éclaircissait aucun souvenir de la bien-aimée, aucune

espérance de renouveler le miracle, cette asthé-
nie des sens se doublait d'un désinvestissement
professionnel croissant, la *task force* s'effilochait
peu à peu, il y eut encore quelques étincelles,
quelques déclarations de principe, notamment
à l'occasion des pots d'entreprise (il y en avait
au moins un par semaine à la DRAF), il fallait
bien convenir que les Normands ne savaient
pas vendre leurs produits, le calvados par
exemple avait toutes les qualités d'un grand
alcool, un bon calvados était comparable à un
bas-armagnac ou même à un cognac, il était
pourtant cent fois moins présent dans les bou-
tiques duty free des aéroports, un peu partout
dans le monde ; et même dans les supermarchés
français, sa place était en général symbolique.
Quant au cidre n'en parlons pas, le cidre était
virtuellement absent de la grande distribution, à
peine présent dans les bars. Des prises de position véhémentes se manifestaient encore, au
cours de ces pots d'entreprise, on se promettait
d'agir sans tarder, et puis tout cela retombait
doucement, au fil de semaines identiques et pas
entièrement désagréables, l'idée qu'on ne peut
de toute façon pas grand-chose à quoi que ce
soit finissait tranquillement par s'imposer, le
directeur lui-même, si offensif et fringant du
temps de mon embauche, s'arrondissait peu à
peu, il venait de se marier et parlait surtout de
l'aménagement du corps de ferme qu'il venait
d'acheter pour y loger sa future famille. Il y eut
un peu plus d'animation pendant quelques mois,
durant le bref passage d'une exubérante stagiaire
libanaise, qui décrocha notamment une photo de
George W. Bush faisant honneur à un copieux

plateau de fromages, photo qui devait provoquer une mini-polémique dans certains médias américains, ce crétin de Bush n'avait apparemment même pas pris conscience que l'importation des fromages au lait cru venait d'être interdite dans son pays, il y eut donc un impact médiatique léger mais pour autant les ventes ne décollèrent pas, et les envois répétés de livarot et de pont-l'évêque à Vladimir Poutine n'eurent pas davantage d'effet.

Je n'étais pas très utile mais je n'étais pas néfaste, il y avait quand même un progrès par rapport à Monsanto, et le matin en me rendant au travail, traversant au volant de mon G 350 les bancs de brouillard qui flottaient sur le bocage, je pouvais encore me dire que ma vie n'était pas définitivement ratée. En traversant le village de Thury-Harcourt, je me demandais chaque fois s'il y avait un rapport avec Aymeric, et je finis par rechercher la réponse sur Internet, c'était plus laborieux à l'époque, le réseau était beaucoup moins développé, mais je finis par trouver la réponse sur le site encore embryonnaire de *Patrimoine Normand*, « le magazine de l'histoire et de l'art de vivre en Normandie ». Oui, il y avait un rapport, et même un rapport très direct. Le bourg s'était originellement appelé Thury, puis Harcourt, en référence à la famille ; il était redevenu Thury à la Révolution avant de prendre son nom actuel de Thury-Harcourt, dans une tentative de réconciliation des « deux France ». Il s'y était élevé depuis l'époque de Louis XIII un château gigantesque, parfois qualifié de « Versailles normand », qui servait de résidence aux ducs d'Harcourt, alors gouverneurs de la province. Laissé presque intact par la Révolution, il avait brûlé en août 1944 lors de la retraite de la division « das Reich », prise en tenaille par le 59e Staffordshire.

Pendant mes trois années d'études à l'Agro, Aymeric d'Harcourt-Olonde avait été mon seul véritable ami, et j'avais passé le plus clair de mes soirées dans sa chambre – d'abord à Grignon, puis dans le pavillon de l'Agro à la Cité Internationale – à descendre des packs de 8,6 en fumant de la beuh (enfin c'était surtout lui qui fumait, au fond je préférais la bière, mais lui devait en être à une trentaine de pétards par jour, durant ses deux premières années d'études il a dû être défoncé à peu près en permanence), et surtout à écouter des disques. Avec ses longs cheveux frisés et blonds, ses chemises de bûcheron canadien, Aymeric avait un look grunge assez typique, mais chez lui c'était allé beaucoup plus loin que Nirvana et Pearl Jam, il était vraiment remonté aux sources et dans sa chambre toutes les étagères étaient occupées par des centaines de vinyles des années 1960 et 1970 : Deep Purple, Led Zeppelin, Pink Floyd, les Who, il avait même les Doors, Procol Harum, Jimi Hendrix, Van der Graaf Generator... YouTube n'existait pas encore, et à peu près personne à l'époque ne se souvenait de ces groupes, en tout cas pour moi c'était une découverte totale, un émerveillement absolu.

Souvent nous passions la soirée tous les deux, parfois il y avait un ou deux autres types de la promotion – pas très remarquables, j'ai du mal à me remémorer leurs visages, quant à leur nom je l'ai complètement oublié – par contre il n'y avait jamais de filles, c'est là un point curieux quand j'y repense, je ne me souviens pas d'avoir connu à Aymeric de relation amoureuse. Il n'était pas puceau enfin je ne crois pas, il ne donnait pas l'impression d'avoir peur des filles mais plutôt de penser à autre chose, peut-être à sa vie professionnelle, il y avait en lui un sérieux qui m'a sans doute échappé à l'époque, parce que ma vie professionnelle pour ma part je m'en foutais complètement, je ne crois pas y avoir pensé plus d'une demi-minute, il me paraissait invraisemblable qu'on s'intéresse sérieusement à autre chose qu'aux filles – et le pire est qu'à quarante-six ans je m'apercevais que j'avais eu raison à l'époque, les filles sont des putes si on veut, on peut le voir de cette manière, mais la vie professionnelle est une pute bien plus considérable, et qui ne vous donne aucun plaisir.

À la fin de la deuxième année, je m'attendais à ce qu'Aymeric choisisse comme moi une spécialisation bidon, genre sociologie rurale ou écologie, mais au contraire il s'inscrivit en zootechnie, considérée comme une filière de bosseurs. À la rentrée de septembre il arriva avec les cheveux courts et une garde-robe entièrement renouvelée, et lorsqu'il partit faire son stage de fin d'études chez Danone il était carrément en costume-cravate. Nous nous vîmes un peu moins cette année-là, dont je me souviens plus ou moins comme d'une année de vacances, j'avais finalement choisi la spécialisation d'écologie et on passait notre temps à se déplacer un peu partout en France pour étudier sur le terrain telle ou telle formation végétale. À la fin de l'année j'avais appris à reconnaître les différentes formations végétales présentes en France, je pouvais prévoir leur occurrence à l'aide d'une carte géologique et des données météorologiques locales, et c'était à peu près tout, même si ça devait me servir par la suite à clouer le bec des militants Verts lorsque la conversation venait sur les conséquences réelles du réchauffement climatique. Lui-même avait effectué une grande partie de son stage au service marketing de Danone, et on pouvait raisonnablement s'attendre à ce que sa carrière soit consacrée à la conception de nouveaux yaourts à boire ou de nouveaux smoothies. Il devait me surprendre une nouvelle fois, le soir de la cérémonie de remise des diplômes, en me déclarant qu'il avait l'intention de reprendre une exploitation agricole dans la Manche. Les ingénieurs agronomes sont présents à peu près dans tous les domaines de l'industrie agroalimentaire, parfois à des postes techniques, le plus souvent à des postes de direction, mais il n'arrive à peu près jamais qu'ils deviennent eux-mêmes agriculteurs ; en consultant l'annuaire des anciens élèves de l'Agro pour retrouver son adresse, je m'aperçus qu'Aymeric était le seul de notre promotion à avoir fait ce choix.

Il habitait à Canville-la-Rocque, me prévint au téléphone que j'aurais du mal à trouver, et qu'il me faudrait demander aux habitants le château d'Olonde. Oui, ça appartenait à sa famille aussi, mais c'était bien antérieur à Thury-Harcourt, le château avait été détruit une première fois en 1204, puis reconstruit au milieu du XIIIe siècle.

Sinon il s'était marié l'an dernier, sur son exploitation agricole il avait un troupeau de trois cents
laitières, il avait pas mal investi enfin il m'en
parlerait. Non, il n'avait revu personne de l'Agro
depuis son installation.

J'arrivai devant le château d'Olonde à la tombée du soir. C'était moins un château qu'un incohérent assemblage de bâtisses, dans un état de conservation variable, on avait du mal à reconstituer le plan initial de l'édifice ; au centre, un bâtiment d'habitation principal, rectangulaire et massif, semblait encore se tenir à peu près, des herbes et des mousses avaient cependant commencé à grignoter les pierres, mais il s'agissait de blocs de granit épais, du granite de Flamanville probablement, il faudrait encore quelques siècles pour les attaquer sérieusement. Plus vers l'arrière, un donjon cylindrique, élevé et mince, semblait presque intact ; mais plus près de l'entrée le donjon principal, qui avait dû être carré et constituer le noyau militaire de la forteresse, avait perdu ses fenêtres et sa toiture, les lambeaux de murs restants étaient adoucis, arrondis par l'érosion, ils se rapprochaient doucement de leur destin géologique. À une centaine de mètres, un grand hangar et un silo juraient dans le paysage par leur éclat métallique, je crois que c'était le premier bâtiment récent que je voyais depuis une cinquantaine de kilomètres.

Aymeric avait de nouveau les cheveux longs, et s'était remis à porter des grosses chemises à carreaux, mais cette fois elles étaient redevenues ce qu'elles étaient à l'origine : des vêtements de travail. « L'endroit a servi de cadre à la fin du dernier roman de Barbey d'Aurevilly, *Une histoire sans nom*, m'apprit-il. En 1882, Barbey le qualifie de "vieux château presque délabré" ; comme tu peux le voir, ça ne s'est pas arrangé depuis.

— Tu n'es pas aidé par les Monuments historiques ?

— Vaguement... On est inscrits à l'Inventaire en tout cas, mais c'est rare qu'on obtienne une aide. Cécile, ma femme, aimerait faire de gros travaux de rénovation pour le transformer en hôtel, enfin en hôtel de charme, ce genre de choses. Effectivement, il y a une quarantaine de chambres inoccupées, on chauffe cinq pièces sur le total. Tu veux boire quoi ? »

J'acceptai un verre de Chablis. Je ne savais pas si ce projet d'hôtel de charme avait un sens, mais en tout cas la salle à manger était une pièce chaleureuse et agréable, avec une grande cheminée, de profonds fauteuils en cuir vert bouteille, et cet aménagement ne devait certainement rien à Aymeric, son indifférence à la décoration était absolue, sa chambre à l'Agro était une des plus anonymes que j'aie vues, elle ressemblait à un campement provisoire de soldat – à l'exception des disques.

Là, ils occupaient tout un pan de mur, c'était impressionnant. « J'ai recompté l'hiver dernier, j'en ai un peu plus de cinq mille... » dit Aymeric. Il avait toujours la même platine, une Technics MK2, mais je n'avais jamais vu les enceintes – deux énormes parallélépipèdes de noyer brut, hauts de plus d'un mètre. « Ce sont des Klipschorn, dit Aymeric, les premières enceintes fabriquées par Klipsch, et peut-être les meilleures ; mon grand-père les avait achetées en 1949, c'était un fou d'opéra. À sa mort, mon père me les a données, il ne s'est jamais intéressé à la musique. »

J'avais l'impression que cet équipement ne servait plus très souvent, une légère couche de poussière s'était déposée sur le couvercle de la MK2. « Oui, c'est vrai… » confirma Aymeric, il avait dû surprendre quelque chose dans mon regard, « je n'ai plus tellement la tête à écouter de la musique. C'est dur, tu sais, depuis le début je n'ai jamais réussi à atteindre l'équilibre financier, alors le soir je rumine, je refais mes comptes, mais bon comme tu es là on va se mettre un morceau, ressers-toi un verre en attendant ».

Après avoir fouillé dans ses rayonnages une à deux minutes, il ressortit *Ummagumma*. « Le disque à la vache, c'est de circonstance… » commenta-t-il avant de poser l'aiguille au début de *Grantchester Meadows*. C'était extraordinaire ; je n'avais jamais entendu, ni même soupçonné l'existence d'un son pareil ; chaque chant d'oiseau, chaque clapotis de la rivière était parfaitement défini, les graves étaient tendus et puissants, les aigus d'une pureté incroyable.

« Cécile arrive dans pas longtemps, reprit-il, elle avait rendez-vous à la banque, pour son projet d'hôtel.

— J'ai l'impression que tu n'y crois pas beaucoup.

— Je ne sais pas, est-ce que tu as eu l'impression de voir beaucoup de touristes dans la région ?

— À peu près aucun.

— Eh ben voilà... Remarque, je suis d'accord avec elle sur un point : il faut faire quelque chose. On ne peut pas continuer à perdre de l'argent comme ça tous les ans. Si on s'en sort financièrement, là, c'est uniquement grâce aux fermages, et surtout à la vente des terres.

— Tu as beaucoup de terres ?

— Des milliers d'hectares ; on possédait à peu près toute la région entre Carentan et Carteret. Enfin je dis "on", ça appartient toujours à mon père, mais depuis que j'ai monté l'exploitation il a décidé de me laisser le produit des fermages, et même avec ça je suis souvent obligé de mettre une parcelle en vente. Le pire c'est que je vends même pas à des agriculteurs du coin, mais à des investisseurs étrangers.

— De quels pays ?

— Surtout des Belges et des Hollandais, et de plus en plus souvent des Chinois. L'an dernier j'ai vendu cinquante hectares à un conglomérat chinois, ils étaient prêts à en acheter dix fois plus, et à payer deux fois le prix du marché. Les agriculteurs du coin ne peuvent pas s'aligner, ils ont déjà du mal à rembourser leurs emprunts et à payer leurs fermages, sans arrêt il y en a qui renoncent et qui mettent la clef sous la porte, et quand ils sont en difficulté j'ai du mal à les presser trop, je les comprends trop bien, je suis dans la même situation qu'eux maintenant, pour mon père c'était plus facile, il a longtemps vécu à Paris avant de se replier sur Bayeux, c'était le seigneur tout de même... Alors oui, ce projet d'hôtel je ne sais pas, mais c'est peut-être un moyen... »

Pendant tout le trajet, j'avais réfléchi pour savoir ce que j'allais dire à Aymeric de mes fonctions exactes à la DRAF. Je ne me voyais pas lui avouer que j'étais directement impliqué dans ce projet de promotion à l'export des fromages normands, dans ce qu'il fallait bien appeler mon échec dans la promotion à l'export des fromages normands. J'insistai davantage sur des tâches plus administratives, liées à la transformation des AOC françaises en AOP européennes ; ce n'était du reste pas faux, ces questions d'un formalisme juridique exaspérant occupaient une part croissante de mon temps de travail, il fallait sans arrêt « être dans les clous », par rapport à quoi je ne l'ai jamais vraiment su, il n'y a certainement aucun secteur de l'activité humaine qui dégage un ennui aussi total que le droit. Je connus pourtant, en fin de compte, certains succès dans mes nouvelles tâches ; c'est par exemple une de mes recommandations, formulée dans une note de synthèse, qui aboutit quelques années plus tard, lors de l'adoption du décret définissant l'AOP Livarot, à ce que ce fromage soit obligatoirement produit à partir de lait provenant de vaches normandes. Et j'étais en ce moment engagé dans un conflit de procédure en passe d'être victorieux avec le groupe Lactalis et la coopérative Isigny Sainte-Mère, qui souhaitaient s'affranchir de l'obligation d'utilisation du lait cru dans la fabrication des camemberts.

J'en étais au milieu de mes explications lorsque Cécile arriva. C'était une jolie brune, mince et élégante, mais son visage était marqué par la tension, la souffrance presque, elle avait visiblement passé une journée difficile. Elle fut cependant aimable avec moi, et fit de son mieux pour préparer un repas, mais je sentis qu'elle prenait énormément sur elle, que sa première réaction en rentrant, si je n'avais pas été là, aurait été de se coucher avec des antalgiques. Elle était contente, me dit-elle, qu'Aymeric reçoive une visite, ils travaillaient trop, ils ne voyaient plus personne, ils s'enterraient alors qu'ils n'avaient pas trente ans. À vrai dire j'étais dans la même situation, à cela près que ma charge de travail n'avait rien d'excessif, et au fond tout le monde était dans la même situation, les années d'études sont les seules années heureuses, les seules années où l'avenir paraît ouvert, où tout paraît possible, la vie d'adulte ensuite, la vie professionnelle n'est qu'un lent et progressif enlisement, c'est même sans doute pour cette raison que les amitiés de jeunesse, celles qu'on noue pendant ses années d'étudiant et qui sont au fond les seules amitiés véritables, ne survivent jamais à l'entrée dans la vie adulte, on évite de revoir ses amis de jeunesse pour éviter d'être confronté aux témoins de ses espérances déçues, à l'évidence de son propre écrasement.

Cette visite à Aymeric était en somme une erreur, mais une erreur pas trop grave, pendant deux jours nous allions réussir à faire bonne figure, après le repas il mit le disque live du concert de Jimi Hendrix à l'île de Wight, ce n'était certainement pas son meilleur concert mais c'était le dernier, moins de deux semaines avant sa mort, je sentais que ce retour sur le passé d'Aymeric agaçait légèrement Cécile, elle-même à l'époque n'était certainement pas grunge, je la voyais plutôt comme une Versaillaise, enfin une Versaillaise modérée, un peu tradi sans être intégriste, Aymeric s'était marié dans son milieu, c'est ce qui se produit le plus souvent en fin de compte, et c'est ce qui donne en principe les meilleurs résultats, enfin c'est ce que j'avais entendu dire, le problème dans mon cas est que je n'avais pas de milieu, pas de milieu précis.

Le lendemain matin je me levai vers neuf heures et je le trouvai attablé devant un copieux petit déjeuner à base d'œufs au plat, de boudin grillé et de bacon, qu'il accompagna de café, puis de calvados. Sa journée était commencée depuis longtemps, m'expliqua-t-il, il se levait tous les matins à cinq heures pour la traite, il n'avait pas acheté de robot de traite, c'était selon lui un investissement disproportionné, la plupart de ses collègues qui s'étaient lancés là-dedans avaient plongé peu après, et puis les vaches aiment bien se faire traire par des mains humaines, enfin c'est ce qu'il pensait, il y avait un côté sentimental aussi. Il me proposa d'aller voir le troupeau.

Le hangar métallique flambant neuf que j'avais aperçu la veille en arrivant était effectivement une étable, les box disposés sur quatre rangées étaient presque tous occupés, exclusivement par des vaches normandes, notai-je aussitôt. « Oui, c'est un choix, me confirma Aymeric, leur rendement est un peu moins bon que celui des Prim'Holstein, mais je trouve leur lait vraiment supérieur. Donc, évidemment, ça m'a intéressé ce que tu disais hier sur l'AOP Livarot – même si, en ce moment, je vends plutôt aux producteurs de pont-l'évêque. »

Dans le fond, des cloisons de contreplaqué isolaient un petit bureau avec un ordinateur, une imprimante et des classeurs métalliques. « Tu te sers de l'ordinateur pour commander leur alimentation ? lui-demandai-je.

— Éventuellement, l'ordinateur peut déclencher l'approvisionnement des mangeoires en ensilage de maïs ; je peux aussi programmer le rajout de compléments vitaminiques, les réservoirs sont connectés. Enfin, bon, c'est un peu des gadgets, en réalité il me sert surtout pour la comptabilité. » Rien que d'employer le mot « comptabilité » avait suffi à l'assombrir. Nous sortîmes sous le ciel serein, d'un bleu vif. « Avant la DRAF, je travaillais chez Monsanto, avouai-je, mais je suppose que tu n'utilises pas de maïs OGM.

— Non, je respecte le cahier des charges bio, en plus j'essaie de limiter l'utilisation de maïs, une vache en principe ça mange de l'herbe. Enfin j'essaie de faire les choses correctement, ça n'a rien d'un élevage industriel ici, tu as pu voir les vaches ont de la place, et elles sortent un peu tous les jours, même en hiver. Mais plus j'essaie de faire les choses correctement, moins j'arrive à m'en sortir. »

Qu'est-ce que je pouvais répondre à ça ? En un sens énormément, j'aurais pu tenir trois heures dans un débat consacré à ces questions sur une chaîne d'infos quelconque. Mais pour

Aymeric, pour Aymeric précisément, dans sa situation, je ne pouvais pas lui dire grand-chose, il connaissait les éléments aussi bien que moi. Le ciel était si clair ce matin-là qu'on apercevait l'océan, dans la distance. « On m'avait proposé de rester chez Danone, à la fin de mon stage... » dit-il pensivement.

Je consacrai le reste de ma journée à la visite du château, il y avait une chapelle où les seigneurs d'Harcourt devaient faire leurs dévotions, mais le plus impressionnant était une salle à manger aux dimensions gigantesques, aux murs entièrement recouverts de portraits d'ancêtres, avec une cheminée de sept mètres de large dont on imaginait parfaitement qu'elle ait pu servir à faire rôtir des sangliers ou des cerfs, lors d'interminables ripailles moyenâgeuses, l'idée d'hôtel de charme prenait un peu plus de consistance, je n'avais pas osé le dire à Aymeric mais il me paraissait peu vraisemblable que la situation des éleveurs soit en passe de s'améliorer, j'avais entendu des rumeurs selon lesquelles, à Bruxelles, on commençait à agiter l'idée d'une suppression des quotas laitiers – cette décision qui devait plonger des milliers d'éleveurs français dans la misère, et les réduire à la faillite, ne fut définitivement adoptée qu'en 2015, sous la présidence de François Hollande, mais l'arrivée de dix nouveaux pays dans l'espace européen dès 2002, à la suite du traité d'Athènes, devait, en mettant la France dans une position nettement minoritaire, la rendre à peu près inéluctable. Plus généralement il me devenait de plus en plus difficile de parler à Aymeric, même si toute ma sympathie allait aux agriculteurs, si je me sentais prêt en toutes circonstances à plaider leur cause, j'étais bien obligé de me rendre compte que j'étais maintenant du côté de l'État français, que nous n'étions plus tout à fait dans le même camp.

Je partis le lendemain après le déjeuner, sous un soleil dominical éclatant, qui contrastait avec ma tristesse grandissante. Il me paraît surprenant aujourd'hui de me remémorer ma tristesse, alors que je roulais à petite vitesse sur les départementales désertes de la Manche. On aimerait qu'il y ait des prémonitions ou des signes, mais en général il n'y en a aucun, et rien, en cette après-midi ensoleillée et morte, ne me laissait présager que j'allais rencontrer Camille le lendemain matin, et que ce lundi matin serait le début des plus belles années de ma vie.

Revenons, avant d'aborder ma rencontre avec Camille, à un mois de novembre bien différent, presque une vingtaine d'années plus tard, un mois de novembre sensiblement plus triste dans la mesure où les *enjeux vitaux* (comme l'on parle de *pronostic vital*) étaient déjà largement fixés. Vers la fin du mois, les premières décorations de Noël envahirent le centre Italie II, et je commençai à me demander si j'allais rester à l'hôtel Mercure pendant la période des fêtes. Je n'avais aucune vraie raison d'en partir, aucune autre que la honte, mais c'est déjà en soi une raison sérieuse, avouer son absolue solitude n'est pas si facile même aujourd'hui, et je me mis à songer à différentes destinations, la plus évidente était les monastères, nombreux sont ceux qui songent lors de ces journées de commémoration de la naissance du Sauveur à faire retour sur eux-mêmes, c'est du moins ce que j'avais lu dans un numéro spécial de *Pèlerin Magazine*, et dans ce cas la solitude n'est pas seulement normale elle est même recommandée, oui c'était la meilleure solution, j'allais me renseigner dès maintenant sur quelques monastères potentiels, il n'était que temps, il était même plus que temps, comme me l'apprit une première recherche sur Internet (et comme me l'avait déjà fait soupçonner ce numéro de *Pèlerin Magazine*), tous les monastères auxquels je me connectai étaient overbookés.

Un autre problème encore plus immédiat était de renouveler mon ordonnance de Captorix, l'utilité de ce médicament était indéniable, grâce à lui ma vie sociale était maintenant dénuée de heurts, j'opérais chaque matin une toilette minimale mais suffisante, et je saluais avec chaleur et familiarité les serveurs du O'Jules, seulement je n'avais aucune envie de revoir un psychiatre, évidemment pas le psychiatre de la rue des Cinq-Diamants cette caricature, mais aucun psychiatre en général, les psychiatres en général me *débectaient* ; c'est alors que je repensai au docteur Azote.

Ce généraliste au nom étrange consultait rue d'Athènes, à deux pas de la gare Saint-Lazare, et je l'avais vu une fois pour une sorte de bronchite, au sortir d'un de mes voyages hebdomadaires entre Caen et Paris. Je m'en souvenais comme d'un homme d'une quarantaine d'années, atteint d'une calvitie importante, ses cheveux restants étaient longs, gris et assez sales, enfin il faisait davantage penser au bassiste d'un groupe de hard-rock qu'à un médecin. Je me souvenais aussi qu'au beau milieu de la consultation il avait allumé une Camel, « excusez-moi c'est une mauvaise habitude je suis le premier à déconseiller… », je me souvenais surtout qu'il m'avait prescrit sans faire d'histoires un sirop à la codéine, qui commençait déjà à susciter certaines suspicions chez ses confrères.

Il avait vingt ans de plus, mais sa calvitie n'avait pas réellement progressé (ni bien sûr diminué), et ses cheveux restants étaient toujours aussi longs, gris et sales. « Ouais le Captorix c'est valable, j'ai eu de bons retours… commenta-t-il avec sobriété, vous en voulez pour six mois ? »

« Vous faites quoi pour la période des fêtes ? me demanda-t-il un peu plus tard, il faut se méfier de la période des fêtes, pour les dépressifs souvent c'est fatal, j'ai eu plein de clients que je croyais stabilisés et paf le 31 les mecs se flinguent, toujours le 31 dans la soirée, une fois qu'ils ont passé minuit c'est gagné. Il faut se représenter le truc, déjà Noël ça leur a foutu un coup, ils ont eu toute une semaine pour ruminer leur merde, peut-être ils ont eu des plans pour échapper au 31 et leurs plans ont foiré, et puis le 31 arrive et ils supportent pas, ils s'approchent de leur fenêtre et ils se balancent ou ils se tirent une balle, c'est selon. Moi j'en parle c'est comme ça mais mon boulot à la base c'est d'empêcher les gens de mourir, enfin un certain temps, autant que possible. » Je m'ouvris à lui de mon idée de monastère. « Ouais c'est pas con, approuva-t-il, j'ai d'autres clients qui font ça, mais à mon avis vous vous y prenez un peu tard. Sinon, il y a aussi les putes en Thaïlande, la signification de Noël en Asie c'est un truc que vous oubliez complètement, et le 31 vous pouvez faire glisser en souplesse, les filles sont là pour ça, vous devriez pouvoir trouver un billet, c'est moins booké que les monastères, là aussi j'ai eu que de bons retours, même des fois

154

c'est quasiment thérapeutique, j'ai eu des mecs qui revenaient complètement reboostés, au top de leur croyance dans leur séduction virile, bon c'étaient des mecs un peu nazes, enfin des bons cons faciles à berner, vous me faites malheureusement pas cette impression-là. Le problème aussi avec vous c'est le Captorix, avec le Captorix peut-être vous banderez pas, ça je peux pas le garantir, même avec deux jolies petites putes de seize ans je peux pas le garantir, c'est ça qu'est chiant avec le produit, et en même temps vous pouvez pas arrêter brutalement, ça je vous le déconseille franchement en plus ça donnerait rien il y a deux semaines de latence, mais enfin si ça doit arriver vous saurez que c'est le produit, dans le pire des cas vous pourrez prendre le soleil et bouffer des curries de crevettes. »

Je lui répondis que j'examinerais cette suggestion, qui était en effet intéressante, quoique pas tout à fait adaptée à mon cas parce que ce n'était pas seulement toute capacité à l'érection qui avait disparu en moi mais même tout désir, l'idée de baiser me paraissait dorénavant saugrenue, inapplicable, et même deux petites putes thaïes de seize ans, je le ressentais avec évidence, n'y pourraient rien, de toute façon Azote avait raison, c'était bien pour des braves types un peu nazes, souvent des Anglais issus des couches populaires, tout prêts à croire à n'importe quelle manifestation d'amour ou plus simplement d'excitation sexuelle chez une femme, aussi invraisemblable puisse-t-elle paraître, ils ressortaient régénérés de leurs mains, de leur chatte et de leur bouche, ils n'étaient décidément plus les mêmes, ils avaient été détruits par les femmes occidentales, le cas le plus flagrant étant en effet celui des Anglo-Saxonnes, et ils ressortaient bel et bien régénérés, mais je n'étais pas dans le même cas, je n'avais rien à reprocher aux femmes et de toute façon cela ne me concernait pas puisque je ne banderais plus jamais, et que même la sexualité avait disparu de mon horizon mental, ce que curieusement je n'avais pas osé avouer à Azote, je m'étais limité à parler de « difficultés érectiles », mais c'était quand même un excellent médecin, et en ressortant de chez lui un peu de ma confiance s'était restaurée en l'humanité, la médecine et le monde, c'est presque d'un pas léger que j'obliquai dans la rue d'Amsterdam, et c'est au niveau de la gare Saint-Lazare que je commis l'erreur, mais était-ce une erreur au fond je n'en sais rien, je ne le saurai qu'à la fin, il est vrai que la fin approche mais ce n'est pas encore, pas tout à fait la fin.

J'eus l'étrange impression de pénétrer dans une sorte d'autofiction en pénétrant dans la *salle des pas perdus* de la gare Saint-Lazare, devenue un assez banal centre commercial axé sur le prêt-à-porter mais qui pourtant méritait bien son nom, mes pas étaient vraiment perdus, j'errais sans langage entre des enseignes incompréhensibles, au vrai le terme d'autofiction ne m'évoquait que des idées imprécises, je l'avais mémorisé à l'occasion de la lecture d'un livre de Christine Angot (enfin des cinq premières pages), toujours est-il qu'en approchant des quais il me sembla de plus en plus que le mot convenait à ma situation, qu'il avait même été inventé pour moi, ma réalité était devenue intenable, aucun être humain ne pouvait survivre dans une solitude aussi rigoureuse, sans doute essayais-je de créer une sorte de réalité alternative, de remonter à l'origine d'une bifurcation temporelle, en quelque sorte d'acquérir des crédits de vie supplémentaires, peut-être est-ce qu'ils étaient restés cachés là, pendant toutes ces années, à m'attendre entre deux quais, mes crédits de vie, dissimulés sous la poussière et la graisse des motrices, à ce moment mon cœur se mit à tressauter follement, comme celui d'une musaraigne repérée par un prédateur, de bien jolis petits êtres les musaraignes, j'étais arrivé en face du quai 22, et c'était là, exactement là, à quelques mètres, que Camille m'avait attendu, au bout du quai 22, tous les vendredis soir, pendant presque une année, alors que je revenais de Caen. Dès qu'elle m'apercevait, traînant mon « bagage cabine » sur ses pitoyables roulettes, elle courait vers moi, elle courait le long du quai, elle courait de toutes ses forces, elle était à la limite de ses capacités pulmonaires, alors nous étions ensemble et l'idée de la séparation n'existait pas, n'existait plus, cela n'aurait même eu aucun sens d'en parler.

J'ai connu le bonheur, je sais ce que c'est, je peux en parler avec compétence, et je connais aussi sa fin, ce qui s'ensuit habituellement. Un seul être vous manque et tout est dépeuplé comme disait l'autre, encore le terme de « dépeuplé » est-il bien faible, il sonne encore un peu son XVIIIᵉ siècle à la con, on n'y trouve pas encore cette saine violence du romantisme naissant, la vérité est qu'un seul être vous manque et tout est mort, le monde est mort et l'on est soi-même mort, ou bien transformé en figurine de céramique, et les autres aussi sont des figurines de céramique, isolant parfait des points de vue thermique et électrique, alors plus rien absolument ne peut vous atteindre, hormis les souffrances internes, issues du délitement de votre corps indépendant, mais je n'en étais pas encore là, mon corps se comportait pour l'instant avec décence, il y a juste que j'étais seul, littéralement seul, et que je ne tirais aucune jouissance de ma solitude, ni du libre fonctionnement de mon esprit, j'avais besoin d'amour et d'amour sous une forme très précise, j'avais besoin d'amour en général mais en particulier j'avais besoin d'une chatte, il y avait beaucoup de chattes, des milliards à la surface d'une planète pourtant de taille modérée, c'est hallucinant ce qu'il y a comme chattes quand on y pense, ça vous donne le tournis, chaque homme je pense a pu ressentir ce vertige, d'un autre côté les chattes avaient besoin de bites, enfin du moins c'est ce qu'elles s'étaient imaginé (heureuse méprise, sur laquelle repose le plaisir de l'homme, la perpétuation de l'espèce, et peut-être même celle de la social-démocratie), en principe la question est soluble mais en pratique elle ne l'est plus, et voilà comment une civilisation meurt, sans tracas, sans dangers ni sans drames et avec très peu de carnage, une civilisation meurt juste par lassitude, par dégoût d'elle-même, que pouvait me proposer la social-démocratie évidemment rien, juste une perpétuation du manque, un appel à l'oubli.

M'éloigner par la pensée du quai 22 de la gare Saint-Lazare se fit je pense en quelques microsecondes, il me revint aussitôt que notre rencontre s'était produite à l'autre bout de la ligne, enfin cela dépend des trains, certains vont jusqu'à Cherbourg d'autres s'arrêtent à Caen, je ne vois pas pourquoi je parle de ça, des informations inutiles sur les horaires de train Paris-Saint-Lazare défilent par intermittence dans mon cerveau dysfonctionnel, quoi qu'il en soit nous nous étions rencontrés sur le quai C de la gare de Caen, un lundi matin ensoleillé de novembre, il y a dix-sept ans maintenant, ou dix-neuf je ne sais plus.

La situation était déjà en soi étrange : il était anormal qu'on me confie l'accueil d'une stagiaire dans le service vétérinaire (Camille était alors élève vétérinaire, en deuxième année à l'école de Maisons-Alfort), on me considérait maintenant un peu comme un intérimaire de luxe auquel on peut confier des tâches variées mais pas trop dégradantes, j'étais tout de même un ancien élève de l'Agro, enfin c'était l'aveu implicite que ma mission « fromages normands » était de moins en moins prise au sérieux par ma hiérarchie. Il ne faut surtout pas, ceci dit, s'exagérer l'importance du hasard en ces matières amoureuses : si j'avais croisé Camille quelques jours plus tard dans un couloir de la DRAF, la même chose se serait produite, à peu près exactement ; mais il se trouve que cela s'est produit en gare de Caen, à l'extrémité du quai C.

L'acuité de mes perceptions avait nettement augmenté, déjà quelques minutes avant l'arrivée du train, ce qui constitue un cas de précognition bizarre ; j'avais noté entre les voies l'existence non seulement d'herbes mais de plantes aux fleurs jaunes dont j'avais oublié le nom, j'avais appris leur existence pendant l'unité de valeur « végétation spontanée en milieu urbain » que j'avais suivie durant ma deuxième année d'études à l'Agro, une UV assez fun où l'on allait prélever des spécimens entre les pierres de l'église Saint-Sulpice, sur les talus du boulevard périphérique... J'avais par ailleurs aperçu derrière la gare d'étranges parallélépipèdes aux bandes saumon, ocre et bistre, qui m'évoquaient une cité futuriste babylonienne – il s'agissait en réalité du centre commercial « Les bords de l'Orne », une des fiertés de la nouvelle municipalité, les références majeures de la consommation moderne y étaient présentes, de Desigual à The Kooples, les bas-normands accédaient grâce à ce centre eux aussi à la modernité.

Elle descendit les quelques marches métalliques de son wagon et se tourna vers moi, elle n'avait pas de valise à roulettes, je le notai avec une bizarre satisfaction – juste un grand sac en toile, de ceux qu'on porte en bandoulière.

Lorsqu'elle me dit après un temps très long, dans lequel cependant n'existait aucune gêne (elle me regardait, je la regardais, et c'était absolument tout), mais lorsqu'elle me dit, peut-être dix minutes plus tard : « Je suis Camille », le train était déjà reparti – en destination de Bayeux, puis de Carentan et Valognes, son terminus était en gare de Cherbourg.

Énormément de choses, à ce stade, étaient déjà dites, déterminées, et, comme l'aurait dit mon père dans son jargon notarial, « actées ». Son regard était d'un brun doux, elle me suivit le long du quai C puis de la rue d'Auge, j'étais garé à une centaine de mètres, et lorsque j'eus placé son bagage dans le coffre elle s'installa tranquillement à la place avant comme si elle l'avait déjà fait des dizaines, des centaines de fois et comme si elle allait le faire des dizaines, des centaines, des milliers de fois encore, il n'y avait absolument pas d'enjeu et je me sentais si calme, d'un calme que je n'avais jamais connu, si bien qu'il me fallut je pense une bonne demi-heure avant de mettre le contact, j'ai peut-être dodeliné de la tête comme un imbécile heureux, mais elle ne manifesta aucune réaction d'impatience, ni même le moindre signe de surprise devant mon immobilité ; le temps était resplendissant, le ciel d'un bleu turquoise, presque irréel.

En passant le périphérique Nord, puis en longeant le CHU, je pris conscience que nous entrions dans une ZAC sinistre, surtout constituée de bâtiments bas, en tôle ondulée grise ; l'environnement n'était même pas hostile, il était juste d'une neutralité effrayante, cela faisait un an que je traversais ce décor tous les matins sans même avoir remarqué son existence. L'hôtel de Camille était situé entre un fabricant de prothèses et un cabinet d'expertise comptable. « J'ai hésité entre l'Appart City et l'Adagio Aparthotel, bafouillai-je, évidemment l'Appart City est pas central du tout mais c'est à un quart d'heure à pied de la DRAF, si vous voulez sortir le soir vous êtes tout près du tramway Claude-Bloch, ça prend dix minutes pour rejoindre le centre-ville et il marche jusqu'à minuit, remarquez on aurait pu dire ça dans l'autre sens, vous auriez pu aller travailler en tramway, et de l'Adagio vous aviez une vue sur les quais de l'Orne, d'un autre côté à l'Appart City les studios premium ont une terrasse, je me suis dit que ça pourrait être agréable aussi, enfin on change si vous voulez, évidemment c'est la DRAF qui prend en charge... » Elle me jeta un regard bizarre, difficile à interpréter, mélange d'incompréhension et d'une sorte de compassion ; plus tard elle m'expliqua qu'elle s'était demandé pourquoi je me fatiguais à ces justifications laborieuses, alors qu'il était évident que nous allions vivre ensemble.

Dans cet environnement périurbain hardcore, les bâtiments de la DRAF donnaient une étrange impression de désuétude, et à vrai dire aussi de négligence et d'abandon, et ce n'était pas seulement une impression dis-je à Camille, dès qu'il pleuvait il y avait des fuites d'eau dans la majorité des bureaux, et il pleuvait ici la plupart du temps. Moins que de bâtiments administratifs on avait l'impression d'un hameau de maisons particulières disséminées au hasard dans ce qui aurait pu être un parc mais qui s'apparentait davantage à un terrain vague, envahi d'une végétation inextricable, les allées de bitume qui séparaient les bâtiments commençaient d'ailleurs à se craqueler sous la poussée de la végétation. J'allais maintenant, poursuivis-je, devoir la présenter à son responsable de stage officiel, le directeur des services vétérinaires, qui ne pouvait objectivement être décrit, poursuivis-je avec résignation, que comme un vieux con. De nature mesquine et belliqueuse, il harcelait sans pitié tous les employés qui avaient la malchance d'être sous ses ordres, en particulier les jeunes, il éprouvait une aversion particulière pour la jeunesse, il n'était pas loin de considérer cette obligation qui lui était faite d'accueillir une jeune stagiaire comme une offense personnelle. Non seulement il détestait les jeunes mais il n'aimait pas tellement les animaux non plus, à l'exception des chevaux, les chevaux étaient pour lui les seuls animaux dignes d'être pris en considération, les autres quadrupèdes il les voyait comme un indistinct sous-prolétariat animal, voué de toute façon à l'abattage dans un délai rapide. Il avait fait l'essentiel de sa carrière au haras national du Pin, et bien que cette nomination à la DRAF constitue une promotion – et même, à vrai dire, le couronnement de sa carrière – il l'avait vécue comme un affront. Cela dit, cette rencontre n'était qu'un mauvais moment à passer, lui dis-je, l'aversion du directeur pour les jeunes était telle qu'il ferait l'impossible pour éviter tout contact, elle était à peu près certaine de ne pas le revoir durant ses trois mois de stage.

Une fois ce moment passé (« C'est en effet un vieux con... » confirma-t-elle avec sobriété), je la confiai à une des vétérinaires du service

– une personne douce, d'une trentaine d'années, avec qui j'avais toujours eu de bons rapports. Et, pendant une semaine, il ne se passa rien. J'avais noté le numéro de Camille dans mon agenda, je savais que c'était à moi de l'appeler, c'était une chose qui n'avait pas tellement changé, dans les rapports homme-femme – par ailleurs j'avais dix ans de plus qu'elle, c'était un point à considérer. Je garde de cette période un souvenir étrange, je ne peux la comparer qu'à ces moments rares, qui ne se produisent que lorsqu'on est extrêmement apaisé et heureux, où l'on hésite à basculer dans le sommeil, se retenant à l'ultime seconde, tout en sachant que le sommeil qui va suivre sera profond, délicieux et réparateur. Je ne crois pas faire erreur en comparant le sommeil à l'amour ; je ne crois pas me tromper en comparant l'amour à une sorte de *rêve à deux*, avec il est vrai des petits moments de rêve individuel, des petits jeux de conjonctions et de croisements, mais qui permet en tout cas de transformer notre existence terrestre en un moment supportable – qui en est même, à vrai dire, le seul moyen.

Les choses ne se passèrent pas en réalité comme je l'avais prévu ; le monde extérieur imposa sa présence, et il le fit avec brutalité : Camille m'appela presque exactement une semaine plus tard, en début d'après-midi. Elle était en état de panique, réfugiée dans un McDonalds de la zone industrielle d'Elbeuf, elle venait de passer la matinée dans un élevage industriel de poules, elle avait profité de la pause déjeuner pour s'échapper et il fallait que je vienne, il fallait que je vienne immédiatement la rechercher et la sauver.

Je raccrochai, furieux : quel était le connard de la DRAF qui avait pu l'envoyer là ? Je connaissais parfaitement cet élevage, c'était un élevage énorme, plus de trois cent mille poules, qui exportait ses œufs jusqu'au Canada et en Arabie Saoudite, mais surtout il avait une réputation infecte, une des pires de France, toutes les visites avaient conclu à un avis négatif sur l'établissement : dans des hangars éclairés en hauteur par de puissants halogènes, des milliers de poules tentaient de survivre, serrées à se toucher, il n'y avait pas de cages c'était un « élevage au sol », elles étaient déplumées, décharnées, leur épiderme irrité et infesté de poux rouges, elles vivaient au milieu des cadavres en décomposition de leurs congénères, passaient chaque seconde de leur brève existence – au maximum un an – à caqueter de terreur. Cela c'était vrai même dans les élevages mieux tenus, et c'était la première chose qui vous frappait, ce caquètement incessant, ce regard de panique permanent que les poules vous jetaient, ce regard de panique et d'incompréhension, elles ne demandaient aucune pitié elles en auraient été incapables mais elles ne comprenaient pas, elles ne comprenaient pas les conditions dans lesquelles elles étaient appelées à vivre. Sans parler des poussins mâles inutiles à la ponte jetés tout vivants, par poignées, dans les broyeuses ; je connaissais tout cela, j'avais eu l'occasion de visiter plusieurs élevages de poules dont celui d'Elbeuf était sans doute le pire, mais l'abjection commune dont je savais comme tout le monde faire preuve m'avait permis de l'oublier.

Elle courut vers moi dès qu'elle me vit arriver sur le parking et elle se serra dans mes bras, elle se serra longtemps, sans pouvoir s'arrêter de pleurer. Comment les hommes pouvaient-ils faire ça ? Comment pouvaient-ils laisser faire ça ? Je n'avais rien à dire à ce sujet, que des généralités inintéressantes sur la nature humaine.

Une fois dans la voiture, en route vers Caen, elle en vint à des questions plus embarrassantes : comment des vétérinaires, inspecteurs de la santé publique, pouvaient-ils laisser faire ça ? Comment pouvaient-ils visiter ces endroits où la torture des animaux était quotidienne, et les laisser fonctionner, voire collaborer à leur fonctionnement, alors qu'ils étaient quand même, au départ, vétérinaires ? Là, j'avoue qu'en effet je me suis interrogé : étaient-ils surpayés pour garder le silence ? Je ne le crois même pas. Après tout il y avait sûrement des médecins, avec un diplôme d'études médicales, dans les camps nazis. Finalement, là aussi, c'était une source de considérations banales et peu encourageantes sur l'humanité, je préférai me taire.

Quand même, lorsqu'elle me dit qu'elle hésitait à arrêter, à renoncer à ses études vétérinaires, j'intervins. C'était une profession libérale, lui rappelai-je ; rien ne pouvait l'obliger à travailler dans un élevage industriel, rien ne pouvait même la contraindre à en revoir un, et il me fallait ajouter qu'elle avait vu le pire, la pire des situations possibles (enfin au moins en France, il y avait bien pire pour les poules dans d'autres pays, mais je m'abstins de le préciser). Maintenant elle savait, c'était tout – c'était beaucoup, mais c'était tout. Je m'abstins également de préciser que ce n'était pas mieux pour les porcs, ni même de plus en plus souvent pour les vaches – c'était déjà suffisant pour une journée, il me semble.

Arrivés à la hauteur de son Appart City, elle me dit qu'elle ne pouvait pas rentrer chez elle comme ça, qu'elle avait impérativement besoin de boire un verre. Il n'y avait pas grand-chose dans le coin qui s'y prêtât, le coin était aussi peu *sympa* que possible, il n'y avait en réalité que l'hôtel Mercure *Côte de Nacre*, dont la clientèle était exclusivement constituée de cadres moyens en affaires avec l'une ou l'autre des entreprises du polygone industriel.

Le bar s'avéra curieusement agréable, parsemé de canapés et de profonds fauteuils recouverts de tissu ocre, avec un barman présent sans excès. Camille avait vraiment pris un coup moralement, c'était une bien petite fille, pour visiter un élevage industriel de poules, et ce n'est qu'au bout de son cinquième Martini qu'elle parvint réellement à se détendre. Moi-même je me sentais épuisé, épuisé à l'extrême, c'était comme si un très long voyage venait de prendre fin, je ne me sentais même pas capable de reprendre la route pour retourner à Clécy, je me sentais très peu de force en vérité, j'étais bénin et heureux. Nous prîmes donc une chambre pour la nuit à l'hôtel Mercure *Côte de Nacre*, c'était ce à quoi on peut s'attendre dans un hôtel Mercure, enfin c'est là que nous passâmes notre première nuit, et il est probable que je m'en souviendrai jusqu'à la fin de mes jours, que les images de cette décoration ridicule reviendront me hanter jusqu'à la dernière limite, d'ailleurs elles reviennent déjà chaque soir et je sais que cela ne cessera pas, que cela ne fera au contraire que s'accentuer, de manière de plus en plus lancinante, jusqu'à ce que la mort me délivre.

Je m'attendais évidemment à ce que la maison de Clécy plaise à Camille, j'étais pourvu d'un sens esthétique rudimentaire, enfin j'étais capable de me rendre compte qu'il s'agissait d'une jolie maison ; je n'avais par contre pas anticipé qu'elle en ferait aussi vite sa maison, qu'elle aurait dès les premiers jours des idées de décoration et d'aménagement, qu'elle souhaiterait acheter quelques tissus, déplacer quelques meubles, enfin qu'elle se comporterait aussi vite en femme – au sens pré-féministe du terme – alors qu'elle n'avait que dix-neuf ans. J'y vivais jusqu'à présent comme à l'hôtel, un bon hôtel, un hôtel de charme réussi, mais ce n'est qu'après l'arrivée de Camille que j'eus l'impression qu'il s'agissait, véritablement, de ma maison – et uniquement parce que c'était la sienne.

Ma vie quotidienne connut d'autres modifications ; je faisais jusqu'à présent, assez platement, mes courses au Super U de Thury-Harcourt, qui avait l'avantage annexe de me permettre de refaire le plein de diesel au sortir du supermarché, et de temps en temps de vérifier la pression de mes pneus ; je n'avais même jamais visité ce bourg de Clécy, au charme pourtant certain, attesté par des guides touristiques d'obédience variée, la capitale de la Suisse normande quand même, ce n'était pas rien.

Tout cela changea avec Camille, et nous devînmes des clients réguliers de la boucherie-charcuterie, ainsi que de la boulangerie-pâtisserie, toutes deux situées place du Tripot, comme la mairie et l'office de tourisme. Enfin, pour parler plus exactement, Camille en devint une cliente régulière – je me contentais en général de l'attendre en buvant des demis à la brasserie *Le Vincennes*, qui faisait également bar-tabac et Loto-PMU, située place Charles-de-Gaulle, juste en face de l'église. Nous dînâmes même une fois *Au site normand*, le restaurant du village, qui s'enorgueillissait d'avoir en 1971 accueilli les Charlots pour le tournage d'une scène du film *Les Bidasses en folie*, il n'y avait pas eu que Pink Floyd et Deep Purple, les années 1970 avaient eu leur part d'ombre, mais quoi qu'il en soit le restaurant était bon, et le plateau de fromages somptueux.

C'était pour moi un mode de vie nouveau, dont je n'avais jamais imaginé la possibilité avec Claire, et qui s'avérait plein de charmes insoupçonnés, enfin ce que je veux dire c'est que Camille avait des notions sur la manière de vivre, on la plaçait dans un joli bourg normand perdu en pleine campagne, et elle voyait tout de suite comment tirer le meilleur parti de ce joli bourg normand. Les hommes en général ne savent pas vivre, ils n'ont aucune vraie familiarité avec la vie, ils ne s'y sentent jamais tout à fait à leur aise, aussi poursuivent-ils différents projets, plus ou moins ambitieux plus ou moins grandioses c'est selon, en général bien entendu ils échouent et parviennent à la conclusion qu'ils auraient mieux fait, tout simplement, de vivre, mais en général aussi il est trop tard.

J'étais heureux, jamais je n'avais été aussi heureux, et jamais plus je ne devais l'être autant ; je n'oubliai à aucun moment, pourtant, ce que la situation avait d'éphémère. Camille n'était qu'en stage à la DRAF, elle devrait inéluctablement repartir fin janvier, pour reprendre ses études à Maisons-Alfort. Inéluctablement ? J'aurais pu lui proposer d'arrêter ses études, de devenir femme au foyer, enfin de devenir ma femme, et avec le recul quand j'y repense (et j'y repense à peu près tout le temps), je pense qu'elle aurait dit oui – surtout après l'élevage industriel de poules. Mais je ne l'ai pas fait, et sans doute je ne pouvais pas le faire, je n'avais pas été *formaté* pour une telle proposition, ça ne faisait pas partie de mon *logiciel*, j'étais un moderne, et pour moi comme pour tous mes contemporains la carrière professionnelle des femmes était une chose qui devait être avant toute autre respectée, c'était le critérium absolu, le dépassement de la barbarie, la sortie du Moyen âge. En même temps je n'étais peut-être pas absolument un moderne, puisque cet impératif j'avais pu envisager, même quelques secondes, de m'y soustraire ; mais une fois de plus je ne fis rien, je ne dis rien, je laissai les événements suivre leur cours, alors qu'au fond je n'avais aucune confiance dans ce retour à Paris, Paris comme toutes les villes était faite pour engendrer la solitude, et nous n'avions pas eu assez de temps ensemble, dans cette maison, un homme et une femme, seuls face à face, pendant quelques mois nous avions constitué l'un pour l'autre le reste du monde, est-ce que nous arriverions à maintenir cela ? Je ne sais plus, je suis vieux maintenant, je n'arrive plus bien à me souvenir, mais il me semble que j'avais déjà peur, et que j'avais bien compris, déjà à cette époque, que le monde social était une machine à détruire l'amour.

De cette période à Clécy il ne me reste que deux photographies, nous avions trop à vivre j'imagine pour perdre notre temps en selfies, mais peut-être aussi cette pratique était-elle moins répandue à l'époque, le développement des réseaux sociaux n'était encore qu'embryonnaire, si même ils existaient ; oui, sans doute, à l'époque, les gens vivaient davantage. Ces photographies sont probablement prises le même jour, dans une forêt proche de Clécy ; elles sont surprenantes, parce qu'elles datent probablement de novembre, alors que tout dans l'image – la lumière fraîche et vive, l'éclat des feuillages – laisse penser au début du printemps. Camille y porte une jupe courte et un blouson coordonné en jean. Sous le blouson, une chemisette blanche nouée à la taille, ornée d'imprimés représentant des fruits rouges. Sur la première photographie son visage est illuminé par un sourire radieux, elle éclate littéralement de bonheur – et il me paraît aujourd'hui insensé de me dire que la source de son bonheur, c'est moi. La seconde photographie est pornographique, c'est le seul cliché pornographique que j'aie conservé d'elle. Son sac à main, d'un rose vif, est posé dans l'herbe à ses côtés. Agenouillée devant moi, elle a pris mon sexe dans sa bouche, ses lèvres sont refermées à mi-hauteur de mon gland. Ses yeux sont clos, et elle est tellement concentrée sur cette fellation que son visage en est vide d'expression, ses traits sont parfaitement purs, je n'ai plus jamais eu l'occasion de voir une telle représentation du don.

Je vivais avec Camille depuis deux mois, et j'étais installé à Clécy depuis un peu plus d'un an, lorsque mon propriétaire mourut. Il pleuvait le jour de son enterrement, comme c'est souvent le cas en Normandie en janvier, et à peu près tout le village était là, des personnes âgées presque uniquement, il avait fait son temps, entendis-je en suivant le cortège, il avait eu une bonne vie, le curé venait je m'en souviens de Falaise, à une trentaine de kilomètres, avec la désertification, la déchristianisation et toutes ces choses en « dé » le pauvre curé avait bien du travail il était sans arrêt sur les routes mais enfin là c'était un enterrement facile, l'être mortel qui venait de s'évanouir n'avait jamais délaissé les sacrements, sa fidélité était demeurée intacte, un chrétien authentique venait de rendre son âme à Dieu, et, il pouvait l'affirmer avec certitude : sa place était d'ores et déjà réservée aux côtés du Père. Ses enfants présents pouvaient certes pleurer car le don des larmes avait été accordé à l'homme et il était nécessaire, mais ils ne devaient nourrir aucune crainte, ils se retrouveraient bientôt dans un monde meilleur où seraient abolies la mort, la souffrance et les larmes.

Les deux enfants en question étaient faciles à reconnaître, ils avaient trente ans de moins que la population de Clécy, et je sentis tout de suite que la fille avait quelque chose à me dire, quelque chose de difficile, j'attendis donc qu'elle vienne vers moi, sous une pluie obstinée et froide, alors que des pelletées de terre étaient lentement dispersées sur la tombe, mais elle ne parvint à s'exprimer qu'au café où l'assistance s'était rassemblée à l'issue de la cérémonie. Voilà, elle était vraiment ennuyée d'avoir à me dire ça, mais j'allais devoir déménager, la maison de son père était en viager et les acheteurs hollandais souhaitaient la récupérer rapidement, il est assez rare que les viagers soient mis en location, ceci se produit dans le cas d'un viager occupé dont le vendeur a conservé l'usufruit, à ce moment je compris qu'ils étaient vraiment dans la merde sur le plan financier, la location d'un viager occupé est une formule qui n'est presque jamais utilisée, surtout parce que le locataire risque de faire des difficultés pour restituer le bien. J'essayai tout de suite de la rassurer, je ne ferais pas de difficultés, ça allait pour moi j'avais un salaire, mais eux-mêmes est-ce qu'ils en étaient vraiment là ? Eh bien oui, ils en étaient vraiment là, son époux venait de perdre son emploi chez Graindorge, qui traversait en effet de réelles difficultés, et là on rejoignait le cœur de mon travail, le cœur inavouable de mon incompétence. L'entreprise Graindorge, fondée en 1910 à Livarot, s'était après la Seconde Guerre mondiale diversifiée dans le camembert et le pont-l'évêque, elle avait connu son heure de gloire (leader incontesté du livarot, elle s'était hissée au second rang dans la production des deux autres fromages de la trilogie normande) avant d'entrer au début des années 2000 dans une spirale de crise qui deviendrait de plus en plus aiguë avant de s'achever en 2016 lors de son rachat par Lactalis, le numéro un mondial du lait.

J'étais très au courant de la situation mais je n'en dis rien à la fille de mon ancien propriétaire parce qu'il y a des moments où il vaut mieux fermer sa gueule, après tout il n'y avait pas de quoi se vanter, j'avais échoué à aider l'entreprise de son mari et finalement à sauver son emploi, mais je l'assurai en tout cas qu'elle n'avait rien à craindre, que je libérerais la maison dès que possible.

J'avais éprouvé une réelle affection pour son père, et lui-même je le sentais m'aimait bien, de temps à autre il passait m'apporter une bouteille, pour les vieux c'est important les bouteilles d'alcool, ils n'ont plus guère que ça. Avec sa fille j'avais immédiatement sympathisé, et elle-même avait énormément aimé son père, cela se voyait, son amour filial était franc, entier, inconditionnel. Pourtant, nous n'étions pas destinés à nous revoir, et nous nous quittâmes avec la certitude que nous ne nous reverrions jamais, que l'agence immobilière s'occuperait des détails. Ce genre de choses se produit constamment, dans la vie des hommes.

Je n'avais en réalité pas la moindre envie de vivre seul dans cette maison où j'avais vécu avec Camille, pas la moindre envie de vivre ailleurs non plus mais je n'avais plus le choix il fallait agir, son stage touchait vraiment à sa fin, il ne nous restait plus que quelques semaines, et bientôt quelques jours. C'est évidemment pour cela, principalement et presque uniquement pour cela, que je décidai de revenir à Paris, mais je ne sais quelle pudeur masculine me poussa à invoquer d'autres raisons lorsque j'en parlais à tout le monde et même à elle, heureusement elle n'était pas tout à fait dupe et lorsque je lui parlais de mes ambitions professionnelles elle me jetait un regard hésitant et peiné, il était en effet regrettable que je n'aie pas le courage de lui dire simplement : « Je veux revenir à Paris parce que je t'aime, et que je veux vivre avec toi », elle devait se dire que les hommes ont leurs limitations, j'étais son premier homme mais je pense qu'elle avait rapidement, et facilement compris les limitations masculines.

Ce discours sur mes ambitions professionnelles n'était d'ailleurs pas totalement un mensonge, j'avais pu prendre conscience à la DRAF des limites étroites de mes possibilités d'action, le vrai pouvoir était à Bruxelles, ou au moins dans des services de l'administration centrale en relation étroite avec Bruxelles, c'était là en effet qu'il fallait que j'aille si je voulais faire entendre mon point de vue. Seulement à ce niveau les postes étaient rares, beaucoup plus rares que dans une DRAF, et il me fallut presque un an pour aboutir à mes fins, année pendant laquelle je n'eus pas le courage de chercher un nouvel appartement à Caen, l'Aparthotel Adagio offrait une solution médiocre mais acceptable pour quatre nuits par semaine, c'est là que je détruisis mon premier détecteur de fumée.

Presque tous les vendredis soir il y avait un pot à la DRAF, m'y soustraire était impossible, je ne crois pas avoir jamais réussi à prendre le train de 17 h 53. Celui de 18 h 53 me faisait arriver à 20 h 46 gare Saint-Lazare, comme j'ai déjà dit je connais le bonheur, et les choses qui le constituent, je sais très exactement de quoi il s'agit. Tous les couples ont leurs petits rites, des rites insignifiants, un peu ridicules même, dont ils ne parlent à personne. L'un des nôtres était de commencer nos week-ends en dînant, tous les vendredis soir, à la brasserie Mollard, juste en face de la gare. Il me semble qu'à chaque fois j'ai pris des bulots mayonnaise et un homard Thermidor, et qu'à chaque fois j'ai trouvé ça bon, je n'ai jamais éprouvé le besoin, ni même le désir d'explorer le reste de la carte.

À Paris j'avais trouvé à louer un joli deux pièces sur cour, rue des Écoles, je me retrouvais à moins de cinquante mètres du studio où j'avais vécu pendant mes années d'étudiant. Je ne peux pourtant pas dire que la vie commune avec Camille me rappelait mes années d'étudiant ; ce n'était plus la même chose, déjà je n'étais plus étudiant, et surtout Camille était différente, il n'y avait pas en elle cette légèreté, ce je-m'en-foutisme qui étaient les miens lorsque j'étudiais à l'Agro. C'est une banalité de dire que les filles sont plus sérieuses dans leurs études, et c'est sans doute une banalité exacte, mais il y avait autre chose, je n'avais que dix ans de plus que Camille mais indéniablement quelque chose avait changé, l'ambiance de cette génération n'était plus la même, je m'en rendais compte chez tous ses camarades, quelle que soit leur filière d'études : ils étaient sérieux, bosseurs, accordaient une grande importance à leur réussite scolaire, comme s'ils savaient déjà qu'à l'extérieur on ne leur ferait aucun cadeau, que le monde qui les attendait était inhospitalier et dur. Parfois ils éprouvaient le besoin de décompresser, alors ils se saoulaient en groupe, mais leurs saouleries elles-mêmes étaient différentes de celles que j'avais connues : ils s'enivraient brutalement, ingurgitaient à toute vitesse des doses d'alcool énormes, comme pour atteindre l'abrutissement le plus vite possible, ils se saoulaient exactement comme devaient le faire les mineurs du temps de *Germinal* – la ressemblance était encore augmentée par le retour en force de l'absinthe, qui atteignait des titrages d'alcool ahurissants, et permettait en effet de se torcher en un temps minime.

Ce même sérieux qu'elle avait dans ses études, Camille le manifestait dans sa relation avec moi. Je ne veux pas dire par là qu'elle était austère ni guindée, au contraire elle était très gaie, elle riait d'un rien, et par certains aspects elle était même restée singulièrement enfantine, elle avait parfois des crises de Kinder Bueno, des choses de ce genre. Mais nous étions en couple, c'était une affaire sérieuse, c'était même l'affaire la plus sérieuse de sa vie, et j'étais bouleversé, jusqu'à en avoir le souffle coupé, littéralement, chaque fois que je lisais dans son regard posé sur moi la gravité, la profondeur de son engagement – une gravité, une profondeur dont j'aurais été bien incapable à l'âge de dix-neuf ans. Peut-être partageait-elle ce trait, aussi, avec d'autres jeunes gens de sa génération – je savais qu'autour d'elle ses amis considéraient qu'elle « avait de la chance d'avoir trouvé », et le caractère en quelque sorte installé, bourgeois de notre couple satisfaisait en elle un besoin profond – le fait que nous nous rendions chaque vendredi soir dans une brasserie 1900 vieillotte, plutôt que dans un bar à tapas d'Oberkampf, me paraît symptomatique du rêve dans lequel nous essayions de vivre. Le monde extérieur était dur, impitoyable aux faibles, il ne tenait presque jamais ses promesses, et l'amour restait la seule chose en laquelle on puisse encore, peut-être, avoir foi.

Mais pourquoi m'entraîner vers ces scènes passées, comme disait l'autre, je veux rêver et non pleurer, ajoutait-il comme si l'on avait le choix, il me suffira de dire que notre histoire dura un peu plus de cinq ans, cinq ans de bonheur c'est déjà considérable, je n'en méritais certainement pas tant, et qu'elle prit fin d'une manière effroyablement stupide, des choses comme ça ne devraient pas avoir lieu, elles ont lieu pourtant, elles ont lieu tous les jours. Dieu est un scénariste médiocre, c'est la conviction que presque cinquante années d'existence m'ont amené à former, et plus généralement Dieu est un médiocre, tout dans sa création porte la marque de l'approximation et du ratage, quand ce n'est pas celle de la méchanceté pure et simple, bien sûr il y a des exceptions, il y a forcément des exceptions, la possibilité du bonheur devait subsister *ne fût-ce qu'à titre d'appât*, enfin je m'égare revenons à mon sujet qui est moi, ce n'est pas qu'il soit spécialement intéressant mais c'est mon sujet.

Au cours de ces années je connus certaines satisfactions professionnelles, j'eus même à de brefs moments – en particulier au cours de mes déplacements à Bruxelles – l'illusion d'être un homme important. Important, je l'étais sans doute davantage que quand je me livrais à de guignolesques opérations promotionnelles autour du livarot, je jouais un certain rôle dans l'élaboration de la position française sur le budget agricole européen – mais ce budget, je devais assez vite m'en rendre compte, avait beau être le premier budget européen, et la France le premier pays bénéficiaire, le nombre d'agriculteurs était simplement trop élevé pour inverser la tendance au déclin, je conclus peu à peu que les agriculteurs français étaient simplement condamnés, aussi me détachai-je de cet emploi, comme des autres, je compris que le monde ne faisait pas partie des choses que je pouvais changer, d'autres étaient plus ambitieux, plus motivés, plus intelligents sans doute.

C'est au cours d'un de mes déplacements à Bruxelles que me vint la funeste idée de coucher avec Tam. L'idée serait d'ailleurs venue à peu près à n'importe qui je pense, elle était ravissante cette petite black, surtout son petit cul, enfin elle avait un joli petit cul de black c'est tout dire, ma méthode de séduction s'en inspira d'ailleurs directement, c'était un jeudi soir et on buvait des bières au Grand Central, un groupe d'eurocrates relativement jeunes, peut-être la fis-je rire à un moment donné j'étais capable de faire ce genre de choses à l'époque, quoi qu'il en soit au moment où on sortait pour aller continuer la soirée dans une boîte de la place du Luxembourg je lui ai mis la main au cul, en principe ces méthodes simplistes fonctionnent mal mais cette fois ça a marché.

Tam appartenait à la délégation anglaise (l'Angleterre à l'époque faisait encore partie de l'Europe, ou du moins faisait semblant) mais elle était d'origine jamaïcaine je pense, ou peut-être de la Barbade, enfin d'une de ces îles qui semblent pouvoir produire en quantité illimitée de la ganja, du rhum et des jolies blacks à petit cul, toutes choses qui aident à vivre mais ne transforment pas la vie en destin. J'ajoute qu'elle suçait « comme une reine », ainsi qu'on le dit bizarrement au moins dans certains milieux, et certainement bien mieux que la reine d'Angleterre, enfin je ne le nie pas j'ai passé une nuit agréable, très agréable même, mais était-il opportun de recommencer ?

Parce que je recommençai, à l'occasion d'un de ses séjours à Paris, elle venait de temps en temps à Paris, pourquoi je l'ignore absolument, certainement pas pour faire du shopping, ce sont les Parisiennes qui viennent faire du shopping à Londres en aucun cas l'inverse, enfin les touristes doivent avoir leurs raisons, en bref je la rejoignis à son hôtel dans le quartier Saint-Germain, et alors que je sortais en sa compagnie rue de Buci, la tenant par la main, avec probablement cette expression un peu niaise de l'homme qui vient de jouir, je me retrouvai nez à nez avec Camille, que faisait-elle dans ce quartier je l'ignore également, j'ai dit que c'était une histoire stupide. Dans le regard qu'elle me jeta il n'y avait rien d'autre que la peur, c'était un regard de terreur pure ; puis elle se retourna et prit la fuite, littéralement elle prit la fuite. Il me fallut quelques minutes pour me dépêtrer de la fille, mais je suis à peu près sûr d'être arrivé à l'appartement cinq minutes après elle, pas davantage. Elle n'eut aucun reproche, aucune manifestation de colère, ce fut plus atroce : elle se mit à pleurer. Pendant des heures elle pleura, doucement, les larmes inondaient son visage sans qu'elle songe à les essuyer ; c'était le pire moment de ma vie, il n'y a aucun doute là-dessus. Mon cerveau travaillait lentement, brumeusement, à chercher une formule du style : « On ne va pas tout casser pour une histoire de cul... » ou : « Je n'éprouve rien pour cette fille, j'avais bu... » (vrai pour la première fois, à l'évidence faux pour la seconde), mais rien ne me paraissait adéquat, approprié. Le lendemain elle continua à pleurer en rassemblant ses affaires, pendant que je me creusais la tête pour trouver une formule adéquate, à vrai dire j'ai passé les deux ou trois années qui suivirent à chercher une formule adéquate, probablement même est-ce que je n'ai jamais cessé de chercher.

Ma vie ensuite se déroula sans événement notable – à part Yuzu, j'en ai parlé – et voilà que je me retrouvais seul, plus seul que je ne l'avais jamais été, enfin j'avais le houmous, adapté aux plaisirs solitaires, mais la période des fêtes c'est plus délicat, il aurait fallu un plateau de fruits de mer, or ce sont là des choses qui se partagent, un plateau de fruits de mer en solitaire c'est une expérience ultime, même Françoise Sagan n'aurait pas pu décrire cela, c'est vraiment trop gore.

Demeurait la Thaïlande, mais je sentais que je n'y arriverais pas, plusieurs collègues m'en avaient parlé c'étaient des filles adorables mais elles avaient quand même une certaine fierté professionnelle, et un client qui ne bandait pas elles n'aimaient pas trop ça, elles se sentaient remises en cause, enfin je ne voulais pas créer d'incident.

En décembre 2001, immédiatement après ma rencontre avec Camille, je m'étais retrouvé, pour la première fois de ma vie, confronté à ce drame récurrent, inévitable, de la période des fêtes – mes parents étaient morts en juin, quoi fêter ? Camille était restée proche de ses parents, elle allait souvent déjeuner chez eux le dimanche midi, ils habitaient Bagnoles-de-l'Orne, à une cinquantaine de kilomètres. Je sentais depuis le début que mon silence à ce sujet intriguait Camille, mais elle s'abstenait de m'en parler, elle attendait que j'aborde moi-même le sujet. Je le fis, finalement, une semaine avant Noël, je lui racontai l'histoire de leur suicide. Cela lui fit un choc, je m'en rendis compte tout de suite, un choc profond ; il y a des choses auxquelles on n'a pas tellement eu l'occasion de penser à l'âge de dix-neuf ans, des choses en réalité auxquelles on ne pense pas avant que la vie ne vous y oblige. C'est alors qu'elle me proposa de passer les fêtes de fin d'année avec elle.

C'est toujours un moment délicat, inconfortable, la présentation aux parents, mais dans le regard qu'elle me jeta je lus tout de suite une évidence : en aucun cas ses parents ne remettraient en cause son choix, cela ne leur traverserait même pas l'esprit ; elle m'avait choisi, je faisais partie de la famille, c'était aussi simple que ça.

Ce qui avait amené les Da Silva à s'installer à Bagnoles-de-l'Orne devait jusqu'au bout me rester obscur, tout autant que ce qui avait permis à Joaquim Da Silva – quand même un simple ouvrier en bâtiment, au départ – d'acquérir la gérance du principal et même de l'unique tabac-presse de Bagnoles-de-l'Orne, qui jouissait d'une situation remarquable, au bord du lac. Le récit de vie d'humains appartenant aux générations immédiatement antérieures offre souvent ce genre de configuration où l'on peut observer le fonctionnement d'un dispositif devenu presque mythique jadis connu sous le nom d'« ascenseur social ». Toujours est-il que Joaquim Da Silva avait vécu là, en compagnie de son épouse également portugaise, sans jamais regarder en arrière, il n'avait jamais nourri de rêve de retour vers son Portugal natal, et il avait donné naissance à deux enfants : Camille, puis, beaucoup plus tard, Kevin. Français moi-même autant qu'on peut l'être, je n'avais rien à dire sur ces sujets, la conversation cependant fut facile et agréable, ma profession intéressait Joaquim Da Silva, lui-même d'origine agricole comme tout le monde, ses propres parents avaient tenté de cultiver je ne sais plus quoi dans l'Alentejo, il n'était pas insensible à la détresse de plus en plus criante des agriculteurs de sa région, même il n'était pas loin parfois, lui le gérant d'un tabac-presse, de se considérer comme un *privilégié*. De fait, quoique travaillant beaucoup, il travaillait quand même moins que la moyenne des agriculteurs ; de fait, quoique gagnant peu, il gagnait davantage. Les conversations sur l'économie sont un peu semblables aux conversations sur les cyclones ou les tremblements de terre ; on finit assez vite par ne plus comprendre de quoi on parle, on a l'impression d'évoquer une divinité obscure et on se ressert de champagne, enfin du champagne surtout en période de fêtes, j'ai remarquablement mangé pendant ce séjour chez les parents de Camille, et plus généralement j'ai été très bien reçu, ils ont été adorables, mais je pense que mes parents s'en seraient bien tirés aussi, dans un genre un peu plus bourgeois mais au fond pas tellement, ils savaient mettre les gens à l'aise j'avais eu maintes fois l'occasion de les voir à l'œuvre, la veille de notre départ je rêvai que Camille était reçue chez mes parents à Senlis et je faillis lui en parler au réveil juste avant de me souvenir qu'ils étaient morts, j'ai toujours eu du mal avec la mort, c'est chez moi un trait caractéristique.

Je voudrais quand même essayer, ne serait-ce que pour un lecteur inhabituellement attentif, d'éclaircir un tant soit peu ces sujets : pourquoi avais-je envie de revoir Camille ? pourquoi avais-je éprouvé le besoin de revoir Claire ? et même la troisième, l'anorexique aux graines de lin dont le prénom m'échappe à l'instant mais le lecteur s'il est aussi attentif que je l'imagine complétera, pourquoi avais-je souhaité la revoir ?

La plupart des mourants (c'est-à-dire, à part ceux qui se font euthanasier vite fait bien fait dans un parking ou une salle dédiée) organisent une sorte de cérémonial autour de leur trépas ; ils souhaitent revoir, une dernière fois, les personnes qui ont joué un rôle dans leur vie, et ils souhaitent leur parler, une dernière fois, pour un temps variable. Ceci est très important pour eux, je l'ai observé à de maintes reprises, ils s'inquiètent quand on n'a pas eu la personne au téléphone, ils veulent organiser le rendez-vous dès que possible, et bien entendu cela se comprend, ils n'ont plus que quelques jours à leur disposition, dont le nombre ne leur a pas été communiqué, mais de toute façon pas beaucoup, quelques-uns. Les unités de soins palliatifs (du moins celles que j'ai eu l'occasion de voir fonctionner, et il y en a pas mal, forcément, à mon âge) traitent ces demandes avec compétence et humanité, ce sont des gens admirables, ils appartiennent au contingent faible et courageux de ces « petites personnes admirables » qui permettent le fonctionnement de la société dans une période globalement inhumaine et merdique.

De même, probablement essayais-je, sur une échelle plus limitée mais qui pouvait servir d'entraînement, d'organiser un mini-cérémonial d'adieux autour de ma libido, ou pour parler plus concrètement autour de ma bite, à l'heure où elle me signalait qu'elle s'apprêtait à terminer son service ; je souhaitais revoir toutes les femmes qui l'avaient honorée, qui l'avaient aimée à leur manière. Les deux cérémonials dans mon cas, le petit et le grand, seraient d'ailleurs presque identiques, les amitiés masculines avaient peu compté dans ma vie, au fond il n'y avait eu qu'Aymeric. C'est curieux, cette volonté d'établir un bilan, de se persuader au moment ultime qu'on a vécu ; ou peut-être que pas du tout, c'est le contraire qui est affreux et étrange, il est affreux et étrange de penser à tous ces hommes, à toutes ces femmes qui n'ont rien à raconter, qui n'envisagent d'autre destin futur que de se dissoudre dans un vague continuum biologique et technique (parce que c'est technique les cendres, même lorsqu'elles ne sont destinées qu'à servir d'engrais, il faut évaluer les taux de potassium et d'azote), tous ceux en somme dont la vie s'est déroulée sans incident extérieur, et qui la quittent sans y penser, comme on quitte un séjour de vacances tout juste correct, sans d'ailleurs avoir l'idée d'une destination ultérieure, avec juste cette vague intuition qu'il aurait été préférable de ne pas naître, enfin je parle là de la majeure partie des hommes et des femmes.

C'est donc avec une nette sensation d'irrémédiable que je réservai une chambre à l'hôtel Spa du Béryl, au bord du lac de Bagnoles-de-l'Orne, pour la nuit du 24 au 25, puis que je me mis en route au matin du 24, c'était un dimanche 24, la plupart des gens devaient être partis le vendredi soir, au plus tard le samedi aux premières heures, l'autoroute était déserte, hormis les inévitables poids lourds lettons et bulgares. Je consacrai l'essentiel de mon parcours à mettre au point une mini-narration à destination de la réceptionniste, du personnel d'étage s'il s'en trouvait : la fête familiale prévue était d'une telle ampleur que mon oncle (cela se passait chez mon oncle mais toutes les branches de la famille seraient présentes, je serais amené à revoir des cousins perdus de vue depuis des années, des décennies même) se trouvait dans l'incapacité d'héberger tout le monde, je m'étais donc sacrifié

188

pour passer la nuit à l'hôtel. C'était je trouve une excellente histoire, et je me mis peu à peu à y croire ; le maintien de sa consistance interdisait évidemment que je fasse appel sur place au room service, et je fis provision de produits régionaux (livarot, cidre, pommeau, andouille) peu avant d'arriver à destination, au relais autoroutier « Pays d'Argentan ».

J'avais commis une erreur, une énorme erreur, mon passage gare Saint-Lazare avait déjà été pénible, mais j'y avais surtout l'image de Camille remontant les quais en courant pour, à bout de souffle, se précipiter dans mes bras, et là c'était pire, c'était bien pire, tout me revint avec une netteté hallucinée avant même d'arriver à Bagnoles-de-l'Orne, dès que je traversai la forêt domaniale d'Andaines, où j'avais fait une si longue promenade avec elle, une longue, interminable et en un sens éternelle promenade, par une après-midi de décembre, nous étions rentrés essoufflés et les joues rouges, heureux à un point que je ne parviens plus tout à fait à m'imaginer, nous nous étions arrêtés chez un « fabricant chocolatier » qui proposait un gâteau effroyablement crémeux qu'il avait dénommé le « Paris-Bagnoles », ainsi que de faux camemberts en chocolat.

Cela se poursuivit par la suite, rien ne me fut épargné, et je reconnus l'étrange tourelle aux damiers blancs et rouges qui surmontait l'hôtel-restaurant « La Potinerie du Lac » (spécialité de tartiflettes), comme la curieuse maison Belle-Époque, ornée de briques de toutes les couleurs, qui le jouxtait presque, je me souvins encore du petit pont recourbé qui enjambait l'extrémité du lac, et de la pression de la main de Camille se posant sur mon avant-bras pour me faire observer le mouvement des cygnes glissant sur les eaux, cela avait eu lieu le 31 décembre, au coucher du soleil.

Il serait faux de dire que c'est à Bagnoles-de-l'Orne que j'ai commencé à aimer Camille, cela a commencé comme j'ai dit à l'extrémité du quai C, en gare de Caen. Mais il n'y a aucun doute que quelque chose s'était approfondi, entre nous, au cours de ces deux semaines. Le bonheur conjugal de mes parents je l'avais toujours, au fond de moi, ressenti comme inaccessible, d'abord parce que mes parents étaient des gens étranges, malaisément terrestres, qui ne pouvaient guère servir d'exemple à une vie réelle, mais aussi parce que ce modèle conjugal je le sentais, en quelque sorte, détruit, ma génération y avait mis fin, enfin pas ma génération, ma génération était bien incapable de détruire, encore moins de reconstruire quoi que ce soit, disons la génération antérieure, oui la génération antérieure était certainement en cause, quoi qu'il en soit les parents de Camille, le couple ordinaire des parents de Camille, représentaient un exemple accessible, un exemple immédiat, puissant et fort.

Au point où j'en étais, je parcourus la petite centaine de mètres qui me séparait du tabac-presse. Un dimanche après-midi, le 24 décembre, il était évidemment fermé, mais je me souvenais que l'appartement de ses parents était juste au-dessus. L'appartement était éclairé, brillamment éclairé, et évidemment j'eus l'impression qu'il était *joyeusement* éclairé, je demeurai là un temps difficile à évaluer, sans doute bref en réalité mais qui me parut s'étirer à l'infini, une brume déjà épaisse montait du lac. Il commençait probablement à faire froid mais je ne le ressentais que par moments et de manière en quelque sorte superficielle, la chambre de Camille était allumée elle aussi, puis elle s'éteignit, ma pensée se dissolvait en de confuses expectatives, je restais cependant conscient qu'il n'y avait aucune raison que Camille ouvre la fenêtre pour humer la brume du soir, absolument aucune et d'ailleurs je ne le souhaitais même pas, je me contentais de prendre pleinement conscience de la nouvelle configuration de ma vie, et aussi, avec une certaine frayeur, que le but de mon voyage n'était peut-être pas uniquement commémoratif ; que ce voyage était peut-être, d'une manière que j'allais devoir assez vite élucider, tourné vers un avenir possible. Il me restait quelques années pour y réfléchir ; quelques années ou quelques mois, je ne savais pas exactement.

Le *Spa du Béryl* me fit d'emblée une impression exécrable ; j'avais fait, entre tous les choix possibles (et ils ne manquaient pas, en décembre, à Bagnoles-de-l'Orne) le plus mauvais, son architecture était déjà la seule, au milieu des ravissantes maisons Belle-Époque, à déshonorer les bords autrement harmonieux du lac, et je n'eus pas le courage de débiter mon histoire à la réceptionniste, qui n'avait marqué à ma vue que des signes de surprise et même d'hostilité avouée, qu'est-ce que je foutais là on pouvait en effet se le demander, cela dit des clients solitaires la nuit de Noël ça existe, tout existe dans la vie d'une réceptionniste, je n'étais qu'un mode particulier d'existence malheureuse ; presque soulagé par mon statut de modalité anonyme, je me contentai, lorsqu'elle me tendit la clef de ma chambre, de hocher la tête. J'avais acheté deux andouilles entières et la messe de minuit serait sans nul doute télévisée, je n'étais pas le plus à plaindre.

Au bout d'un quart d'heure je n'avais plus rien, en réalité, à faire à Bagnoles-de-l'Orne ; revenir à Paris dès le lendemain, ceci dit, me paraissait imprudent. J'avais franchi la haie du 24, mais il restait à sauter celle du 31 – autrement plus ardue, selon le docteur Azote.

Le passé on s'y enfonce, on commence à s'y enfoncer et puis il semble qu'on s'y engloutisse, et que plus rien ne puisse tracer de limite à cet engloutissement. J'avais eu quelques nouvelles d'Aymeric, pendant les années qui avaient suivi ma visite, mais ces nouvelles se résumaient pour l'essentiel à des naissances : d'abord Anne-Marie, puis, trois années plus tard, Ségolène. De la santé de son exploitation agricole il ne me parlait jamais, ce qui me laissait supposer qu'elle était restée mauvaise, voire qu'elle s'était aggravée ; chez les gens d'une certaine éducation, pas de nouvelles équivaut nécessairement à mauvaises nouvelles. Peut-être appartenais-je d'ailleurs, moi aussi, à cette infortunée catégorie des gens bien éduqués : mes premiers mails après ma rencontre avec Camille étaient débordants d'enthousiasme ; mais de notre rupture, je m'étais abstenu de parler ; puis les contacts avaient complètement cessé.

Le site des anciens élèves de l'Agro était maintenant accessible sur Internet, et dans la vie d'Aymeric rien ne paraissait avoir changé : il avait toujours la même activité, la même adresse, le même mail, le même téléphone. Pourtant je compris tout de suite, dès que j'entendis sa voix – lasse, lente, il avait le plus grand mal à terminer ses phrases –, que *quelque chose* avait changé. Je pouvais passer quand je voulais, ce soir même pourquoi pas, il pouvait m'héberger sans problème, même si les conditions d'hébergement avaient changé, enfin il m'expliquerait.

Entre Bagnoles-de-l'Orne et Canville-la-Rocque ce fut un lent, très lent parcours de l'Orne à la Manche, le long de départementales désertes et embrumées – nous étions, je le rappelle, un 25 décembre. Assez souvent je m'arrêtais, j'essayais de me souvenir pourquoi j'étais là, je n'y parvenais pas tout à fait, des bancs de brume flottaient sur les herbages, aucune vache n'était présente. On aurait pu j'imagine qualifier mon voyage de *poétique*, mais le mot en est venu à dégager une fâcheuse impression de légèreté, d'évanescence. J'en étais bien conscient, au volant de mon 4×4 Mercedes qui ronronnait gentiment sur ces routes faciles, alors que la climatisation dégageait une agréable chaleur : il existe aussi une poésie tragique.

Nul délabrement évident n'avait frappé le château d'Olonde depuis ma dernière visite, une quinzaine d'années auparavant ; à l'intérieur, c'était bien autre chose, et la salle à manger, autrefois une pièce chaleureuse, était devenue un réduit sinistre et sale, malodorant, jonché çà et là d'emballages de jambon et de boîtes de cannellonis en sauce. « J'ai rien à bouffer… », tels furent les premiers mots par lesquels m'accueillit Aymeric. « Il me reste une andouille » répondis-je ; ce fut ainsi que se passèrent mes retrouvailles avec celui qui avait été, qui était encore en un sens (mais plutôt par défaut) mon meilleur ami.

« Tu veux boire quoi ? » enchaîna-t-il ; là, par contre, il semblait y avoir pléthore, il était quand j'arrivai en train de descendre une bouteille de Zubrowka, je me contentai d'un Chablis. Il était également en train de graisser et de remonter les pièces d'une arme à feu que j'identifiai comme un fusil d'assaut, pour l'avoir vu dans différents feuilletons télévisés. « C'est un Schmeisser S4. Calibre 223 Remington » précisa-t-il sans nécessité. Pour alléger l'atmosphère, je découpai quelques tranches d'andouille. Physiquement il avait changé, ses traits étaient épaissis et couperosés, mais c'est surtout le regard qui était effrayant, un regard creux, mort, qu'il semblait impossible de distraire, davantage que quelques secondes, de la contemplation du vide. Il me paraissait vain de poser la moindre question, j'avais déjà compris l'essentiel, il fallait bien essayer de parler cependant, notre envie de nous taire était pourtant pesante, on se resservait régulièrement, lui de vodka moi de vin,

en dodelinant de la tête, quadragénaires four-
bus. « On parlera demain » conclut finalement
Aymeric, mettant un terme à ma gêne.

Il m'ouvrit le chemin au volant de son pick-up
Nissan Navara. Je le suivis pendant cinq kilomètres le long d'une route étroite et cahoteuse,
à peine assez large, des buissons d'épineux
griffaient nos carrosseries. Puis il coupa son
moteur et descendit, je le rejoignis : nous étions
au sommet d'un vaste amphithéâtre en demi-
cercle, dont la pente herbeuse descendait doucement vers la mer. Loin à la surface de l'océan,
la pleine lune faisait scintiller les vagues, mais
on distinguait à peine les bungalows, régulièrement répartis sur la pente, espacés d'une centaine de mètres. « J'ai vingt-quatre bungalows
en tout, dit Aymeric. Finalement on n'a jamais
eu la subvention pour transformer le château
en hôtel de charme, ils ont trouvé qu'avec le
château de Bricquebec c'était déjà suffisant pour
le Nord de la Manche, alors on s'est reportés
sur ce projet de bungalows. Ça marche pas si
mal, enfin c'est le seul truc qui me rapporte
un peu de blé, je commence à avoir des clients
avec les ponts de mai, une fois même ça a été
complet en juillet. Évidemment, en hiver, c'est
complètement vide – enfin si, curieusement en
ce moment il y a un bungalow qui est loué, à
un type seul, un Allemand, je crois qu'il s'intéresse à l'ornithologie, de temps en temps je le
vois dans les prairies avec des jumelles et des
téléobjectifs, il ne te dérangera pas, je crois qu'il
ne m'a même jamais adressé la parole depuis

son arrivée, il me fait un signe de tête en passant et c'est tout. »

Vus de près, les bungalows étaient des blocs rectangulaires, quasi cubiques, recouverts de lattes de pin verni. L'intérieur était lui aussi en bois blond, la pièce était relativement vaste : un lit à deux places, un canapé, une table et quatre chaises – en bois également –, une kitchenette et un réfrigérateur. Aymeric ralluma le compteur électrique. Au-dessus du lit, un petit téléviseur sur un bras articulé. « J'ai la même avec une chambre d'enfants, deux lits superposés ; et avec deux chambres d'enfants, quatre lits supplémentaires ; vu la démographie occidentale, j'ai pensé que ce serait suffisant. Malheureusement, j'ai pas de wifi… » regretta-t-il. J'émis un grognement indifférent. « Ça me fait perdre pas mal de clients, insista-t-il, j'ai plein de gens c'est la première question qu'ils posent, le plan haut débit pour les campagnes ça traîne un peu, dans la Manche. Enfin c'est bien chauffé, poursuivit-il en désignant le radiateur électrique, là-dessus j'ai jamais eu de plaintes, on a fait attention à l'isolation au moment de la construction, c'est le point central. »

Il se tut brusquement. Je sentis qu'il était sur le point de parler de Cécile, je me tus également, j'attendis. « On se parlera demain, répéta-t-il d'une voix étouffée, je te souhaite une bonne nuit. »

Je m'allongeai sur le lit et allumai la télévision, le lit était douillet, confortable, la température dans la pièce s'adoucissait rapidement, il avait raison le chauffage marchait bien, c'était juste un peu dommage d'être seul, la vie n'est pas simple. La fenêtre était très large, presque une baie vitrée, sans doute dans le but de profiter de la vue sur l'océan, la pleine lune continuait à illuminer la surface des eaux qui me semblait-il s'était sensiblement rapprochée depuis notre arrivée, c'était sans doute un phénomène de marées je ne sais pas je n'y connais rien j'ai vécu ma jeunesse à Senlis et je passais mes vacances à la montagne, plus tard j'étais sorti avec une fille dont les parents avaient une villa à Juan-les-Pins, une petite Vietnamienne qui pouvait contracter sa chatte à un point incroyable, oh non je n'avais pas eu que du malheur dans ma vie, mais mon expérience des marées demeurait plus que restreinte, c'était curieux de sentir cette énorme masse liquide qui montait calmement pour recouvrir la terre, à la télévision il y avait *On n'est pas couchés*, le talk-show excité contrastait de manière anormale avec la lente progression de l'océan, il y avait trop d'animateurs et ils parlaient trop fort, le niveau sonore de cette émission était dans l'ensemble exagérément élevé, je coupai la télévision mais je le regrettai aussitôt, j'avais maintenant l'impression de manquer quelque chose de la réalité du monde, de me mettre en retrait de l'histoire, et que ce que je manquais était peut-être essentiel, le casting des invités était impeccable, on avait là les *gens qui comptaient* j'en avais la certitude. En regardant par la fenêtre je constatai que l'eau semblait s'être encore rapprochée, de manière même inquiétante, allions-nous être submergés dans l'heure suivante ? Dans ce cas, autant se divertir un peu. Finalement je tirai les rideaux, je rallumai la télévision en coupant le son et je compris aussitôt que j'avais fait le bon choix, comme ça c'était bien, l'excitation dans l'émission demeurait vive mais l'inaudibilité des propos, au fond, ajoutait à la joie, c'étaient comme de petites figurines médiatiques légèrement insensées mais plaisantes, elles allaient certainement m'aider à trouver le sommeil.

Le sommeil vint en effet mais il ne fut pas bon, ma nuit fut agitée de rêves funèbres, parfois érotiques mais globalement funèbres, j'avais peur maintenant de mes nuits, de laisser mon esprit se mouvoir sans contrôle, parce que mon esprit était conscient que mon existence s'orientait maintenant vers la mort, et il ne manquait pas une occasion de me le rappeler. Dans mon rêve je reposais à demi allongé, à demi enfoui dans le sol, sur une pente au sol visqueux et blanchâtre ; intellectuellement je savais, sans que rien ne l'indique dans le paysage, que nous étions dans une zone de moyennes montagnes ; à perte de vue autour de moi s'étendait une atmosphère cotonneuse, blanchâtre également. J'appelais faiblement, de manière répétée, avec constance, sans que mes appels soulèvent le moindre écho.

Vers neuf heures du matin je frappai à la porte du château, sans succès. Après une courte hésitation je me dirigeai vers l'étable, Aymeric n'y était pas non plus. Les vaches me suivirent du regard avec curiosité tandis que je remontais les allées ; je passai la main à travers les barreaux pour toucher leurs mufles ; le contact était tiède, humide. Leur regard était vif, elles avaient l'air robustes et en bonne santé ; quelles que soient ses difficultés, il parvenait encore à prendre soin de ses bêtes, c'était rassurant.

Le bureau était ouvert, et l'ordinateur allumé. Dans la barre des menus, je reconnus l'icône Firefox. Ce n'est pas que j'avais tant de raisons que ça de me connecter à Internet ; j'en avais exactement une.

Comme celui des anciens de l'Agro, l'annuaire des anciens de Maisons-Alfort était maintenant en ligne, et il me fallut à peu près cinquante secondes pour retrouver la fiche de Camille. Elle exerçait en libéral, son cabinet était situé à Falaise. C'était à trente kilomètres de Bagnoles-de-l'Orne. Ainsi, après notre séparation, elle était revenue vivre auprès de sa famille ; j'aurais dû m'en douter.

La fiche comportait uniquement l'adresse et le téléphone de son cabinet, il n'y avait aucune information personnelle ; je l'imprimai et la pliai en quatre avant de la ranger dans une poche de mon caban, sans savoir précisément ce que je comptais en faire, ou plus exactement sans savoir si j'aurais le courage de le faire, mais pleinement conscient que le reste de ma vie en dépendait.

En revenant vers mon bungalow je croisai l'ornithologue allemand, enfin je faillis le croiser. En m'apercevant à une trentaine de mètres de distance il se figea brusquement et demeura immobile quelques secondes, avant de bifurquer dans un chemin qui montait sur la gauche. Il avait un sac à dos et portait en bandoulière un appareil photo pourvu d'un téléobjectif énorme. Il marchait à pas rapides, je m'arrêtai pour suivre son parcours : il remonta pratiquement jusqu'au sommet de la pente, qui était à cet endroit assez raide, puis la longea sur presque un kilomètre avant de redescendre en oblique vers son bungalow, qui était à une centaine de mètres du mien. Ainsi, il avait fait un détour d'un quart d'heure uniquement pour éviter d'avoir à m'adresser la parole.

La fréquentation des oiseaux devait avoir des charmes qui m'avaient échappé jusqu'alors. On était le 26 décembre, les magasins devaient être ouverts. En effet, dans une armurerie de Coutances, je fis l'acquisition d'une paire de fortes jumelles, des Schmidt & Bender, qui étaient, m'assura avec enthousiasme le vendeur, homosexuel et joli, affligé d'un petit défaut de prononciation qui le faisait parler un peu comme un Chinois, « vlaiment ce qu'on tlouvait de mieux sur le malché, sans compalaison » : leurs optiques Schneider-Kreuznach étaient d'un piqué exceptionnel, et elles bénéficiaient d'un amplificateur de lumière efficace : même à l'aube, même au crépuscule, même par fort brouillard, j'étais assuré d'atteindre sans difficultés un grossissement de 50×.

Je consacrai le reste de ma journée à observer la marche saccadée, mécanique, des oiseaux sur la plage (la mer s'était retirée à des kilomètres, on la distinguait à peine dans la distance, laissant place à une immense étendue grise, parsemée de flaques irrégulières dont l'eau paraissait noire, un paysage assez sinistre en vérité). C'était intéressant cette après-midi naturaliste, ça me rappelait un peu mes années d'études, à cela près que je m'étais surtout intéressé aux plantes par le passé, mais pourquoi pas les oiseaux ? Il semblait y en avoir trois types : un complètement blanc, l'autre blanc et noir, le troisième blanc avec de longues pattes, et un bec à l'avenant. Leur nom, tant scientifique que vulgaire, m'était inconnu ; leurs activités, par contre, ne présentaient aucun mystère : piquant fréquemment de leur bec le sable humide, ils se livraient à l'équivalent de ce que l'on appelle chez les humains la *pêche à pied*. Un panneau d'informations touristiques m'avait un peu plus tôt appris qu'immédiatement après le retrait des grandes marées on pouvait facilement, dans le sable ou dans les flaques, faire ample provision de bulots, de bigorneaux, de couteaux, d'amandes de mer, parfois même d'huîtres ou de crabes. Deux humains (plus précisément, comme le grossissement de mes jumelles me le révéla, deux humaines d'une cinquantaine d'années, au physique trapu) remontaient elles aussi la plage, armées de crochets et de seaux, afin de disputer aux oiseaux leur pitance.

Je frappai de nouveau à la porte du château vers dix-neuf heures ; cette fois Aymeric était là, il avait l'air non seulement saoul mais un peu défoncé. « Tu as repris la beuh ? » m'informai-je. « Ouais, j'ai un dealer à Saint-Lô » confirma-t-il en sortant une bouteille de vodka du congélateur ; je préférai pour ma part m'en tenir au Chablis. Cette fois il ne remontait pas son fusil d'assaut, mais il avait sorti un portrait d'ancêtre, appuyé contre un fauteuil ; c'était un type trapu, au visage carré et parfaitement glabre, l'œil mauvais et attentif, sanglé dans une armure métallique. Dans une main il tenait un glaive énorme, qui lui arrivait presque à la poitrine, dans l'autre une hache ; dans l'ensemble il dégageait une impression de puissance physique et de brutalité extraordinaires. « Robert d'Harcourt, dit *le Fort*... commenta-t-il, la sixième génération de Harcourt ; bien après Guillaume le Conquérant, donc. Il a accompagné Richard Cœur de Lion à la troisième croisade. » Je me suis dit que c'était bien, quand même, d'avoir des racines.

« Cécile est partie il y a deux ans » poursuivit-il sans changer de ton. Ça y est, on y vient, me dis-je ; il allait aborder le sujet, enfin. « Dans un sens c'est de ma faute, je l'ai trop fait bosser, la gestion de la ferme c'était déjà énorme mais avec les bungalows c'est devenu dingue, j'aurais dû la ménager, essayer de m'occuper un peu d'elle. Depuis notre installation on n'avait pas pris une journée de vacances. Les femmes, ça a besoin de vacances... » Il en parlait de manière assez vague, comme d'une espèce apparentée, mais qu'il connaissait mal. « Et puis t'as vu où on est, les distractions culturelles. Les femmes, ça a besoin de distractions culturelles... » Il eut un geste évasif, comme pour éviter de préciser ce qu'il entendait par là. Il aurait pu ajouter que du point de vue shopping ce n'était pas Babylone, et que la Fashion Week n'était pas près de se décentraliser à Canville-la-Rocque.

En même temps, je me disais, elle n'avait qu'à épouser quelqu'un d'autre, la salope.

« Ou bien lui acheter des trucs, tu vois, des trucs un peu jolis… », il tira à nouveau sur son joint, là à mon avis il s'égarait un peu. Il aurait pu ajouter, avec plus de pertinence, qu'ils ne baisaient plus, et que c'était là le cœur du problème, les femmes sont moins vénales qu'on ne le prétend parfois, question bijoux tu leur achètes un colifichet africain de temps à autre et ça passe mais si tu les baises plus, si tu les désires même plus, là ça commence à craindre, et ça Aymeric le savait, avec le sexe tout peut être résolu, sans le sexe plus rien ne peut l'être, mais je savais qu'il n'en parlerait pas, sous aucun prétexte, pas même à moi et sans doute surtout pas à moi, à une femme peut-être il en aurait parlé, mais à vrai dire en parler n'aurait servi à rien et aurait même été contre-productif, remuer le couteau dans la plaie n'était pas la bonne option, j'avais évidemment compris la veille que sa femme l'avait quitté et pendant la journée j'avais eu le temps de préparer une contre-attaque, d'élaborer un projet positif, mais ce n'était pas encore le moment d'y venir, je rallumai une cigarette.

« Il faut dire aussi qu'elle est partie avec un mec » ajouta-t-il après un très long silence. Il eut une sorte de petit gémissement douloureux, involontaire, juste après le mot « mec ». Là il n'y avait rien à répondre, on était dans le dur, dans l'humiliation masculine à l'état brut, et je ne pus qu'émettre à mon tour un gémissement douloureux correspondant. « C'était un pianiste, poursuivit-il, un pianiste connu, il fait des concerts partout dans le monde, il a enregistré des disques. Il était venu là pour se reposer, pour faire un break, et puis il est reparti avec ma femme... »

Il y eut de nouveau un silence, mais j'avais pas mal de moyens de meubler ce silence, reprendre un verre de Chablis, faire claquer les jointures de mes doigts. « Je suis vraiment un con, j'ai pas fait gaffe... » reprit finalement Aymeric, d'une voix tellement basse que ça en devenait alarmant. « On a un très bon piano dans le château, un Bösendorfer demi-queue qui appartenait à une de mes aïeules, elle tenait une espèce de salon pendant le Second Empire, enfin dans la famille on n'a jamais vraiment été des mécènes, jamais comme les Noailles, mais elle avait quand même un salon, il paraît que Berlioz a joué sur ce piano, bref je lui ai proposé de jouer s'il voulait, il a fallu le faire réaccorder bien sûr, mais enfin il a passé de plus en plus de temps dans le château, et maintenant voilà, ils habitent à Londres mais ils se déplacent beaucoup, il fait des concerts partout dans le monde, en Corée du Sud, au Japon...

— Et tes filles ? » Je sentais qu'il valait mieux oublier l'histoire du Bösendorfer, avec les filles je soupçonnais que la situation n'était guère enthousiasmante, mais le Bösendorfer c'était le genre de détail qui tue, littéralement, qui vous pousse directement au suicide, il fallait absolument chasser ça de son esprit, les filles il y avait certainement une possibilité d'ouverture.

« J'ai un droit de garde, évidemment, mais en pratique elles sont à Londres, ça fait deux ans que je ne les ai pas vues ; qu'est-ce que tu veux que je fasse, ici, avec deux petites filles de cinq et sept ans ? »

Je jetai un regard sur la salle à manger, les boîtes de cassoulet et de cannellonis éventrées qui jonchaient le sol, l'armoire abattue qui laissait échapper une vaisselle de porcelaine en miettes (et c'était probablement Aymeric lui-même qui avait renversé cette armoire, au cours d'une crise de rage éthylique) ; en effet, on ne pouvait pas lui donner tort, c'est étonnant à quel point les hommes se laissent sombrer rapidement. J'avais remarqué la veille que les vêtements d'Aymeric étaient franchement sales, et même qu'ils puaient un peu ; déjà, à l'Agro, il ramenait son linge à laver à sa mère tous les week-ends, enfin moi aussi mais quand même j'avais appris à faire fonctionner les machines mises à disposition des étudiants dans le sous-sol de la résidence, et je l'avais fait deux ou trois fois, lui jamais, il n'en avait même pas soupçonné l'existence je crois. Peut-être en effet est-ce qu'il valait mieux laisser tomber, pour les petites filles, et se concentrer sur l'essentiel, après tout des petites filles il pourrait en refaire d'autres.

Il se resservit un grand verre de vodka, qu'il avala d'un trait, et conclut avec sobriété : « Ma vie est foutue. » Là je fus traversé par une sorte de déclic, et je dissimulai un sourire intérieur parce que je savais dès le début qu'il en arriverait là et pendant les quelques silences qui avaient entrecoupé sa narration j'avais eu le temps de peaufiner ma réplique, ma contre-attaque, ce projet positif que j'avais secrètement élaboré au long de mon après-midi consacrée à l'observation des oiseaux de mer.

« Ton erreur de base, attaquai-je avec alacrité, ça a été de te marier dans ton milieu. Toutes ces gonzesses, les Rohan-Chabot, les Clermont-Tonnerre, qu'est-ce que c'est aujourd'hui, en réalité ? juste des petites pétasses prêtes à tout pour décrocher un stage dans un hebdomadaire culturel, ou chez un couturier alternatif (là je tombais assez juste sans le savoir, parce que Cécile était une Faucigny-Lucinge, une famille tout à fait du même niveau, du même niveau de noblesse s'entend). Bref, en aucun cas des femmes d'agriculteurs. Alors que t'as des centaines, des milliers, des millions de filles (je m'emportais un peu) pour lesquelles tu représentes l'idéal masculin absolu. Prends une Moldave, ou d'un autre point de vue une Camerounaise ou une Malgache, une Laotienne à la rigueur : ce sont des filles pas très riches et même carrément pauvres, issues d'un milieu absolument rural, elles n'ont jamais connu d'autre univers, elles ne savent même pas que ça existe. Alors là tu arrives, tu es dans la force de l'âge, encore pas mal physiquement, un beau mec costaud dans la quarantaine, et tu possèdes la moitié du département en herbages (là j'exagérais un peu, mais enfin c'était l'idée). Évidemment ça te rapporte que dalle mais ça elles ne peuvent pas le deviner et au fond elles ne le comprendront jamais parce que dans leur esprit la richesse c'est la terre, c'est la terre et le troupeau, alors je peux t'assurer qu'elles ne lâcheront pas l'affaire, elles seront dures à la tâche, elles ne renonceront jamais, elles seront debout à cinq heures du matin pour la traite.

Et en plus elles seront jeunes, largement plus sexy que toutes tes pétasses aristocratiques, et elles baiseront quarante fois mieux. Il faudra juste que tu freines un peu sur la vodka, ça risque de leur rappeler leur milieu d'origine, surtout si c'est une fille des pays de l'Est, mais de toute façon ça peut pas te faire de mal, de freiner un peu sur la vodka. Elles se lèveront à cinq heures du matin pour la traite, m'enthousiasmai-je, de plus en plus convaincu par ma propre évocation, je visualisais la Moldave, ensuite elles te réveilleront avec une pipe, et en plus le petit déjeuner sera prêt !... »

Je jetai un regard à Aymeric, il m'avait écouté jusque-là avec attention j'en étais persuadé mais il commençait à s'assoupir, il avait dû commencer à picoler avant mon arrivée, au début de l'après-midi probablement. « Ton père serait de mon avis... » conclus-je, un peu à bout d'arguments ; là j'étais moins sûr, je connaissais à peine le père d'Aymeric, je ne l'avais vu qu'une fois, il m'avait fait l'effet d'un brave type mais un peu raide, les transformations sociales survenues en France depuis 1794 lui avaient sans doute plus ou moins échappé. Historiquement je savais que je n'avais pas tort, l'aristocratie n'avait jamais hésité, en cas de signes de décadence avérés, à renouveler la génétique du troupeau en allant chercher des blanchisseuses ou des lingères, maintenant il fallait aller les chercher un peu plus loin c'est tout, mais Aymeric était-il en état de faire preuve de bon sens ? Puis un doute plus général, plus biologique me vint : à quoi bon essayer de sauver un vieux mâle vaincu ? Nous en étions à peu près au même point, nos destinées étaient différentes, mais la fin comparable.

Il s'était vraiment endormi, maintenant. Peut-être n'avais-je pas parlé en vain, peut-être la Moldave pourrait-elle s'insinuer dans son rêve. Il dormait, assis tout droit sur le canapé, les yeux grands ouverts.

Je savais que je ne reverrais pas Aymeric le lendemain, ni probablement les jours suivants, il allait regretter sa confession, il reviendrait le 31 parce que quand même on ne peut pas *rien faire* le soir du 31, enfin ça m'était déjà arrivé plusieurs fois mais j'étais différent de lui, plus imperméable aux modalités. Il me restait quatre jours de solitude et je sentis tout de suite que les oiseaux n'allaient pas suffire, ni la télévision ni les oiseaux, pris ensemble ou séparément, ne pourraient suffire, c'est alors que je repensai à l'Allemand, dès le matin du 27 je braquai mes jumelles Schmidt & Bender sur l'Allemand, au fond je crois que j'aurais aimé être flic, m'insinuer dans la vie des gens, pénétrer leurs secrets. Je ne m'attendais à rien de bien passionnant, concernant l'Allemand ; je me trompais. Vers cinq heures de l'après-midi, une petite fille frappa à la porte de son bungalow ; enfin une petite fille entendons-nous, c'était une brunette d'une dizaine d'années au visage enfantin, mais elle était plus grande que son âge. Elle était venue à vélo, elle devait vivre dans les environs immédiats. Bien entendu, je

soupçonnai immédiatement une affaire de pédophilie : quelle raison pouvait bien avoir une
petite fille de dix ans pour frapper à la porte
d'un quadragénaire misanthrope et sinistre, allemand de surcroît ? Était-ce pour qu'il lui fasse
lecture des poèmes de Schiller ? C'était bien
plus vraisemblablement pour qu'il lui montre
sa queue. L'homme avait d'ailleurs tout à fait un
profil de pédophile, cultivé dans la quarantaine,
solitaire, incapable de nouer des relations avec
les autres et encore moins avec les femmes, c'est
ce que je me dis avant de me rendre compte
qu'on aurait pu dire la même chose de moi,
que j'aurais pu être décrit exactement dans les
mêmes termes, cela m'agaça, je braquai pour
me calmer mes jumelles sur les fenêtres du bungalow, mais les rideaux étaient tirés, je ne pus
ce soir-là en apprendre davantage, sinon qu'elle
ressortit presque deux heures plus tard, et qu'elle
consulta les messages de son portable avant de
remonter sur son vélo.

Le lendemain elle revint à peu près à la même
heure, mais cette fois il avait oublié de tirer les
rideaux, ce qui me permit de distinguer une
caméra vidéo installée sur un trépied ; mes soup-
çons se confirmaient. Malheureusement, immédiatement après l'arrivée de la fille, il s'aperçut
que les rideaux étaient ouverts, se dirigea vers la
fenêtre et occulta la pièce à ma vue. Ces jumelles
étaient extraordinaires, j'avais parfaitement dis-
tingué l'expression de son visage, son état d'excitation était extrême, j'eus même l'impression
sur le moment qu'il salivait un peu ; lui-même
de son côté, j'en suis certain, ne soupçonnait
aucunement ma surveillance. La fillette repartit,

comme la veille, au bout d'un peu moins de deux heures.

Le même scénario se reproduisit le surlendemain, à ceci près que j'eus brièvement l'impression de voir passer la fillette à l'arrière-plan, en tee-shirt, fesses nues ; mais ce fut flou et fugitif, j'avais fait la mise au point sur le visage du type, et cette incertitude devenait franchement exaspérante.

Une ouverture se présenta enfin le matin du 30. Vers dix heures je le vis partir, déposer dans son 4×4 (un Defender de collection, probablement un modèle de 1953 ou quelque chose, l'imbécile n'était pas seulement un misanthrope et probablement un pédophile mais également un snob de la pire espèce, pourquoi est-ce qu'il ne se contentait pas d'un 4×4 Mercedes comme tout le monde et comme moi, il allait le payer, il allait chèrement le payer), bref le pédophile (je ne l'ai pas noté mais il avait exactement une tête d'universitaire allemand, un universitaire allemand en congé maladie ou plus probablement en congé de recherches, sans doute allait-il observer des sternes arctiques dans le Nord-Ouest du Cotentin, près du cap de la Hague ou quelque chose), bref il déposa une glacière dans le coffre de son Defender, elle devait contenir quelques bières bavaroises dont il avait le secret, et un sac en plastique vraisemblablement rempli de sandwiches, il en avait pour la matinée, il reviendrait probablement peu avant son rendez-vous rituel de cinq heures de l'après-midi, c'était le moment d'opérer, et de le confondre.

J'attendis quand même une heure, pour être sûr, puis me dirigeai tranquillement, en flânant, vers son bungalow. J'avais emporté une trousse d'outillage d'urgence, que j'avais constamment dans le coffre de ma Mercedes, mais la porte n'était même pas fermée, c'est étonnant quand même la confiance qu'ont les gens, quand ils arrivent dans la Manche, ils se sentent pénétrer dans un espace brumeux, paisible, éloigné des enjeux humains habituels et en un sens éloigné du mal, enfin c'est l'image qu'ils en ont. Il me fallut quand même rallumer l'ordinateur, il devait être soucieux de la consommation d'électricité même en mode veille, il nourrissait des convictions écologistes probablement, par contre il n'y avait pas de mot de passe et là c'était carrément stupéfiant, tout le monde a un mot de passe maintenant, même les enfants de six ans ont un mot de passe sur leur tablette, c'était quoi au juste ce type ?

Les fichiers étaient classés par année et par mois, et dans le dossier de décembre il n'y avait qu'une seule vidéo, intitulée « Nathalie ». Je n'avais jamais vu de vidéo pédophile, je savais que ça existait mais sans plus, et tout de suite je sentis que j'allais souffrir de l'amateurisme de la prise de vue, dès les premières secondes il braquait accidentellement sa caméra sur le carrelage de la salle de bains, puis la remontait vers le visage de la fillette qui était en train de se farder, elle étalait sur ses lèvres une couche épaisse de vermillon, une couche trop épaisse, ça débordait, puis se passait du bleu à paupières, là aussi elle s'y prenait mal, par gros pâtés, pourtant ça

213

avait l'air de plaire beaucoup à l'ornithologue, je l'entendais grommeler : « Gut... gut... », c'était jusqu'à présent la seule chose un peu dégoûtante du film. Ensuite il tenta un mouvement de travelling arrière, enfin plus exactement il recula et on découvrit la fille devant le miroir de la salle de bains, nue à l'exception d'un minishort en jean, c'était le même qu'elle avait en arrivant. Elle n'avait presque pas de seins, enfin on distinguait un bourgeonnement, une promesse. Il dit quelques mots que je ne compris pas, aussitôt elle ôta son short et s'assit sur le tabouret de la salle de bains, puis elle écarta les jambes et commença à passer son majeur sur sa chatte, elle avait une petite chatte bien formée mais parfaitement glabre, là je suppose qu'un pédophile aurait dû commencer à être sérieusement excité, et en effet je l'entendais respirer de plus en plus fort, la caméra tremblait un peu.

Brutalement on changea de plan, et on redécouvrit la fille dans la salle de séjour. Déjà vêtue d'une micro-jupe écossaise elle enfilait des bas résille, qu'elle accrochait à un porte-jarretelles – tout ça était un peu grand pour elle, ça devait être des vêtements pour adultes, des XS, enfin ça allait mais de justesse. Ensuite elle a noué un petit haut, également en tissu écossais, autour de sa poitrine et là j'ai trouvé qu'elle avait raison, même si elle n'avait pas de seins ça donnait l'idée.

Il y eut ensuite un passage un peu confus au cours duquel il chercha une cassette audio qu'il introduisit dans un radiocassette, je ne savais pas que ça existait encore ce truc-là, enfin c'était comme le Defender, c'était vintage. La fille attendait tranquillement, les bras ballants. J'eus du mal lorsqu'elle démarra à reconnaître la chanson, ça ressemblait à un truc disco de la fin des années 1970 ou du début des années 1980, du Corona peut-être, mais la fille réagit bien, elle se mit aussitôt à tourner sur elle-même et à danser et c'est là que je commençai vraiment à avoir mal au cœur, pas à cause du contenu mais de la prise de vue, il devait s'être accroupi pour la prendre en contre-plongée, il devait sautiller autour d'elle comme un vieux crapaud. La fille dansait avec un réel enthousiasme, emportée par le rythme, de temps en temps elle faisait virevolter sa jupette, ce qui permettait à l'ornithologue de très beaux aperçus sur son petit cul, à d'autres moments elle s'immobilisait face à la caméra et ouvrait les cuisses en se mettant un ou deux doigts, elle enfonçait ensuite les doigts dans sa bouche et les suçait longuement, quoi qu'il en soit il s'excitait de plus en plus, les mouvements de la caméra devenaient franchement chaotiques et je commençais à en avoir un peu marre lorsque enfin il se calma, reposa la caméra sur son trépied et revint s'asseoir sur le canapé. La fille continua à tourner quelque temps sur la musique pendant qu'il la regardait avec adoration, il avait déjà joui, intellectuellement s'entend, demeurait une dimension physique, je suppose qu'il avait déjà commencé de se branler.

La cassette s'interrompit soudain, avec un déclic net. La fille fit une petite révérence, elle eut une sorte de rictus ironique, puis elle s'approcha de l'Allemand et s'agenouilla entre ses cuisses – il avait baissé son pantalon, sans cependant l'enlever. Il n'avait pas bougé la caméra de son socle, ce qui fait qu'on ne voyait à peu près rien – ce qui était contraire à tous les codes de la vidéo pornographique, amateur incluse. La fille semblait malgré son jeune âge s'acquitter de sa tâche avec compétence, l'ornithologue poussait de temps à autre un grognement satisfait, qu'il entrecoupait de mots tendres du genre « Mein Liebchen », enfin il semblait énormément tenir à cette fille, je n'aurais jamais cru ça, chez un type aussi froid.

J'en étais là, et la vidéo touchait à sa fin, l'éjaculation ne pourrait à mon avis plus guère tarder, lorsque j'entendis des crissements de pas sur le gravier. Je me levai d'un bond, aussitôt conscient qu'il n'y avait aucune issue, aucun moyen d'éviter l'affrontement, et que cet affrontement pouvait être mortel, il pouvait me tuer tout de suite et espérer s'en tirer, il avait peu de chances mais enfin il pouvait espérer. En entrant il eut un soubresaut quasi cataleptique, tout son corps tremblait, j'eus un moment l'espoir qu'il allait s'évanouir mais finalement non, il demeura campé sur ses jambes, son visage était extraordinairement rouge. « Je ne vous dénoncerai pas ! » hurlai-je, je sentais qu'il fallait hurler, que seul un hurlement puissant pourrait me tirer d'affaire, et puis tout de suite après je compris que le mot « dénoncer » lui était probablement inconnu, je me mis à hurler de plus belle : « Je ne parlerai pas ! Je ne dirai rien à personne ! », et je recommençai plusieurs fois à hurler : « Je ne parlerai pas ! Je ne dirai rien à personne ! » tout en entamant un lent mouvement d'approche vers la porte. Tout en hurlant j'avais levé les bras, écartés devant moi, comme un signe d'innocence ; il ne devait avoir aucune habitude de la violence physique, c'était mon espoir, ma seule chance.

Je continuai à m'avancer doucement, en répétant à voix plus basse, sur un rythme que j'espérais obsédant : « Je ne parlerai pas. Je ne dirai rien à personne. » Et d'un seul coup, lorsque j'arrivai à moins d'un mètre de lui, étais-je entré dans un territoire corporel individuel je ne sais pas mais il fit un bond en arrière, m'ouvrant l'accès à la porte, je me précipitai dans l'ouverture, continuai en courant sur le chemin et en moins d'une minute j'étais bouclé dans mon bungalow.

Je me servis un grand verre de poire Williams et revins rapidement à la raison : c'était *lui* qui était en danger, ce n'était pas moi ; c'était *lui* qui risquait trente ans de prison incompressibles, ce n'était pas moi ; il n'allait pas faire long feu. Et en effet, moins de cinq minutes plus tard, je l'observai – ces jumelles étaient décidément remarquables – pendant qu'il enfournait ses bagages dans le coffre de son Defender, qu'il se mettait au volant et qu'il disparaissait vers un destin inconnu.

Au matin du 31 je me levai d'une humeur presque paisible, et promenai un œil serein sur le paysage de bungalows, dont j'étais à présent le seul locataire ; si l'ornithologue avait bien roulé il devait à présent être aux alentours de Mayence, ou de Coblence, et il devait être heureux, de ce bref bonheur que l'on éprouve lorsqu'on vient d'échapper à un malheur considérable, et que l'on se retrouve confronté au malheur ordinaire. Tout en me concentrant avant tout sur l'Allemand, je n'avais pas négligé les amateurs de pêche à pied, qui s'étaient succédé, tout au long de la semaine, en rafales serrées, il est vrai que nous étions en période de vacances. Un petit guide très bien fait, édité par les éditions Ouest-France, que j'avais acheté au Super U de Saint-Nicolas-le-Bréhal, m'avait révélé l'ampleur du phénomène de la pêche à pied, ainsi que l'existence de certaines espèces animales telles que les galathées, les mactres, les anomies et les scrobiculaires, sans oublier la donace des canards, qui se cuisine poêlée avec une persillade. Un espace de convivialité se jouait là, j'en avais la certitude, j'avais vu célébrer ce mode de vie sur TF1, plus rarement sur France 2, les gens se regroupaient en familles ou parfois en couples d'amis, puis ils faisaient griller des couteaux et des clams sur un feu de braises, qu'ils accompagnaient d'un muscadet consommé avec modération, nous avions là affaire à un stade de civilisation supérieur où les appétits sauvages se trouvaient rassasiés lors de la pêche à pied. La confrontation n'allait pas sans risques, le guide m'en avertissait sans ambages : la petite vive pouvait infliger des douleurs insupportables, c'était le plus virulent des poissons ; si l'anomie était facile à pêcher, la capture du scrobiculaire demandait patience et agilité ; la prise de l'ormeau ne pouvait s'envisager sans l'aide d'un croc à longue tige ; aucune marque, il fallait le savoir, ne permettait de repérer les palourdes. Ce stade de civilisation avancé je n'y avais pas accédé, et encore moins le pédophile allemand, qui devait à cette heure être aux alentours de Dresde, peut-être même était-il passé en Pologne, où les conditions d'extradition étaient plus difficiles. Vers dix-sept heures, comme tous les jours, la petite fille arrêta son vélo devant le bungalow de l'ornithologue. Elle frappa longuement à la porte, puis s'approcha pour regarder à travers les rideaux ; elle retourna ensuite à la porte, frappa encore longuement avant de renoncer. Son expression était difficile à déchiffrer, elle ne semblait pas vraiment triste (pas encore ?), plutôt surprise et dépitée. À cet instant je me demandai s'il la payait, c'était difficile à savoir, mais la réponse à mon avis était probablement oui.

Vers dix-neuf heures je me dirigeai vers le château, il était temps d'en finir avec cette année. Aymeric n'était pas là mais il avait accompli certains préparatifs, des cochonnailles étaient disposées sur la table de la salle à manger, de l'andouille de Vire et du boudin artisanal, d'autres charcuteries plus italiennes et également des fromages, quant à la boisson il y en aurait toujours, là-dessus je ne m'inquiétais aucunement.

La nuit, l'étable était un endroit apaisant, le troupeau des trois cents vaches produisait une rumeur douce faite de soupirs, de meuglements légers, de mouvements dans la paille – car il y avait de la paille, il s'était refusé à la facilité du caillebotis, il tenait à produire du fumier pour en recouvrir ses champs, son objectif était vraiment de travailler à l'ancienne. J'eus un moment d'abattement en me souvenant que sur le plan comptable il était foutu, puis quelque chose d'autre advint, les meuglements doux des vaches, l'odeur pas du tout déplaisante du fumier, tout cela me donna brièvement le sentiment peut-être pas d'avoir une place dans le monde, il ne faut pas exagérer, mais quand même d'appartenir à une sorte de continuum organique, de regroupement animal.

Le petit réduit qui lui servait de bureau était allumé et Aymeric était derrière son ordinateur, un ensemble casque-micro sur la tête, il était captivé par le contenu de l'écran et ne m'aperçut qu'à la dernière seconde. Il se leva brusquement et eut un geste de protection absurde, comme s'il voulait me dissimuler l'image, que je ne pouvais en aucun cas apercevoir. « T'en fais pas, prends ton temps, t'en fais pas, je retourne au château... » lui fis-je avec un vague geste de la main (j'essayais sans doute inconsciemment d'imiter l'inspecteur Columbo, l'inspecteur Columbo a eu un impact surprenant sur les jeunes gens de mon âge), avant de rebrousser chemin. J'avais levé les bras pour accompagner mes paroles, un peu comme la veille avec le pédophile allemand, mais hélas il ne s'agissait pas de pédophilie, c'était bien pire, j'en étais certain il avait tenu en ce dernier jour de l'année à échanger par Skype avec Londres, sûrement pas avec Cécile mais bel et bien avec ses filles, il devait communiquer par Skype avec ses filles au moins une fois par semaine. « Et comment tu vas mon papa ? », je voyais ça comme si j'y étais, et je comprenais bien la position des petites filles, est-ce qu'un pianiste de concerts classiques ça pouvait leur donner une image paternelle virile, en aucun cas évidemment (Rachmaninov ?), juste une pédale londonienne de plus, alors que leur père avait affaire à des vaches adultes, de gros mammifères tout de même, au moins cinq cents kilos. Et lui-même qu'est-ce qu'il pouvait bien raconter à ses petites filles, des sottises évidemment, il leur disait qu'il allait bien ce con alors qu'il allait tout sauf bien, il était juste en train de crever de leur absence, et de l'absence d'amour plus généralement. Ainsi, selon toute vraisemblance il était foutu, me dis-je en retraversant la cour, il ne se sortirait jamais de cette histoire, il en souffrirait jusqu'à la fin de ses jours, et tout mon baratin sur la Moldave n'aurait servi à rien. J'étais de mauvaise humeur, et je me servis un grand verre de vodka sans l'attendre, tout en dévorant des tranches de boudin artisanal, décidément on ne peut rien à la vie des gens me disais-je, ni l'amitié ni la compassion ni la psychologie ni l'intelligence des situations ne sont d'une utilité quelconque, les gens fabriquent eux-mêmes le mécanisme de leur malheur, ils remontent la clef à bloc et ensuite le mécanisme continue de tourner, inéluctablement, avec quelques ratés, quelques faiblesses lorsque la maladie s'en mêle, mais il continue de tourner jusqu'à la fin, jusqu'à la dernière seconde.

Aymeric arriva un quart d'heure plus tard, il affectait une certaine légèreté, comme pour faire oublier l'incident, ce qui ne fit que confirmer mes certitudes, et plus encore celle de mon impuissance. Je n'étais cependant pas tout à fait calmé, pas tout à fait résigné, et j'attaquai la conversation en abordant d'emblée le sujet qui fait mal.

« Tu vas divorcer ? » demandai-je très calmement, sur un ton presque indifférent.

Il s'affaissa littéralement sur le canapé, je lui servis un grand verre de vodka, il lui fallut au moins trois minutes avant d'y porter ses lèvres, j'eus même à un moment l'impression qu'il allait se mettre à pleurer, ce qui aurait été embarrassant. Ce qu'il avait à me raconter n'avait rien d'original, non seulement les gens se torturent les uns les autres, mais ils se torturent avec une totale absence d'originalité. Il est évidemment pénible de voir quelqu'un qu'on a aimé, avec lequel on a partagé des nuits, des réveils, peut-être des maladies, des soucis pour la santé des enfants, se transformer en quelques jours en une sorte de goule, de harpie dotée d'une avidité financière sans limites ; c'est une expérience pénible, dont on ne se remet jamais tout à fait, mais elle est peut-être en un sens salutaire, la traversée d'un divorce est peut-être le seul moyen efficace de mettre fin à l'amour (dans la mesure évidemment où l'on considère que la fin de l'amour puisse être une chose salutaire), si j'avais pour ma part épousé Camille avant d'en divorcer peut-être aurais-je réussi à cesser de l'aimer – et c'est exactement à ce moment, tout en écoutant le récit d'Aymeric, que pour la première fois, sans précaution, affabulation ni restriction d'aucun ordre, je laissai directement pénétrer dans ma conscience cette évidence pénible, atroce et létale que j'aimais encore Camille ; décidément, ce réveillon était bien mal parti.

Dans le cas d'Aymeric c'était encore pire, même la cessation de son amour pour Cécile ne lui serait d'aucun secours, il y avait les petites filles, le piège était parfait. Et sur le plan financier son histoire, quoique absolument fidèle à ce qu'on peut communément observer dans les cas de divorce, présentait certains aspects spécialement inquiétants. La communauté réduite aux acquêts très bien, c'était le régime usuel, mais les acquêts, dans son cas, étaient loin d'être négligeables. D'abord il y avait la ferme, la nouvelle étable, les machines agricoles (l'agriculture est une industrie lourde, qui immobilise des capitaux de production importants pour dégager un revenu faible ou nul, voire dans le cas d'Aymeric un revenu négatif) : la moitié de ce capital appartenait-elle à Cécile ? Surmontant sa répugnance pour les finasseries juridiques, les membres du barreau et sans doute plus généralement pour la loi, son père s'était résolu à engager un avocat, qui lui avait été conseillé par une relation du Jockey-Club. Les premières conclusions du consultant avaient d'ailleurs été relativement rassurantes, au moins en ce qui concernait la ferme : les terres appartenaient toujours au père d'Aymeric, et l'ensemble des améliorations apportées, la nouvelle étable, les machines, on pouvait le considérer, aussi ; légalement, on pouvait soutenir la thèse qu'Aymeric n'était qu'une sorte de régisseur. Pour les bungalows, c'était autre chose : l'entreprise hôtelière, l'ensemble des constructions était à son nom, seules les terres étaient demeurées la propriété de son père. Si Cécile s'obstinait à réclamer la moitié de la valeur des bungalows, ils n'auraient d'autre choix que de mettre l'entreprise en liquidation judiciaire et d'attendre que se présente un repreneur, ce qui pourrait prendre du temps, des années probablement. En somme, conclut Aymeric avec un mélange de désespoir et de dégoût, ce mélange qui finit par être votre état d'esprit permanent lors d'un divorce à mesure que se met en place la procédure, que se succèdent les tractations, négociations, propositions et contre-propositions d'avocats et de notaires, en somme ce divorce, il n'était pas près d'en voir la fin.

« En plus il n'est pas question pour mon père de vendre les terrains donnant sur la mer, ceux sur lesquels sont construits les bungalows, ça il ne s'y résoudra jamais... ajouta-t-il. Depuis des années il prend sur lui, chaque fois que je suis obligé de vendre une parcelle pour équilibrer mes comptes, je sais qu'il en souffre, il en souffre presque physiquement, il faut bien te rendre compte que pour un aristocrate traditionnel – et c'est ce qu'il est, très exactement – l'essentiel c'est de transmettre le domaine familial aux générations ultérieures, si possible de l'agrandir un peu mais au moins de ne pas le réduire, et depuis le début c'est ce que je fais, je réduis le domaine familial, je n'arrive simplement pas à m'en sortir autrement, alors forcément il commence à en avoir marre, il aurait envie que je jette l'éponge, la dernière fois il me l'a dit ouvertement, "la vocation des Harcourt n'a jamais été d'être des fermiers...", il me l'a dit comme ça, c'est peut-être vrai mais ce n'est pas non plus d'être des hôteliers, et curieusement il aimait bien le projet de Cécile, le projet d'hôtel de charme, mais c'est sans doute seulement parce que ça aurait permis de restaurer le château, les bungalows par contre il s'en fout complètement, on pourrait les détruire demain au bazooka que ça lui serait égal. Ce qui est terrible c'est que c'est quelqu'un qui n'a à peu près rien fait d'utile de sa vie – il s'est contenté d'aller à des mariages, des enterrements, quelques chasses à courre, un verre de temps en temps au Jockey-Club, il a eu quelques maîtresses aussi je crois, enfin rien d'excessif – et il a laissé le patrimoine des Harcourt intact. Moi j'essaie de monter quelque chose, je me crève au boulot, je me lève tous les jours à cinq heures, je passe mes soirées dans la comptabilité – et le résultat, en fin de compte, c'est que j'appauvris la famille... »

Il avait parlé longtemps, il s'était cette fois vraiment expliqué à fond, et il était j'imagine pas très loin de minuit lorsque je lui proposai de mettre de la musique, ce qui était depuis longtemps la seule chose à faire, la seule chose possible dans notre situation, il acquiesça avec reconnaissance et là je ne me souviens plus trop bien de ce qu'il a mis parce que j'étais moi-même complètement saoul, saoul et désespéré, le fait de repenser à Camille m'avait achevé en quelques secondes, immédiatement avant je me sentais le mec fort, le sage et le consolateur, et d'un seul coup je n'étais plus qu'une merde à la dérive, enfin je suis sûr qu'il nous a mis ce qu'il avait de mieux, ce à quoi il tenait le plus. Le seul souvenir précis que j'ai, c'est un enregistrement de *Child in time*, un pirate réalisé à Duisburg en 1970, la sonorité de ses Klipschorn était vraiment exceptionnelle, esthétiquement c'était peut-être le plus beau moment de ma vie, je tiens à le signaler dans la mesure où la beauté peut servir à quelque chose, enfin on a dû se le passer trente ou quarante fois, à chaque fois captivés, sur le fond de la calme maîtrise de Jon Lord, par le mouvement d'envol absolu par lequel Ian Gillan passait de la parole au chant, puis du chant au cri, et ensuite revenait à la parole, immédiatement après s'ensuivait le break majestueux de Ian Paice, il est vrai que Jon Lord le soutenait avec son habituel mélange d'efficacité et de grandeur, mais quand même le break de Ian Paice était somptueux, c'était sans doute le plus beau break de l'histoire du rock, puis Gillan revenait et la seconde partie du sacrifice était consommée, Ian Gillan s'envolait à nouveau de la parole au chant, puis du chant au cri pur, et malheureusement peu après le morceau se terminait et il n'y avait plus qu'à replacer l'aiguille au début et nous aurions pu vivre éternellement ainsi, éternellement je ne sais pas c'était sans doute une illusion mais une illusion belle, j'étais allé avec Aymeric je m'en souvenais à un concert de Deep Purple au Palais des Sports, c'était un bon concert mais quand même moins bon que celui de Duisburg, nous étions vieux, les moments allaient maintenant devenir rares, mais tout cela reviendrait au moment de notre agonie, de la sienne comme de la mienne, il y aurait aussi Camille dans mon cas, et probablement Kate, je ne sais pas comment j'ai réussi à rentrer, je me souviens d'avoir attrapé une tranche de boudin artisanal que je mâchonnai longuement, au volant de mon 4 × 4, sans en sentir véritablement le goût.

Le matin du 1ᵉʳ janvier se leva, comme tous les matins du monde, sur nos existences problématiques. Je me levai également, prêtai de mon côté une attention relative au matin – qui était de nature brumeuse, mais brumeuse sans excès, un matin de brume ordinaire ; des émissions de bonne année suivaient leur cours sur les principales chaînes de divertissement, mais je ne connaissais aucune des chanteuses, il m'apparut cependant que la bombasse latino cédait du terrain par rapport à la Celtique concernée, mais je n'avais de cet aspect de la vie qu'une vision épisodique et approximative, globalement optimiste : si les audiences en avaient décidé ainsi, en un sens, c'était bien. Vers seize heures, je me dirigeai vers le château. Aymeric était revenu à son état habituel, c'est-à-dire morose, buté et désespéré ; il démontait et remontait, un peu mécaniquement, son fusil d'assaut Schmeisser. C'est alors que je lui dis que j'avais envie d'apprendre à tirer.

« Tirer comment ? Tirer pour te défendre, ou tir sportif ? », il avait l'air ravi que j'aborde un sujet concret, technique, soulagé surtout que je ne revienne pas sur la conversation de la veille.

« Un peu les deux, je crois... » De fait, lors de ma confrontation avec l'ornithologue, je me serais senti plus à l'aise avec un revolver ; mais, aussi, il y avait dans le tir de précision quelque chose qui m'attirait depuis longtemps.

« Comme arme de défense, je peux te passer un Smith & Wesson à canon court – un peu moins précis que le canon long, mais beaucoup plus facile à transporter. C'est du 357 Magnum, létal sans problème à dix mètres, et c'est super-simple à utiliser, je t'explique en cinq minutes. Pour le tir sportif... », sa voix était devenue plus sonore, j'y sentais frémir un enthousiasme que je ne lui avais pas connu depuis des années, depuis nos vingt ans en fait, « le tir sportif j'ai vraiment adoré ça, j'en ai fait des années tu sais. C'est vraiment extraordinaire, le moment où tu as la cible au centre de ta mire tu ne penses plus à rien, tu oublies tous tes soucis. Les premières années de mon installation c'était tellement dur, tellement plus dur que ce que j'avais pu imaginer, je crois que j'aurais pas tenu le coup sans mes séances de tir. Maintenant, évidemment... » il tendit sa main droite à l'horizontale, et en effet au bout de quelques secondes elle se mit à trembler, de manière faible mais indiscutable. « La vodka... C'est une incompatibilité absolue, il faut choisir. » Est-ce qu'il avait eu le choix ? Est-ce que quiconque a le choix ? J'avais des doutes à ce sujet.

« Pour le tir sportif j'ai vraiment une arme que j'ai adorée, une Steyr Mannlicher, la HS50, je peux te la prêter si tu veux mais il faut que je la vérifie, que je la nettoie à fond, ça fait trois ans qu'elle n'a pas servi, je m'en occupe ce soir. »

Il tituba légèrement en se dirigeant vers son armurerie, trois portes coulissantes dans l'entrée, et derrière il y avait une vingtaine d'armes – des fusils, des carabines et quelques armes de poing – ainsi que des dizaines de boîtes de cartouches empilées. La Steyr Mannlicher me surprit, cela ne ressemblait nullement à une carabine mais à un simple cylindre d'acier d'un gris sombre, d'une abstraction totale. « Il y a le reste, évidemment, il faut la remonter... Mais la précision d'usinage du canon, je t'assure, c'est l'essentiel... » Il tint un instant le canon dans la lumière, pour me le faire admirer ; oui c'était un cylindre, sans doute un cylindre parfait, j'étais prêt à en convenir. « Bon, je m'en occupe... conclut-il sans insister davantage, je te l'amène demain. »

En effet, le lendemain matin dès huit heures il gara son pick-up devant le bungalow, il était vraiment dans un état d'excitation inhabituel. Le Smith & Wesson ce fut vite vu, ces engins sont d'une simplicité d'utilisation déconcertante. La Steyr Mannlicher c'était autre chose, il sortit de son coffre un étui de protection en polycarbonate rigide, qu'il déposa avec précaution sur la table. À l'intérieur, précisément positionnés dans leurs logements en mousse, gisaient quatre éléments d'acier gris sombre, usinés avec une précision extrême, dont aucun n'évoquait directement une arme, et qu'il me fit monter et démonter à plusieurs reprises : outre le canon il y avait un socle, un chargeur et un trépied d'appui ;

l'ensemble une fois monté ne ressemblait toujours pas à une carabine au sens habituel du terme mais à une sorte d'araignée de métal, une araignée tueuse où pas une fioriture esthétique n'était admise, pas un gramme de métal n'était inutile, et je commençais à comprendre son enthousiasme, je crois que je n'avais jamais vu d'objet technologique dont émanât une telle sensation de perfection. Il ajouta enfin, au sommet de l'assemblage métallique, une lunette de visée. « C'est une Swarovski DS5, précisa-t-il, ça c'est très mal vu dans les milieux du tir sportif, c'est même carrément interdit en compétition, ce qu'il faut voir c'est que la trajectoire de la balle n'est pas rectiligne, elle est forcément parabolique, et les instances du tir sportif considèrent que ça fait partie de l'épreuve, qu'il est normal que les concurrents s'habituent à viser un peu au-dessus du centre pour tenir compte de la déviation parabolique. La Swarovski a un télémètre laser intégré, elle estime ta distance par rapport à la cible et elle corrige d'elle-même donc tu n'as plus à y penser tu vises au centre, exactement au centre. Ils sont plutôt traditionalistes dans les milieux du tir sportif, ils aiment bien rajouter des petites complications inutiles, c'est pour ça que j'ai assez vite arrêté la compétition. Bref j'ai fait réaliser le caisson de transport sur mesure, et j'ai prévu un emplacement pour la Swarovski. Mais l'essentiel, ça reste l'arme. On va sortir l'essayer... »

Il prit une couverture dans une armoire. « On va commencer directement par la position du tireur couché, c'est la position reine, celle qui permet les tirs les plus précis. Mais il faut que tu sois confortable allongé sur le sol, il faut que tu te protèges du froid et de l'humidité, ça pourrait occasionner des tremblements. »

Nous nous arrêtâmes en haut de la pente qui dévalait vers la mer, il étala la couverture sur le sol herbeux et me désigna une barque enfouie dans le sable, à une centaine de mètres. « Tu vois l'immatriculation peinte sur le flanc, BOZ-43 ? Tu vas essayer de placer une balle au centre du O. Ça fait à peu près vingt centimètres de diamètre ; avec la Steyr Mannlicher, un bon tireur y arriverait sans problème à quinze cents mètres ; mais bon, on va commencer comme ça. »

Je m'allongeai sur la couverture. « Trouve ta position, prends ton temps… Il faut que tu n'aies plus aucune raison de bouger ; plus aucune autre raison que ta propre respiration. »

J'y parvins sans grande difficulté ; la crosse était une surface courbe, lisse, facile à positionner au creux de mon épaule.

« Tu trouveras des mecs genre zen qui te diront que l'essentiel c'est de ne plus faire qu'un avec sa cible. J'y crois pas c'est des conneries, d'ailleurs les Japonais sont nuls en tir sportif, ils n'ont jamais gagné une seule compétition internationale. Par contre, c'est vrai que le tir de précision ça ressemble beaucoup au yoga : tu essaies de ne plus faire qu'un avec ta propre respiration. Alors tu vas respirer lentement, de plus en plus lentement, aussi lentement et profondément que tu peux. Et, quand tu es prêt, tu positionnes ta mire au centre de ta cible. »

Je m'y appliquai. « C'est bon, tu y es ? » J'acquiesçai. « Alors maintenant ce que tu dois savoir c'est qu'il ne faut pas chercher l'immobilité absolue, c'est juste impossible. Tu vas forcément bouger, puisque tu respires. Mais ce qu'il faut c'est arriver à un mouvement très lent, un va-et-vient régulier, commandé par ton souffle, de part et d'autre du cœur de la cible. Une fois que tu y es, une fois que tu as le mouvement, il suffit d'appuyer sur la gâchette au moment où tu passes au centre. Juste un tout petit mouvement, pas plus, elle est réglée hypersensible. La HS50 est un modèle à un coup ; si tu veux tirer à nouveau, il faut recharger ; c'est pour ça que les snipers l'utilisent pas tellement dans les vraies guerres, ils recherchent avant tout l'efficacité, ils sont là pour tuer ; moi je trouve que c'est bien, personnellement, d'avoir une seule chance. »

Je fermai brièvement les yeux pour éviter d'avoir à songer aux implications personnelles de ce choix, puis je les rouvris ; ça se passait bien, comme il m'avait dit, les lettres BOZ passaient et repassaient lentement dans ma mire, j'appuyai sur la gâchette au moment qui me parut juste, il y eut un bruit très faible, un plop léger. C'était en effet une expérience extraordinaire, je venais de passer quelques minutes en dehors du temps, dans un espace balistique pur. En me redressant, je vis qu'Aymeric avait braqué ses jumelles sur la barque.

« C'est pas mal, c'est pas mal du tout... » dit-il en se retournant vers moi. « Tu n'as pas eu le centre, mais tu as placé ta balle dans la peinture du O, enfin tu étais à dix centimètres de l'objectif. Pour un premier tir, à une distance de cent mètres, je dirais même que c'est très bon. »

Avant de partir il me conseilla de m'entraîner longtemps sur des cibles fixes, avant de passer aux « cibles mobiles ». Les lettres de l'immatriculation c'était parfait, ça permettait de se repérer avec précision. La barque je pouvais l'endommager sans problème, dit-il en réponse à mon objection, il connaissait le propriétaire (qui était par parenthèse un vrai con), elle ne reprendrait vraisemblablement jamais plus la mer. Il m'avait laissé dix boîtes de cinquante cartouches.

Pendant les quelques semaines qui suivirent, je m'entraînai au moins deux heures tous les matins. Je ne peux pas dire que « j'oubliai tous mes soucis », ce serait excessif, mais il est vrai que chaque matin je traversais une période de calme, et de paix relative. En plus le Captorix aidait, c'était indéniable, mes doses d'alcool journalières restaient modérées ; il était en outre réconfortant de constater que j'en étais au dosage de 15 mg, un peu en dessous du dosage maximal. Dénué de désirs comme de raisons de vivre (les deux termes étaient-ils d'ailleurs équivalents ? c'était là un sujet difficile, sur lequel je n'avais pas d'opinion bien formée), je maintenais le désespoir à un niveau acceptable, on peut vivre en étant désespéré, et même la plupart des gens vivent comme ça, de temps en temps quand même ils se demandent s'ils peuvent se laisser aller à une bouffée d'espoir, enfin ils se posent la question, avant d'y répondre par la négative. Cependant ils persistent, et il s'agit là d'un spectacle touchant.

Sur le plan du tir je progressais rapidement, avec une rapidité même qui m'impressionnait ;

en moins de deux semaines je parvins à placer mes tirs non seulement au centre du O, mais aussi à l'intérieur des deux boucles fermées du B, et du triangle du 4 ; c'est alors que je songeai aux « cibles mobiles ». Elles ne manquaient pas sur la plage, les plus évidentes étant les oiseaux de mer.

De ma vie je n'avais jamais tué un animal, ça ne s'était pas présenté, dans le principe cependant je n'y étais pas hostile. Autant les élevages industriels me répugnaient, autant je n'avais jamais eu d'objection au principe de la chasse, qui laisse les animaux dans leur milieu naturel, qui les laisse libres de courir et de voler jusqu'à ce qu'ils soient mis à mort par un prédateur plus élevé dans la chaîne alimentaire. La Steyr Mannlicher HS50 faisait de moi un prédateur très élevé dans la chaîne alimentaire, cela ne faisait aucun doute ; il reste que je n'avais jamais tenu un animal au bout de mon fusil.

Je m'y décidai un matin, un peu après dix heures. J'étais bien sur ma couverture, au sommet de la pente, le temps était frais et agréable, les cibles ne manquaient pas.

Je maintins longtemps un volatile au centre de ma mire, ce n'était ni une mouette ni un goéland, rien d'aussi célèbre, juste un petit volatile indifférencié, aux longues pattes, que j'avais déjà vu de nombreuses fois sur ces plages, un prolétaire des plages en quelque sorte, en vérité un volatile stupide, à l'œil fixe et méchant, une petite mécanique tueuse qui se déplaçait sur ses longues pattes, dont la démarche mécanique et prévisible ne s'interrompait que lorsqu'il avait repéré une proie. En lui faisant sauter la tête je pouvais sauver la vie de nombreux gastéropodes, de nombreux céphalopodes aussi, enfin j'introduisais une petite variation dans la chaîne alimentaire, sans y avoir moi-même d'intérêt, ce sinistre piaf était probablement immangeable. Je devais juste me souvenir que j'étais un homme, un seigneur et maître, l'univers avait été créé à ma convenance par un Dieu juste.

La confrontation dura quelques minutes, au moins trois, plus probablement cinq ou dix, puis mes mains se mirent à trembler et je compris que j'étais incapable d'appuyer sur la détente, je n'étais décidément qu'une lopette, une triste et insignifiante lopette, vieillissante de surcroît. « Qui n'a pas le courage de tuer n'a pas le courage de vivre », la phrase tournait en boucle dans ma tête, sans créer autre chose qu'un sillon de douleur. Je retournai vers le bungalow pour en sortir une douzaine de bouteilles vides que je plaçai au petit bonheur au bord de la pente avant de les réduire en miettes en moins de deux minutes.

Une fois toutes les bouteilles explosées, je m'aperçus que j'étais arrivé au terme de ma réserve de cartouches. Cela faisait presque deux semaines que je n'avais pas vu Aymeric, mais j'avais remarqué qu'il avait, depuis le début de l'année, reçu différentes visites – fréquemment, des 4×4 ou des pick-up stationnaient dans la cour du château, et je l'avais vu raccompagner jusqu'à leur véhicule des hommes de son âge, vêtus comme lui de vêtements de travail – d'autres agriculteurs du coin, probablement.

Au moment où j'arrivais devant le château, il sortit en compagnie d'un type d'une cinquantaine d'années, que j'avais déjà vu deux jours auparavant – un type au visage blafard, intelligent et triste ; ils étaient tous deux vêtus d'un costume sombre, avec des cravates bleu marine qui juraient avec le costume ; j'eus soudain la certitude qu'il venait de prêter une cravate à l'autre mec. Il me présenta comme « un ami, qui loue un bungalow », sans mentionner mon ancienne appartenance au ministère de l'Agriculture, ce dont je lui sus gré. Frank était le « responsable du syndicat pour la Manche », ajouta-t-il. J'attendis quelques secondes avant qu'il ne précise : « La Confédération paysanne. » Il hocha la tête, dubitatif, avant d'ajouter : « De temps en temps, je me demande si on ne devrait pas rejoindre la Coordination rurale. Je sais pas, je suis pas sûr, je suis plus sûr de rien en ce moment... »

« On va à un enterrement, là... ajouta Aymeric. On a un collègue à Carteret qui s'est tiré une balle, il y a deux jours.

— C'est le troisième depuis le début de l'année... » ajouta Frank. Il avait prévu d'organiser une réunion syndicale le surlendemain, dimanche après-midi, à Carteret ; je serais le bienvenu, si je souhaitais venir. « Il faut qu'on fasse quelque chose, de toute façon, on ne peut pas accepter la nouvelle baisse des prix du lait, si on laisse passer ça on est tous foutus, jusqu'au dernier, autant arrêter tout de suite. » Avant de monter dans le pick-up de Frank, Aymeric me jeta un regard d'excuse ; je ne lui avais pas du tout parlé de ma propre vie sentimentale, je n'avais pas dit un mot sur Camille, je m'en rendis compte à ce moment, mais en général ce n'est pas la peine de dire grand-chose, les choses se comprennent de soi, et il devait bien se douter que ça n'allait pas fort pour moi non plus en ce moment, que le sort des éleveurs laitiers allait avoir du mal à susciter ma compassion active.

Je revins vers sept heures du soir, Aymeric avait déjà eu le temps de descendre une demi-bouteille de vodka. L'enterrement avait été ce qu'on pouvait imaginer ; le suicidé ne laissait aucune famille, il n'avait jamais trouvé à se marier, son père était mort et sa mère à peu près gâteuse, elle n'avait fait que sangloter en répétant que les temps avaient changé. « Pour Frank, j'ai été obligé de lui expliquer un peu... s'excusa-t-il. J'ai été obligé de lui avouer que tu t'y connaissais un peu, sur les enjeux agricoles ; mais il ne t'en veut pas, il ne faut pas croire, il sait bien que la marge de manœuvre des fonctionnaires est faible... »

Je n'étais pas fonctionnaire, ce qui n'augmentait d'ailleurs pas ma marge de manœuvre, et j'étais tenté de passer à la vodka moi aussi, à quoi bon prolonger nos supplices ? Quelque chose me retint cependant, je demandai à Aymeric d'ouvrir une bouteille de blanc. Il acquiesça, huma le breuvage avec surprise avant de me servir, comme le souvenir d'une époque plus heureuse. « Tu viendras dimanche ? » me demanda-t-il presque avec légèreté, comme s'il évoquait une plaisante réunion amicale. Je ne savais pas, je répondis que oui, probablement, mais est-ce qu'il allait ressortir quelque chose de cette réunion ? Est-ce qu'une action allait être décidée ? À son avis oui, probablement oui, les producteurs étaient vraiment remontés, au minimum ils allaient cesser la livraison de lait aux coopératives et aux industriels. Seulement voilà, quand les citernes de lait arriveraient deux ou trois jours plus tard, en provenance de Pologne ou d'Irlande, qu'est-ce qu'ils allaient faire ? Bloquer la route avec des fusils ? Et même s'ils en arrivaient là, qu'est-ce qu'ils feraient quand les citernes reviendraient sous la protection de compagnies de CRS ? Ouvrir le feu ?

L'idée d'« actions symboliques » me traversa l'esprit, mais je fus paralysé par la honte avant même de terminer ma phrase. « Déverser des hectolitres de lait sur le parvis de la préfecture à Caen... ajouta Aymeric, évidemment on pourrait le faire, mais ça fera une journée de couverture médiatique, pas plus, et au fond je crois pas que j'aie envie de ça. Je faisais partie de ceux qui ont déversé des citernes de lait dans la baie du Mont-Saint-Michel, en 2009 ; j'en garde un sale souvenir. Faire la traite comme tous les matins, remplir les citernes, et puis balancer le tout comme un truc sans valeur... Je crois que je préfère sortir les fusils. »

Avant de repartir, je lui repris quelques boîtes de cartouches ; je n'imaginais pas que la situation allait bifurquer vers un affrontement armé, enfin je n'imaginais rien du tout, mais il y avait quelque chose d'inquiétant dans leur état d'esprit, en général il ne se passe rien mais parfois il se passe quelque chose, on n'y est jamais vraiment préparé. Un peu d'entraînement au tir ne pouvait pas me faire de mal, de toute façon.

La réunion syndicale avait lieu au *Carteret*, une immense brasserie située place du Terminus, ce qui faisait référence je pense à l'ancienne gare, située juste en face, désaffectée, déjà partiellement envahie par les herbes. En termes de restauration, le *Carteret* proposait surtout des pizzas. J'arrivai largement en retard, les discours avaient déjà eu lieu, mais il y avait encore une centaine de paysans attablés, la plupart buvaient des bières ou des verres de blanc. Ils parlaient peu – l'atmosphère de la réunion n'avait rien de joyeux – et me jetèrent des regards méfiants lorsque je me dirigeai vers la table où Aymeric était assis en compagnie de Frank et de trois autres types qui, comme lui, avaient un visage raisonnable et triste, et donnaient l'impression d'avoir fait des études, au minimum des études agricoles, enfin c'étaient sans doute d'autres syndicalistes, eux non plus ne parlaient pas beaucoup, il faut dire que la diminution des prix du lait (je m'étais renseigné entre-temps dans la *Manche libre*) avait cette fois été brutale, un coup de massue, je ne voyais même pas comment ils pouvaient envisager une base pour d'éventuelles négociations.

« Je vous dérange... dis-je en essayant d'adopter un ton léger. Aymeric me jeta un coup d'œil embarrassé.

— Même pas, même pas... répondit Frank, qui me sembla encore plus las, encore plus abattu que la dernière fois.

— Vous avez décidé d'une action ? Je ne sais pas ce qui me poussa à poser la question, je n'avais même pas envie de connaître la réponse.

— On y travaille, on y travaille... » Frank me jeta alors un regard étrange, par en dessous, un peu hostile mais surtout incroyablement triste, désespéré même, il me parlait comme de l'autre côté d'un abîme, et là je commençai à ressentir une gêne réelle, je n'avais rien à faire parmi eux, je n'étais pas solidaire, je ne pouvais pas l'être, je n'avais pas la même vie qu'eux, ma vie n'était guère brillante non plus mais ce n'était pas la même, et voilà tout. Je pris congé rapidement, j'étais resté cinq minutes pas davantage, mais je crois qu'en sortant j'avais déjà compris que les choses pouvaient, cette fois, réellement tourner mal.

Pendant les deux jours qui suivirent je demeurai cloîtré dans mon bungalow, terminant mes dernières provisions, hésitant entre différentes chaînes ; à deux reprises, je tentai de me masturber. Au matin du mercredi, le paysage était noyé dans un lac de brume immense, à perte de vue, on ne distinguait rien à dix mètres du bungalow ; il fallait pourtant bien que je sorte pour me ravitailler, au moins que j'aille au Carrefour Market de Barneville-Carteret. Il me fallut à peu près une demi-heure, en roulant très prudemment, sans dépasser les 40 kilomètres/heure ; de temps en temps, de vagues halos jaunâtres signalaient la présence d'un autre véhicule. Carteret offrait d'ordinaire le spectacle d'une petite station balnéaire pimpante, avec son port de plaisance, ses magasins d'articles de voile, son restaurant gastronomique proposant des homards de la baie ; elle apparaissait aujourd'hui comme une cité fantôme, envahie par le brouillard, je ne croisai le long de mon chemin vers le supermarché aucune autre voiture, ni même aucun piéton ; le Carrefour Market, aux allées presque désertes, apparaissait comme un dernier vestige de civilisation, d'occupation humaine ; j'y fis provision de fromage, de charcuteries et de vin rouge, avec l'impression irraisonnée mais persistante que j'allais devoir soutenir un siège.

Je passai le reste de la journée à marcher sur le chemin côtier, dans un silence ouaté, total, passant d'un banc de brume à l'autre, sans distinguer à aucun moment l'océan en contrebas ; ma vie me paraissait aussi informe et incertaine que le paysage.

Le lendemain matin, passant devant la porte du château, je vis Aymeric distribuer des armes à un petit groupe, ils étaient une dizaine, vêtus de parkas et de vestes de chasse. Puis ils montèrent dans leurs véhicules avant de prendre la direction de Valognes.

En repassant vers cinq heures je vis que le pick-up d'Aymeric était garé dans la cour, je me dirigeai directement vers la salle à manger : il était assis en compagnie de Frank et d'un troisième type, un colosse roux, l'air pas commode, qu'on me présenta sous le nom de Barnabé. Ils venaient apparemment d'arriver, avaient gardé leurs armes à portée de main et s'étaient servis de vodka, mais n'avaient pas encore enlevé leurs manteaux – je m'aperçus alors qu'il faisait terriblement froid dans la pièce, Aymeric avait apparemment renoncé à chauffer, je n'étais pas sûr non plus qu'il se déshabille au moment de se coucher, il était en train apparemment de renoncer à pas mal de choses.

« Ce matin, on a arrêté les citernes de lait qui venaient du port du Havre… C'était du lait irlandais et brésilien. Ils ne s'attendaient pas à faire face à des types armés, ils sont repartis sans difficultés. Seulement, c'est à peu près sûr qu'ils sont allés à la gendarmerie tout de suite après. Qu'est-ce qu'on va faire demain, quand ils vont revenir avec une compagnie de CRS ? On en est toujours au même point ; on est à la frontière.

— Il faut tenir le coup, ils oseront pas tirer sur nous, ils peuvent pas faire ça, plaida le géant roux.

— Non, ils tireront pas les premiers… intervint Frank. Mais ils vont nous charger et essayer de nous désarmer, l'affrontement est inévitable. La question, c'est de savoir si nous, on tire. Si on résiste, de toute façon, on passera la nuit demain à la gendarmerie de Saint-Lô. Mais s'il y a des blessés ou des morts, ça sera une autre histoire. »

Je jetai un regard incrédule à Aymeric qui se taisait, faisait tourner son verre entre ses mains ; il avait l'air buté, morose, évitait mon regard et là je me suis dit que je devais vraiment intervenir, essayer d'intervenir, si c'était encore possible. « Écoute ! » dis-je finalement avec force, sans du tout savoir ce que je voulais dire ensuite.

« Oui ?... » Cette fois il redressa la tête et plongea son regard dans le mien – le même regard franc, honnête qui était le sien du temps de nos vingt ans, et qui m'avait tout de suite fait l'aimer. « Dis-moi, Florent... continua-t-il très doucement, dis-moi ce que tu en penses, j'écouterai ton point de vue. Est-ce qu'on est vraiment foutus, est-ce qu'on peut essayer de faire quelque chose ? Est-ce que je dois essayer de faire quelque chose ? Ou bien est-ce que je dois me comporter comme mon père, revendre la ferme, renouveler mon inscription au Jockey-Club et finir ma vie comme ça, tranquille ? Dis-moi ce que tu en penses. »

On devait depuis le début en arriver là ; depuis ma première visite, un peu plus de vingt ans auparavant, alors qu'il venait de s'installer comme agriculteur et que je tentais plus banalement de commencer une carrière de cadre, nous avions retardé cette conversation pendant plus de vingt ans, le moment était venu, maintenant, et les deux autres, avec une totale soudaineté, se turent ; c'était entre nous deux maintenant, entre lui et moi.

Aymeric attendait, son regard planté dans le mien, droit et candide, et je commençai à parler sans même avoir pleinement conscience de ce que je disais, j'avais l'impression de glisser sur un plan incliné, c'était étourdissant et un peu écœurant, comme chaque fois qu'on plonge dans le vrai, en même temps ça n'arrive pas si souvent, dans une vie. « Tu vois, dis-je, de temps en temps on ferme une usine, on délocalise une unité de production, mettons qu'il y a soixante-dix ouvriers de virés, ça donne un reportage sur BFM, il y a un piquet de grève, ils font brûler des pneus, il y a un ou deux politiques locaux qui se déplacent, enfin ça fait un sujet d'actu, un sujet intéressant, avec des caractéristiques visuelles fortes, la sidérurgie ou la lingerie c'est pas pareil, on peut faire de l'image. Là, bon, tous les ans, tu as des centaines d'agriculteurs qui mettent la clef sous la porte.

— Ou qui se tirent une balle... intervint sobrement Frank, puis il secoua la main comme pour s'excuser d'avoir parlé, et son visage redevint triste, impénétrable.

— Ou qui se tirent une balle, confirmai-je. Le nombre d'agriculteurs a énormément baissé depuis cinquante ans en France, mais il n'a pas encore suffisamment baissé. Il faut encore le diviser par deux ou trois pour arriver aux standards européens, aux standards du Danemark ou de la Hollande – enfin, j'en parle parce qu'on parle des produits laitiers, pour les fruits ça serait le Maroc ou l'Espagne. Là, il y a un peu plus de soixante mille éleveurs laitiers ; dans quinze ans, à mon avis, il en restera vingt mille. Bref, ce qui se passe en ce moment avec l'agriculture en France, c'est un énorme plan social, le plus gros plan social à l'œuvre à l'heure actuelle, mais c'est un plan social secret, invisible, où les gens disparaissent individuellement, dans leur coin, sans jamais donner matière à un sujet pour BFM. »

Aymeric secoua la tête avec une satisfaction qui me fit mal parce que je compris à ce moment qu'il n'attendait rien d'autre de moi, il attendait juste la confirmation objective de la catastrophe et je n'avais rien, absolument rien à lui proposer, en dehors de mes absurdes rêveries moldaves, et le pire était que je n'avais pas fini.

« Une fois qu'on aura divisé le nombre d'agriculteurs par trois » poursuivis-je avec cette fois la sensation d'être au cœur de l'échec de ma vie professionnelle, et de me détruire moi-même à chaque parole que je prononçais, en même temps si j'avais eu un succès personnel à aligner, si j'avais réussi à faire le bonheur d'une femme ou au moins d'un animal mais même pas, « une fois qu'on sera aux standards européens, on n'aura toujours pas gagné, on sera même au seuil de la défaite définitive, parce que là on sera vraiment en contact avec le marché mondial, et la bataille de la production mondiale on ne la gagnera pas.

— Et vous pensez qu'il n'y aura jamais de mesures protectionnistes ? Ça vous paraît absolument impossible ? » Le ton de Frank était étrangement détaché, absent, comme s'il s'informait au sujet de curieuses superstitions locales.

« Absolument impossible, tranchai-je sans hésitation. Le verrou idéologique est trop fort. » Repensant à mon passé professionnel, à mes années de vie professionnelle, je me rendais compte que j'avais été confronté, en effet, à de bien étranges superstitions de caste. Mes interlocuteurs ne se battaient pas pour leurs intérêts, ni même pour les intérêts qu'ils étaient supposés défendre, ç'aurait été une erreur de le croire : ils se battaient pour des idées ; pendant des années j'avais été confronté à des gens qui étaient prêts à mourir pour la liberté du commerce.

« Donc voilà, je me tournai à nouveau vers Aymeric, à mon avis c'est foutu, c'est vraiment foutu, alors moi ce que je te dis c'est d'essayer de t'en sortir à titre individuel, Cécile c'était une grosse salope laisse-la baiser avec son pianiste et oublie tes filles, déménage, revends la ferme, oublie tout le truc absolument, si tu t'y prends tout de suite tu as encore une petite chance de recommencer ta vie. »

Cette fois j'avais été clair, j'aurais difficilement pu l'être davantage, et je ne restai que quelques minutes. Au moment où je me levai pour prendre congé Aymeric me jeta un regard bizarre, où je crus lire une pointe d'amusement – mais c'était peut-être, plus vraisemblablement même, une pointe de folie.

Le lendemain, je pus suivre le développement du conflit sur BFM – un bref reportage. Ils avaient finalement décidé de lever le blocus sans résistance, et de laisser passer les citernes de lait en provenance du port du Havre vers les usines de Méautis et de Valognes. Frank avait pu bénéficier de presque une minute d'interview, où il exposait de manière à mon avis très claire, synthétique et convaincante, avec quelques chiffres, en quoi la situation des éleveurs normands était devenue impossible. Il concluait que le combat ne faisait que commencer, et que la Confédération paysanne et la Coordination rurale, réunies, appelaient pour le dimanche suivant à une grande journée d'action. Aymeric était à ses côtés pendant toute l'interview mais il ne dit rien, se contentant de jouer machinalement avec le percuteur de son fusil d'assaut. Je ressortis de ce reportage dans un état sans doute temporaire et paradoxal d'optimisme : Frank avait été si clair, si modéré et si lucide dans son intervention – en une minute d'interview, il me paraissait impossible de faire mieux – que je ne voyais pas comment on pourrait refuser d'en tenir compte, comment on pourrait, en face, refuser de négocier. Puis j'éteignis le téléviseur, regardai par la fenêtre de mon bungalow – il était un peu plus de six heures, les volutes de brume cédaient peu à peu devant la montée de la nuit – et je me souvins que moi aussi, pendant presque quinze ans, j'avais *toujours* eu raison dans mes notes de synthèse, qui défendaient le point de vue des agriculteurs locaux, j'avais *toujours* aligné des chiffres réalistes, proposant des mesures de protection raisonnables, des circuits courts économiquement viables, mais je n'étais qu'un agronome, un technicien, et au bout du compte on m'avait *toujours* donné tort, les choses avaient *toujours* au dernier moment basculé vers le triomphe du libre-échangisme, vers la course à la productivité, alors j'ouvris une nouvelle bouteille de vin, la nuit était maintenant installée sur le paysage, *Nacht ohne Ende*, qui étais-je pour avoir cru que je pouvais changer quelque chose au mouvement du monde ?

Les éleveurs normands étaient appelés à converger dimanche midi au centre de Pont-l'Évêque. En apprenant la nouvelle sur BFM je crus d'abord qu'il s'agissait d'un choix symbolique, destiné à assurer une bonne couverture médiatique à la manifestation – le nom du fromage était connu un peu partout en France, et même ailleurs. En réalité, comme la suite des événements devait le montrer, Pont-l'Évêque avait été choisie parce qu'elle était à l'intersection de la branche de l'A132 venant de Deauville et de l'A13 Caen-Paris.

Lorsque je me levai, au petit matin, le vent d'Ouest avait totalement dissipé la brume, l'océan scintillait, agité de très légères ondulations, jusqu'à l'infini. Le ciel d'une limpidité parfaite offrait un dégradé de teintes candides, d'un bleu très clair ; il me sembla, pour la première fois, distinguer à l'horizon les côtes d'une île. Je ressortis avec mes jumelles : oui, c'était étonnant vu la distance, mais on apercevait bel et bien un léger ressaut d'un vert tendre, qui devait être la côte orientale de Jersey.

Par un temps pareil rien de dramatique ne semblait pouvoir arriver, et je n'avais plus vraiment envie de me retrouver confronté au malaise des agriculteurs ; en montant au volant de mon 4×4, j'avais plus ou moins l'intention d'aller me promener sur les falaises de Flamanville, peut-être de pousser jusqu'au nez de Jobourg ; par une journée pareille, on apercevrait certainement les côtes d'Alderney ; brièvement, je repensai à l'ornithologue ; peut-être sa quête sans issue l'avait-elle conduit beaucoup plus loin, dans des zones beaucoup plus sombres, peut-être croupissait-il en ce moment dans une geôle de Manille, les autres prisonniers s'étaient déjà bien occupés de lui, son corps tuméfié et sanglant était recouvert par un flot de cafards, sa bouche aux dents brisées était incapable de fermer le passage aux insectes qui s'insinuaient dans sa gorge. Cette image déplaisante fut le premier accroc au déroulement de la matinée. Il y en eut un second lorsque, passant devant le hangar où Aymeric stockait ses machines agricoles, je l'aperçus qui faisait des allers-retours, stockant des jerricans de fuel sur le plateau de son pick-up. Pourquoi des jerricans de fuel ? Cela ne laissait rien présager de bon. Je coupai le moteur, hésitant, est-ce que je devais aller lui parler ? Mais pour lui dire quoi ? Que pouvais-je lui dire de plus, par rapport à notre dernière soirée ? Les gens n'écoutent jamais les conseils qu'on leur donne, et lorsqu'ils demandent des conseils c'est tout à fait spécifiquement afin de ne pas les suivre, afin de se faire confirmer, par une voix extérieure, qu'ils se sont engagés dans une spirale d'anéantissement et de mort, les conseils qu'on leur donne jouent pour eux exactement le rôle du chœur tragique, confirmant au héros qu'il a pris le chemin de la destruction et du chaos.

Pourtant la matinée était si belle, je n'y croyais pas encore tout à fait, et, après une brève hésitation, je redémarrai en direction de Flamanville.

Ma promenade sur les falaises fut malheureusement un échec. Jamais la lumière pourtant n'avait été aussi belle, jamais l'air n'avait été aussi frais et revigorant, jamais le vert des prairies n'avait été aussi intense, jamais le miroitement du soleil sur les vaguelettes de l'océan presque étale n'avait été aussi enchanteur ; jamais non plus, je crois, je n'avais été aussi malheureux. Je poursuivis jusqu'au nez de Jobourg et ce fut encore pire, il était probablement inévitable que l'image de Kate me revienne, le bleu du ciel était encore plus profond, la lumière davantage cristalline, c'était maintenant une lumière du Nord, je revis d'abord son regard tourné vers moi dans le parc du château de Schwerin, son regard tolérant et doux, qui me pardonnait déjà, et puis d'autres souvenirs me revinrent, de quelques jours plus anciens, lors d'une promenade que nous avions faite ensemble sur les dunes de Sonderborg, c'était cela, ses parents habitaient Sonderborg et la lumière ce matin-là était exactement la même, je me réfugiai quelques minutes au volant de mon G 350 et je fermai les yeux, mon corps était traversé de bizarres petites secousses mais je ne pleurais pas, apparemment je n'avais plus de larmes.

Vers onze heures du matin, je pris la direction de Pont-l'Évêque. Deux kilomètres déjà avant l'entrée de la ville, la départementale était barrée par des tracteurs garés au milieu de la chaussée. Il y en avait beaucoup jusqu'au centre-ville, plusieurs centaines, l'absence des forces de l'ordre était un peu surprenante, cela dit les agriculteurs pique-niquaient et buvaient des bières à proximité de leurs véhicules, ils paraissaient plutôt calmes. J'appelai le portable d'Aymeric, sans obtenir de réponse, puis je continuai quelques minutes à pied avant de me rendre à l'évidence : dans cette foule, je n'avais aucune chance de le retrouver. Je retournai à ma voiture et fis demi-tour en direction de Pierrefitte-en-Auge, avant d'obliquer en direction d'une butte qui surplombait la jonction autoroutière. J'étais à peine garé depuis deux minutes lorsque les événements se précipitèrent. Un petit groupe d'une dizaine de pick-up, parmi lesquels je reconnus le Nissan Navara d'Aymeric, descendit lentement la bretelle d'accès à l'A13. Une dernière voiture, en slalomant un peu, eut le temps de passer, avec un hurlement de klaxons, avant qu'ils ne barrent l'accès vers Paris. Ils avaient très bien choisi leur emplacement, immédiatement après une ligne droite d'au moins deux kilomètres, la visibilité était parfaite, les voitures avaient largement le temps de freiner. La circulation était encore fluide en ce début d'après-midi, un bouchon s'établit cependant assez vite, il y eut encore quelques coups de klaxon, de plus en plus rares, puis le silence se fit.

Le commando était composé d'une vingtaine d'agriculteurs ; huit d'entre eux s'installèrent à

254

l'arrière de leurs pick-up, braquant leurs armes sur les automobilistes, il y avait jusqu'aux premières voitures un espace d'une cinquantaine de mètres. Aymeric était au centre, son fusil d'assaut Schmeisser à la main. Il était décontracté, très à l'aise, et alluma nonchalamment ce qui me parut être un joint – à vrai dire, je ne l'avais jamais vu fumer autre chose. Frank était à sa droite, je le sentais beaucoup plus nerveux, il serrait entre ses mains ce qui m'apparut être un simple fusil de chasse. Les autres agriculteurs commencèrent à décharger les jerricans de fuel stockés sur les plateaux des pick-up avant de les transporter une cinquantaine de mètres en arrière et de les disperser sur toute la largeur de l'autoroute.

Ils avaient à peu près terminé lorsque apparut à l'horizon le premier véhicule blindé des CRS. La lenteur de leur intervention devait faire l'objet de nombreuses polémiques ; pour en avoir été témoin, je peux dire que c'était vraiment difficile de se frayer un chemin, ils avaient beau actionner frénétiquement leurs sirènes, les automobilistes (dont la plupart avaient freiné en catastrophe, pas mal de voitures s'étaient embouties sur la chaussée) n'avaient simplement aucun moyen de bouger ; il aurait fallu qu'ils s'extraient de leur véhicule blindé et qu'ils continuent à pied, c'était la seule décision à prendre, et voilà le seul reproche qu'on pouvait, à mon avis, honnêtement adresser au commandant de peloton.

Au même moment exactement où ils arrivaient à proximité des lieux de l'affrontement, les deux machines agricoles descendirent la bretelle d'accès ; c'étaient des engins énormes, une moissonneuse-batteuse et une ensileuse de maïs, presque aussi larges que la bretelle d'accès en elle-même, leurs conducteurs étaient perchés à quatre mètres du sol. Les deux machines se garèrent pesamment, définitivement, au milieu des jerricans, avant que leurs conducteurs ne sautent de leur siège et ne viennent rejoindre leurs camarades ; je comprenais maintenant ce qu'ils s'apprêtaient à faire, et j'avais du mal à y croire. Pour obtenir les engins agricoles ils avaient dû s'adresser à la CUMA, probablement celle du Calvados ; je revoyais les locaux de la CUMA, à quelques dizaines de mètres de la DRAF, l'image de la réceptionniste (une vieille divorcée malheureuse qui n'avait pas tout à fait réussi à renoncer au sexe, et cela avait donné lieu à bien des épisodes navrants) me traversa même brièvement l'esprit. Pour qu'on leur prête une ensileuse et une moissonneuse-batteuse (qu'avaient-ils bien pu raconter d'ailleurs ? ce n'était pas la saison de l'ensilage, encore moins celle de la moisson), ils avaient dû au moins fournir leur identité, ce n'était pas possible autrement, ces machines valaient plusieurs centaines de milliers d'euros, et ils étaient pénalement responsables, ils ne s'en sortiraient plus maintenant, c'était impossible, ils étaient engagés dans une voie sans issue, une voie rapide vers le suicide *brother* ?

Tout s'enchaîna ensuite avec une rapidité surprenante, comme une séquence longuement répétée, parfaite ; dès que les deux conducteurs d'engins eurent rejoint les autres, un grand type costaud et roux (je crus reconnaître Barnabé, que j'avais vu chez Aymeric peu auparavant) sortit de la cabine arrière de son pick-up un lance-roquettes, qu'il arma posément.

Il y eut deux roquettes, lancées en direction des réservoirs de carburant des engins. La combustion fut instantanée, deux immenses gerbes de flammes s'élancèrent vers le ciel avant de se rejoindre et que ne s'y superpose un nuage de fumée immense, noirâtre et proprement dantesque, jamais je n'aurais soupçonné que le fuel agricole puisse produire une fumée aussi noire. C'est pendant ces quelques secondes que furent prises la majorité des photographies reproduites, ensuite, dans tous les journaux du monde – et en particulier celle d'Aymeric, qui devait faire tant de couvertures, du *Corriere della Sera* au *New York Times*. Déjà il était souverainement beau, les bouffissures de son visage semblaient mystérieusement annulées, et surtout il paraissait paisible, amusé presque, sa longue chevelure blonde flottant dans un souffle de vent qui s'était, à cette seconde, levé ; un joint pendait toujours au coin de sa bouche, et il tenait à demi dressé, contre sa hanche, son fusil d'assaut Schmeisser ; l'arrière-plan était d'une violence abstraite et absolue, une colonne de flammes se tordait sur un fond de fumée noire ; mais à cette seconde Aymeric paraissait heureux, enfin presque heureux, il paraissait à sa place tout du moins, son regard et sa pose décontractée surtout reflétaient une incroyable insolence, il était l'une des images éternelles de la révolte et c'est cela qui fit reprendre cette image par tant de quotidiens d'information dans le monde. Aussi, et ça j'étais certainement l'un des seuls à le comprendre, il était l'Aymeric que j'avais toujours connu, un type gentil, gentil à la base et même bon, il avait simplement voulu être heureux, il s'était engagé dans son rêve agreste basé sur une production raisonnable et de qualité, sur Cécile aussi, mais Cécile s'était avérée être une grosse salope passionnée par la vie à Londres avec un pianiste mondain, et l'Union européenne elle aussi avait été une grosse salope, avec cette histoire de quotas laitiers, il ne s'attendait certainement pas à ce que les choses se terminent ainsi.

Malgré tout cela je ne comprends pas, je ne comprends toujours pas pourquoi les choses se terminèrent ainsi, différentes configurations de vie acceptables se présentaient encore, je ne pensais pas avoir exagéré avec mon histoire de Moldave, c'était même compatible avec le Jockey-Club, il existe certainement une noblesse moldave, il existe des noblesses un peu partout, enfin on aurait certainement pu bricoler un scénario, mais toujours est-il qu'à un moment donné Aymeric leva son arme, la plaça clairement en position de tir et s'avança en face de la ligne des CRS.

Ils avaient eu le temps de reconstituer une formation de combat acceptable ; un deuxième véhicule blindé était arrivé entre-temps, avait expulsé sans trop de ménagement quelques journalistes, ils avaient bien entendu protesté mais avaient cédé devant la simple menace virile d'un bon coup de crosse dans la tête, même pas besoin de montrer ses armes, c'est quand même plus facile quand on a affaire à des lopes, enfin ils s'étaient repliés bien en contrebas de l'action (les journalistes en question twittaient déjà des protestations sur les atteintes à la liberté de la presse, mais ça ce n'était pas le boulot des CRS, il y avait des communicants).

Quoi qu'il en soit la ligne des CRS était là, à une trentaine de mètres à mon avis de celle des agriculteurs. C'était une ligne compacte, légèrement incurvée, militairement acceptable, définie par un rempart de boucliers de Plexiglas renforcé.

Je crus quelque temps avoir été le seul témoin de ce qui devait suivre, mais en fait non, un cameraman de BFM avait réussi à se dissimuler dans un bosquet sur le talus de l'autoroute, échappant à la rafle des CRS, et devait produire de l'événement des images parfaitement claires, qui furent même diffusées pendant deux heures sur la chaîne avant qu'elle ne fasse des excuses publiques et ne les retire, mais c'était trop tard, la séquence était passée sur les réseaux sociaux et en milieu d'après-midi elle totalisait déjà plus d'un million de vues ; le voyeurisme des chaînes de télévision fut une nouvelle fois, et à juste titre, stigmatisé ; il aurait mieux valu en effet que cette vidéo serve aux besoins de l'enquête, et aux besoins de l'enquête exclusivement.

Son fusil d'assaut confortablement posé à hauteur de la taille, Aymeric entama un lent mouvement tournant, visant l'un après l'autre les CRS. Ils resserrèrent leur formation, la largeur de la ligne diminua d'au moins un mètre, il y eut un bruit assez fort lorsque leurs boucliers de Plexiglas se heurtèrent, puis le silence se fit. Les autres agriculteurs avaient saisi leurs fusils et s'étaient avancés au-devant d'Aymeric, braquant eux aussi leurs armes ; mais ils n'avaient que des fusils de chasse, et les CRS comprenaient évidemment que le Schmeisser d'Aymeric, calibré en 223, était le seul à pouvoir fracturer leurs boucliers, transpercer leurs gilets pare-balles. Et rétrospectivement je pense que c'est ça, l'extrême lenteur du mouvement d'Aymeric, qui provoqua la tragédie, mais aussi l'étrange expression de son visage, il avait l'air *prêt à tout*, et les hommes *prêts à tout* sont heureusement peu nombreux mais peuvent produire un dégât considérable, ces CRS ordinaires, habituellement basés à Caen, le savaient mais de manière un peu théorique, ils n'étaient pas préparés à affronter ce danger, les gens du GIGN ou du RAID auraient probablement davantage conservé leur sang-froid, et cela fut suffisamment reproché au ministre de l'Intérieur, mais aussi comment prévoir, il ne s'agissait pas de terroristes internationaux, c'était, au départ, une simple manifestation d'agriculteurs. Aymeric semblait amusé, sincèrement amusé et narquois, mais très loin aussi, carrément ailleurs, je crois que je n'avais jamais vu quelqu'un d'aussi *loin*, je m'en souviens parce que l'idée me vint un moment de dévaler la pente et de courir vers lui, et au moment même où je la formais je compris qu'elle était inutile et que rien d'amical ni d'humain ne pourrait plus, en ce dernier moment, l'atteindre.

Il tourna lentement, de la gauche vers la droite, visant individuellement chaque CRS, derrière son bouclier (ils ne pouvaient en aucun cas tirer les premiers, ça j'en avais la certitude ; mais c'était la seule certitude, en réalité, que j'avais). Il accomplit ensuite le mouvement inverse, de la droite vers la gauche ; puis, ralentissant encore, il revint vers le centre, s'immobilisa pendant quelques secondes, je pense moins de cinq. Quelque chose de différent passa alors sur son visage, comme une douleur générale ; il retourna le canon, le plaça sous son menton et appuya sur la détente.

Son corps s'abattit vers l'arrière, heurtant bruyamment le plateau métallique du pick-up ; il n'y eut pas de projection de sang, de cervelle, rien de ce genre, tout fut étrangement sobre et mat ; mais personne à part moi et le cameraman de BFM n'avait vu ce qui venait de se passer. Deux mètres en avant de lui Frank poussa un hurlement et déchargea son arme, sans même viser, en direction des CRS ; plusieurs autres agriculteurs l'imitèrent aussitôt. Tout cela fut clairement établi, au cours de l'enquête, par le visionnage de la bande : non seulement les CRS n'avaient pas abattu Aymeric, contrairement à ce qu'avaient cru ses camarades, mais ils avaient essuyé quatre ou cinq coups de feu avant de riposter. Il reste que dans leur riposte – et ceci fit l'objet d'une autre polémique, plus sérieuse – ils ne firent pas dans la demi-mesure : neuf agriculteurs furent tués sur le coup ; et un dixième décéda dans la nuit, à l'hôpital général de Caen, ainsi qu'un CRS, ce qui portait le nombre de victimes à onze. Cela ne s'était pas vu en France depuis très longtemps, et certainement jamais à l'occasion d'une manifestation d'agriculteurs. J'appris tout cela un peu plus tard, dans les médias, les jours suivants. Je ne sais pas comment je réussis le jour même à rentrer à Canville-la-Rocque ; il y a des automatismes pour la conduite ; il y a des automatismes, semble-t-il, à peu près pour tout.

Je me réveillai très tard le lendemain matin, dans un état de nausée et d'incrédulité proche du spasme, rien de tout cela ne me paraissait possible ni réel, Aymeric ne pouvait pas s'être flingué, ça ne pouvait pas se terminer de cette manière. J'avais vécu un peu le même phénomène, une fois, lors d'une descente d'acide, il y a très longtemps, mais c'était infiniment moins grave, personne n'était mort, il y avait juste une histoire de nana qui ne se souvenait plus si elle avait accepté de se faire enculer, enfin des problèmes de jeunes. J'allumai la cafetière, avalai mon comprimé de Captorix et défis l'emballage d'une nouvelle cartouche de Philip Morris avant d'allumer BFM, et tout me sauta aussitôt à la figure, je n'avais pas rêvé ma journée de la veille, tout était vrai, BFM diffusait exactement les images dont je me souvenais, qu'ils essayaient d'assortir de commentaires politiques appropriés, mais quoi qu'il en soit les événements de la veille avaient bel et bien eu lieu, le bruit ambiant chez les éleveurs de la Manche et du Calvados s'était synthétisé en drame, une fracture locale s'était concrétisée en une séquence de déchaînement lourd, et une configuration historique assortie d'un mini-récit s'était aussitôt organisée. Cette configuration était locale, mais elle aurait manifestement des répercussions globales, les commentaires politiques se mettaient peu à peu en place sur la chaîne d'informations, et leur teneur générale me surprit : tout le monde comme de coutume condamnait la violence, déplorait la tragédie et l'extrémisme de certains agitateurs ; mais, aussi, il y avait chez les responsables politiques une gêne, un embarras très inhabituels chez eux, aucun ne manquait de souligner qu'il fallait, jusqu'à un certain point, comprendre la détresse et la colère des agriculteurs, et en particulier des éleveurs, le scandale de la suppression des quotas laitiers revenait comme un impensé obsédant, coupable, dont personne ne parvenait tout à fait à s'affranchir, seul le Rassemblement national semblait tout à fait clair sur ce sujet. Les conditions insupportables que la grande distribution faisait peser sur les producteurs étaient elles aussi un sujet honteux, que chacun, à part peut-être les communistes – j'appris en cette occasion qu'il existait encore un Parti communiste, et qu'il avait même des élus –, préférait essayer d'éluder. Le suicide d'Aymeric, je m'en rendais compte avec un mélange d'effarement et de dégoût, allait peut-être avoir des effets politiques, là où rien d'autre n'aurait pu le faire. De mon côté je n'avais qu'une certitude c'est que je devais partir, je devais chercher un nouvel hébergement. Je songeai à la connexion Internet de l'étable, elle devait fonctionner, il n'y avait aucune raison.

Une camionnette de gendarmerie était garée dans la cour du château. J'y pénétrai à mon tour. Deux gendarmes, dont l'un pouvait avoir cinquante ans et l'autre trente-cinq, s'étaient arrêtés devant le placard renfermant les armes d'Aymeric et se les passaient en les examinant avec attention. Ils étaient visiblement captivés par cet arsenal, échangeaient à voix basse des commentaires que j'imagine judicieux, après tout c'était un peu leur métier, et je dus lancer un « Bonjour ! » sonore pour qu'ils me prêtent attention. J'eus un bref moment de panique au moment où le plus âgé se retournait vers moi, je repensai à la Steyr Mannlicher, mais je me raisonnai tout de suite, je me dis que c'était sûrement la première fois qu'ils voyaient les armes d'Aymeric, ils n'avaient aucune raison de soupçonner qu'il en manquait une – et même deux, avec le Smith & Wesson. Évidemment s'ils vérifiaient les permis de port d'armes et faisaient le recoupement ça risquait de poser un problème, mais demain s'occupera de demain, comme dit à peu près l'Ecclésiaste. Je leur expliquai que je logeais dans un des bungalows, mais m'abstins de préciser que je connaissais Aymeric. Je n'étais nullement inquiet : pour eux j'étais un élément insignifiant, une espèce de touriste, ils n'avaient aucune raison de se compliquer la vie avec moi, leur tâche ne devait déjà pas être facile, c'était un département paisible, où la criminalité était presque inexistante, Aymeric m'avait dit que les gens laissaient souvent leur porte ouverte lorsqu'ils s'absentaient dans la journée, ce qui était devenu rare même en zone rurale, bref ils n'avaient certainement jamais connu de situation analogue.

« Ah oui, les bungalows... » répondit le plus âgé, comme s'il sortait d'une longue rêverie, il semblait avoir oublié jusqu'à l'existence des bungalows.

« Maintenant il faut que je parte, poursuivis-je, c'est tout ce que j'ai à faire.

— Oui, il faut que vous partiez, confirma le plus âgé, c'est tout ce que vous avez à faire.

— Vous deviez être en vacances, intervint le plus jeune, c'est dommage pour vous. »

Nous hochâmes la tête tous les trois, satisfaits de la convergence de nos analyses. « Je reviens tout de suite » conclus-je un peu bizarrement pour mettre fin à la conversation. En franchissant la porte, je me retournai : ils s'étaient déjà replongés dans l'examen des fusils et des carabines.

Dans l'étable, je fus accueilli par de longs meuglements inquiets, plaintifs ; mais oui, me dis-je, elles n'ont pas été nourries ni traites ce matin, et probablement aurait-il fallu les nourrir également la veille au soir, est-ce que ça faisait des repas réguliers les vaches je n'en savais rien. Je retournai vers le château et rejoignis les gendarmes devant le râtelier d'armes ; ils paraissaient toujours plongés dans des méditations impénétrables, sans doute d'ordre balistique et technique ; ils devaient peut-être se dire aussi que si tous les agriculteurs du coin étaient pareillement armés, ils risquaient d'avoir des difficultés en cas de troubles sérieux. Je les informai de la situation des vaches. « Ah oui, les vaches... dit le plus âgé d'un ton dolent, qu'est-ce qu'on va pouvoir faire avec les vaches ? » Eh bien je ne sais pas, moi, les nourrir, ou bien appeler quelqu'un qui puisse le faire, enfin c'était leur problème pas le mien. « Je vais partir tout de suite » continuai-je. « Oui, bien sûr, vous allez partir tout de suite » appuya le plus jeune comme si c'était manifestement la chose à faire, et même comme s'il souhaitait mon départ. C'est bien ce que j'avais pensé : ils n'avaient vraiment pas besoin de problèmes supplémentaires, semblait vouloir me dire le gendarme, de fait ils paraissaient complètement dépassés par l'ampleur de l'événement, par la minutie probable avec laquelle la hiérarchie policière allait décortiquer leur rapport sur l'« aristocrate martyr de la cause paysanne », ainsi qu'on commençait à l'appeler dans certains journaux, et je retournai à mon 4×4 sans qu'aucune autre parole ne soit échangée.

De mon côté je ne me sentais finalement pas le courage de rechercher un hébergement sur Internet, surtout accompagné par le meuglement plaintif des vaches, je ne me sentais à vrai dire pas le courage de grand-chose, je roulai pendant quelques kilomètres absolument au hasard, dans un état de blanc mental presque absolu, mes dernières facultés perceptives entièrement consacrées à la recherche d'un hôtel. Le premier que j'aperçus s'appelait l'*Hostellerie de la Baie*, je n'avais même pas remarqué le nom du village, le propriétaire devait m'apprendre par la suite qu'il s'agissait de Regnéville-sur-Mer. Je demeurai pendant deux jours prostré dans ma chambre, je prenais toujours mon Captorix mais je n'ai pas réussi à me lever, à me laver ni même à défaire ma valise. J'étais incapable de penser à l'avenir, ni d'ailleurs au passé, et au présent pas davantage, mais c'était surtout l'avenir immédiat qui posait un problème. Pour éviter que le propriétaire ne s'alarme, je lui expliquai que j'étais un ami d'un des agriculteurs tués dans la manifestation, que j'étais présent au moment des faits. Son visage plutôt avenant s'assombrit d'un seul coup ; manifestement, comme tous les habitants de la région, il était solidaire des agriculteurs. « Moi, je dis qu'ils ont bien fait ! affirma-t-il avec force, c'était pas possible qu'ils continuent comme ça, il y a des choses qui sont pas admissibles, il y a des moments où il faut réagir... » J'étais d'autant moins tenté de le contredire que je pensais, au fond, à peu près la même chose.

Au soir du deuxième jour, je me levai pour m'alimenter. À la sortie du village, il y avait un petit restaurant appelé *Chez Maryvonne*. Le bruit que j'étais un ami de « monsieur d'Harcourt » devait s'être répandu dans le village, je fus accueilli par la patronne avec bienveillance et respect, elle s'inquiéta à plusieurs reprises de savoir si je n'avais besoin de rien d'autre, si je n'étais pas trop dans les courants d'air, etc. Les rares autres clients étaient des paysans du coin qui buvaient des verres de blanc au bar, j'étais le seul à manger. De temps en temps ils échangeaient quelques paroles à voix basse, je reconnus plusieurs fois le mot « CRS », prononcé avec colère. Je sentais autour de moi une étrange ambiance dans ce café, presque Ancien Régime, comme si 1789 n'y avait laissé que des traces superficielles, je m'attendais d'un moment à l'autre à ce qu'un paysan évoque Aymeric en l'appelant « notre monsieur ».

Le lendemain je me rendis à Coutances noyée dans la brume, c'est à peine si l'on apercevait les flèches de la cathédrale, qui paraissait ceci dit d'une grande élégance, la ville dans son ensemble était paisible, arborée et belle. J'avais acheté un *Figaro* dans le bar-tabac-presse et j'entrepris de le lire à la *Taverne du Parvis*, une vaste brasserie directement installée sur la place de la cathédrale, qui faisait également restaurant et hôtel, le décor était assez 1900, avec des sièges en cuir et bois, quelques lampadaires Art nouveau, enfin c'était visiblement *the place to be* à Coutances. J'étais à la recherche d'une analyse de fond, ou au moins de la position officielle des Républicains, mais il n'y avait rien de ce genre, un long article par contre était consacré à Aymeric, dont l'enterrement avait eu lieu la veille, la cérémonie avait été célébrée dans la cathédrale de Bayeux en présence d'« une foule dense et recueillie », précisait le quotidien. L'accroche de l'article, « La fin tragique d'une grande famille française », me paraissait excessive, il avait quand même deux sœurs, du point de vue transmission des titres nobiliaires ça posait peut-être un problème, mais là ça dépassait mes compétences.

Je trouvai un cybercafé deux rues plus loin, il était tenu par deux Arabes qui se ressemblaient tellement qu'ils devaient être jumeaux, et dont le look salafiste était si outré qu'ils étaient probablement inoffensifs. Je m'imaginai qu'ils devaient être célibataires et vivre ensemble, ou peut-être mariés à des sœurs jumelles et vivre dans des maisons mitoyennes, enfin c'était ce genre de relation.

Il y avait pas mal de sites, il y a des sites pour n'importe quoi maintenant, et je trouvai mon bonheur sur *aristocrates.org*, ou peut-être sur *noblesse.net*, j'ai oublié. Je savais qu'Aymeric était issu d'une ancienne famille mais j'ignorais à quel point, et je fus quand même impressionné. Le fondateur de la dynastie était un certain Bernard le Danois, compagnon de Rollon, chef viking qui avait obtenu en 911, par le traité de Saint-Clair-sur-Epte, la possession de la Normandie. Par la suite, les trois frères Errand, Robert et Anquetil d'Harcourt avaient participé à la conquête de l'Angleterre aux côtés de Guillaume le Conquérant. Ils avaient reçu en récompense la suzeraineté de vastes domaines d'un côté et de l'autre de la Manche, et avaient en conséquence éprouvé certaines difficultés à se positionner au moment de la première guerre de Cent Ans ; ils finirent cependant par opter pour les Capétiens au détriment des Plantagenêts, enfin à part Geoffroy d'Harcourt, dit « le Boiteux », qui joua dans les années 1340 un rôle assez ambigu, ce qui lui fut reproché avec son emphase habituelle par Chateaubriand, mais à cette exception près ils devinrent de fidèles serviteurs de la couronne française – le nombre d'ambassadeurs, de prélats et de chefs militaires qu'ils avaient donnés au pays était considérable. Il demeurait cependant une branche anglaise, dont la devise, « Le bon temps viendra », était bien peu appropriée à la circonstance. La mort brutale d'Aymeric, sur le plateau de son pick-up Nissan Navara, me semblait à la fois conforme et contraire à la vocation de sa famille, et je me demandais ce que pouvait en penser son père ; il était mort les armes à la main pour protéger la paysannerie française, ce qui avait été de tout temps la mission de la noblesse ; d'un autre côté il s'était suicidé, ce qui ne ressemblait guère au trépas d'un chevalier chrétien ; il aurait été bien préférable, à tout prendre, qu'il occise deux ou trois CRS.

Ces recherches m'avaient pris du temps, et l'un des deux frères m'offrit un thé à la menthe que je refusai, j'avais toujours détesté ça, j'acceptai par contre un soda. En dégustant mon Sprite Orange je repris conscience que mon projet initial était de trouver un hébergement, de préférence dans la région – je ne me sentais pas le courage de revenir à Paris, où d'ailleurs rien ne m'appelait – et de préférence cette nuit même. Mon idée précisément était de trouver un gîte rural à louer dans le coin de Falaise ; il me fallut un peu plus d'une heure de recherches supplémentaires pour trouver l'endroit approprié : c'était entre Flers et Falaise, dans un village répondant au nom bizarre de Putanges, ce qui conduisait inévitablement à des périphrases pascaliennes, « La femme n'est ni ange ni pute », etc. « Qui veut faire l'ange fait la pute » ceci dit ça ne voulait pas dire grand-chose, mais déjà le sens de la version originale m'avait toujours échappé, qu'est-ce que Pascal avait bien pu vouloir dire ? L'absence de sexualité me rapprochait sans doute de l'ange, au moins c'est ce que me soufflaient mes faibles lueurs en angélologie, mais en quoi est-ce que ça me conduisait à faire la bête ? Je ne voyais pas.

Le propriétaire du gîte, quoi qu'il en soit, fut facile à joindre, oui l'endroit était disponible, pour un temps indéterminé, disponible le soir même si je le souhaitais, c'était assez difficile à trouver me prévint-il, isolé au milieu des bois, nous convînmes de nous retrouver à 18 heures au pied de l'église de Putanges.

Isolé au milieu des bois, il fallait peut-être que je fasse quelques provisions. Diverses affiches m'avaient informé de l'existence à Coutances d'un centre Leclerc, accompagné d'un Leclerc drive, d'une station-service Leclerc, d'un espace culturel Leclerc et d'une agence de voyages – Leclerc également. Il n'y avait pas d'espace funéraire Leclerc, mais ça semblait être le seul service manquant.

Je n'avais jamais, à mon âge, mis les pieds dans un centre Leclerc. Je fus ébloui. Jamais je n'aurais imaginé l'existence d'un magasin aussi richement achalandé, ce genre de choses était inconcevable à Paris. En outre j'avais vécu mon enfance à Senlis, ville désuète, bourgeoise, anachronique même à certains égards – et mes parents s'étaient acharnés, jusqu'à leur mort, à soutenir par leurs achats l'existence d'un commerce de proximité. Quant à Méribel n'en parlons pas, c'était un endroit artificiel, recréé, à l'écart des flux authentiques du commerce mondial, une pure pantalonnade touristique. Le centre Leclerc de Coutances c'était autre chose, là on était vraiment dans la grande, la très grande distribution. Des produits alimentaires de tous les continents s'offraient au long de rayonnages interminables, et j'avais presque le vertige en songeant à la logistique mobilisée, aux immenses porte-conteneurs traversant les océans incertains.

Vois sur ces canaux
Dormir ces vaisseaux
Dont l'humeur est vagabonde ;
C'est pour assouvir
Ton moindre désir
Qu'ils viennent du bout du monde.

Je ne pus, au bout d'une heure de déambulation, et alors que mon caddie était déjà plus qu'à demi rempli, m'empêcher de songer à nouveau à la Moldave potentielle dont Aymeric aurait pu, aurait dû faire le bonheur, et qui mourrait à présent, dans un obscur recoin de sa Moldavie natale, sans même avoir soupçonné l'existence de ce paradis. Ordre et beauté, c'était le moins qu'on puisse dire. Luxe, calme et volupté, vraiment. Pauvre Moldave ; et pauvre Aymeric.

La maison était située à Saint-Aubert-sur-Orne ; c'était un hameau dépendant de Putanges, mais il ne figurait pas sur tous les GPS, m'expliqua le propriétaire. Il avait une quarantaine d'années, comme moi, ses cheveux gris étaient coupés très court, presque ras, comme les miens, et il avait l'air d'un type plutôt sinistre, comme moi aussi j'en ai peur ; il conduisait un Mercedes classe G, nouveau point commun qui permet souvent à un embryon de communication de se créer, entre hommes d'âge moyen. Mieux encore il avait un G 500, et moi un G 350, ce qui établissait entre nous une mini-hiérarchie acceptable. Il venait de Caen ; je me demandais ce qu'il pouvait faire comme profession, je n'arrivais pas bien à le situer. Il était architecte, me dit-il. Un architecte raté, précisa-t-il. Enfin, comme la plupart des architectes, ajouta-t-il. Il était entre autres responsable de l'Appart City de la ZAC de Caen Nord où Camille avait résidé une semaine avant de véritablement entrer dans ma vie ; il n'y avait pas de quoi se glorifier, commenta-t-il ; non, il n'y avait pas de quoi, en effet.

Il souhaitait évidemment savoir combien de temps j'avais l'intention de rester ; ça c'était une vraie question, ça pouvait être trois jours ou trois ans. Nous convînmes assez aisément d'un bail d'un mois, renouvelable par tacite reconduction, je lui verserais le loyer au début de chaque mois, par chèque ça pouvait aller, il pouvait les faire passer sur son compte d'entreprise. Ce n'était même pas pour l'économie d'impôts, ajouta-t-il avec dégoût, c'est juste que c'était chiant à remplir la déclaration, il ne savait jamais s'il fallait mettre ça en BZ ou en BY, ne rien mettre était le plus simple ; je ne fus pas surpris, j'avais déjà remarqué ça chez des représentants des professions indépendantes, cette lassitude. Lui-même ne revenait jamais dans cette maison, et il commençait à avoir l'impression qu'il n'y reviendrait jamais ; depuis son divorce il y a deux ans il avait perdu beaucoup de sa motivation pour l'immobilier, ainsi que pour bien d'autres choses. Nos vies étaient si semblables que ça en devenait presque oppressant.

Des locataires il en avait peu, et de toute façon aucun avant les mois d'été, il allait tout de suite s'occuper de retirer l'annonce du site. Même en été, de toute façon, ça ne marchait pas fort. « Il n'y a pas d'Internet, me dit-il avec une inquiétude soudaine, j'espère que vous le saviez, je suis à peu près sûr de l'avoir précisé sur l'annonce. » Je lui répondis que je savais, que j'avais accepté l'idée. Dans ses yeux, alors, je vis passer un bref mouvement de crainte. Les dépressifs qui souhaitent s'isoler, passer quelques mois dans les bois pour « faire le point avec eux-mêmes », ça ne doit pas manquer ; mais des gens qui acceptent sans sourciller de se couper d'Internet pour un temps indéfini, c'est qu'ils filent un bien mauvais coton, je le lisais dans son regard anxieux. « Je ne me suiciderai pas » dis-je avec un sourire que j'aurais espéré désarmant, mais qui devait en réalité être assez louche. « Enfin, pas dans l'immédiat » ajoutai-je, comme une concession. Il poussa un grommellement et se concentra sur les aspects techniques, qui étaient au demeurant fort simples. Les radiateurs électriques étaient commandés par un thermostat, il me suffisait de tourner un bouton pour obtenir la température souhaitée ; l'eau chaude était directement fournie par la chaudière, je n'avais absolument rien à faire. Je pouvais faire un feu de bois si je le souhaitais ; il me montra les allume-feu, la réserve de bûches. Les portables passaient plus ou moins, SFR pas du tout, Bouygues assez bien, Orange il avait oublié. Il y avait sinon un téléphone fixe, il n'avait pas mis en place de système de compteur, il préférait faire confiance aux gens, ajouta-t-il avec un geste du bras par lequel il semblait tourner en dérision sa propre attitude, il espérait simplement que je ne passe pas mes nuits en communication avec le Japon. « Avec le Japon sûrement pas » coupai-je avec une brutalité que je n'avais pas préméditée, il fronça les sourcils, je sentis qu'il hésitait à m'interroger, à essayer d'en savoir davantage, au bout de quelques secondes il renonça, se retourna et se dirigea vers son 4×4. Je pensais encore que nous allions nous revoir, que c'était l'ébauche d'une relation, mais avant de redémarrer il me tendit une carte de visite : « Mon adresse, pour le loyer… »

J'étais donc maintenant sur la terre, comme l'écrit Rousseau, n'ayant plus de frère, de prochain, d'ami, de société que moi-même. Cela correspondait assez, mais la ressemblance s'arrêtait là : dès la phrase suivante, Rousseau se proclamait « le plus sociable et le plus aimant des humains ». Je n'étais pas dans le même cas ; j'ai parlé d'Aymeric, j'ai parlé de certaines femmes, la liste en définitive est brève. Contrairement à Rousseau, je ne pouvais pas non plus dire que j'avais été « proscrit de la société des hommes par un accord unanime » : les hommes ne s'étaient nullement ligués contre moi ; il y avait eu simplement qu'il n'y avait rien eu, que mon adhérence au monde, d'entrée de jeu limitée, était peu à peu devenue nulle, jusqu'à ce que plus rien ne puisse interrompre le glissement.

Je remontai le thermostat avant de me décider à dormir, ou du moins à m'étendre sur le lit, dormir c'était autre chose, nous étions en plein cœur de l'hiver, les journées avaient commencé de rallonger mais la nuit serait encore longue, et au milieu des forêts elle serait absolue.

Je sombrai finalement dans un sommeil douloureux, non sans des recours répétés au calvados hors d'âge du centre Leclerc de Coutances. Aucun rêve n'y avait préludé, mais je fus brusquement réveillé, au plus obscur de la nuit, par la sensation d'un frôlement ou d'une caresse sur mes épaules. Je me redressai, marchai de long en large dans la pièce pour me calmer, allai jusqu'à la fenêtre : la nuit était totale, on devait être dans cette phase de la lune où elle est complètement cachée, on n'apercevait aucune étoile, la couverture nuageuse était trop basse. Il était deux heures du matin, la nuit n'en était qu'à son mi-temps, c'était l'heure de l'office de vigiles, dans les monastères ; j'allumai toutes les lampes disponibles, sans parvenir à me sentir réellement rassuré : j'avais rêvé de Camille c'est certain, c'est Camille dans mon rêve qui m'avait caressé les épaules, comme elle le faisait toutes les nuits il y a quelques années, beaucoup d'années en fait. Je n'avais plus guère d'espoir d'être heureux, mais j'ambitionnais encore d'échapper à la démence pure et simple.

Je me rallongeai, jetai un regard circulaire sur la chambre : elle formait un triangle équilatéral parfait, les deux pans de murs inclinés se rejoignant au centre, au niveau de la poutre maîtresse. Alors, je pris conscience du piège qui s'était refermé sur moi : c'est dans une chambre exactement identique que j'avais dormi toutes les nuits avec Camille, à Clécy, les trois premiers mois de notre vie commune. La coïncidence en soi n'avait rien de surprenant, toutes ces maisons normandes sont plus ou moins bâties sur le même modèle, et nous n'étions qu'à vingt kilomètres de Clécy ; mais je ne l'avais pas anticipé, extérieurement les deux maisons ne se ressemblaient pas, celle de Clécy avait des colombages, alors que les murs de celle-ci étaient de pierres grossières – du grès probablement. Je m'habillai hâtivement et redescendis jusqu'à la salle à manger, la température était glaciale, le feu n'avait pas pris, je n'avais jamais été doué pour le feu, je ne comprenais rien à l'assemblage de bûches et de brindilles qu'il convenait de bâtir, c'était un des nombreux points qui me séparaient de l'homme de référence – mettons pour situer Harrison Ford – que j'aurais souhaité d'être, enfin pour l'instant la question n'était pas là, mon cœur fut tordu par une crispation douloureuse, les souvenirs revenaient sans discontinuer, ce n'est pas l'avenir c'est le passé qui vous tue, qui revient, qui vous taraude et vous mine, et finit effectivement par vous tuer. La salle à manger, aussi, était exactement identique à celle dans laquelle nous avions dîné, trois mois durant, avec Camille, après nos courses à la boucherie-charcuterie artisanale de Clécy, à la boulangerie-pâtisserie tout aussi artisanale, chez divers producteurs de légumes aussi, et après qu'elle se soit *mise aux fourneaux*, avec cet enthousiasme qui rétrospectivement me faisait si mal. Je reconnaissais la rangée de casseroles de cuivre, qui brillaient d'un éclat doux sur le mur de pierre. Je reconnaissais le vaisselier en noyer massif, aux étagères ajourées pour mettre en valeur des faïences de Rouen, au dessin coloré et naïf. Je reconnaissais la comtoise de chêne, définitivement arrêtée sur une heure, sur un moment du passé – certains l'avaient arrêtée à la mort d'un fils, ou d'un proche ; d'autres au moment de la déclaration de guerre de la France à l'Allemagne, en 1914 ; d'autres au moment des pleins pouvoirs votés au maréchal Pétain.

Je ne pouvais pas en rester là, et j'attrapai une grosse clef en métal qui m'ouvrait l'accès à l'autre aile, elle n'était pas en ce moment très habitable m'avait averti l'architecte, il était impossible de la chauffer, enfin si je restais jusqu'à l'été je pourrais en profiter. J'aboutis dans une pièce très vaste, qui avait dû être en d'autres temps la pièce principale de la maison, qui était pour l'heure encombrée d'un fatras de fauteuils et de chaises de jardin, mais un pan de mur entier était occupé par une bibliothèque, où je découvris avec surprise une édition intégrale du marquis de Sade. Elle devait dater du XIXᵉ siècle, l'objet était relié pleine peau, avec diverses fioritures dorées sur le plat et sur la tranche, ça doit coûter un bras cette merde me dis-je brièvement en feuilletant l'ouvrage qui était orné de nombreuses gravures, enfin je m'arrêtai surtout aux gravures et le point curieux était que je n'y comprenais rien, différentes postures sexuelles étaient représentées, mettant en scène un nombre variable de protagonistes, mais je n'arrivais pas à me situer, à imaginer une place que j'aurais pu tenir dans l'ensemble, tout cela ne menait à rien et je me dirigeai vers la mezzanine, au-dessus ça avait dû être plus funky et plus cool, il en restait des canapés éventrés au tissu moisi, à demi renversés sur le sol. Il y avait surtout un électrophone et une collection de disques, surtout des 45 tours, que j'identifiai après une hésitation comme des disques de twist – cela se reconnaissait surtout aux postures des danseurs représentés sur les pochettes, les chanteurs et les groupes avaient quant à eux sombré dans un oubli définitif.

L'architecte je m'en souvins avait paru mal à l'aise tout au long de la visite, il n'était resté strictement que le temps nécessaire à m'expliquer le fonctionnement des appareils, dix minutes au grand maximum, et m'avait répété à plusieurs reprises qu'il ferait mieux de revendre cette maison, si tout n'était pas si compliqué les formalités de notaire etc., et surtout s'il avait une chance de trouver un acquéreur. En effet il devait y avoir un passé dans cette maison, un passé dont j'avais du mal à définir les contours, entre le marquis de Sade et le twist, un passé dont il devait se défaire, sans pour autant que s'ouvre la possibilité d'un avenir, mais le contenu de cette aile en tout cas ne m'évoquait rien que j'aurais pu rencontrer dans la maison de Clécy, c'était une autre pathologie, une autre histoire, et je me recouchai presque rasséréné tant il est vrai que nous rassure, au milieu de nos drames, l'existence d'autres drames, qui nous auront été épargnés.

Le lendemain matin, une promenade d'une demi-heure m'amena jusqu'aux bords de l'Orne. Le parcours n'avait guère d'intérêt, hormis pour ceux qui s'intéresseraient au processus de transformation des feuilles mortes en humus – ce qui avait été mon cas par le passé, il y a maintenant plus de vingt ans, j'avais même effectué différents calculs sur la quantité d'humus produite en fonction de la densité de la couverture forestière. D'autres semi-souvenirs, extrêmement imprécis, me revenaient de mes études, il me semblait remarquer par exemple que cette forêt était mal tenue – la densité de lianes et de plantes parasites était trop forte, la croissance des arbres devait en être gênée ; il est faux de s'imaginer que la nature laissée à elle-même produit des futaies splendides, aux arbres puissamment découplés, de ces futaies qu'on a pu comparer à des cathédrales, qui ont pu aussi provoquer des émotions religieuses de type panthéiste ; la nature laissée à elle-même ne produit en général qu'un informe et chaotique fouillis, composé de plantes variées et dans l'ensemble assez moches ;

c'est à peu près ce spectacle que m'offrit ma promenade jusqu'aux bords de l'Orne.

Le propriétaire m'avait recommandé d'éviter de donner à manger aux biches, si par hasard j'en croisais. Non qu'une telle opération lui paraisse contraire à leur dignité d'animal sauvage (il eut un haussement d'épaules impatient, comme pour souligner le ridicule de l'objection), les biches comme la plupart des animaux sauvages sont des omnivores opportunistes, elles mangent à peu près n'importe quoi, rien ne les met davantage en joie que de tomber sur les restes d'un pique-nique, ou sur un sac-poubelle éventré ; c'est simplement que si je commençais à les nourrir elles reviendraient tous les jours, je ne pourrais plus m'en dépêtrer, de véritables pots de colle quand elles s'y mettent, les biches. Si cependant, touché par la grâce de leurs petits sauts, j'étais travaillé par une émotion d'ordre animalier, il me conseillait les pains au chocolat, elles avaient pour les pains au chocolat une prédilection presque incroyable – en cela elles étaient très différentes des loups, dont les goûts se portaient plutôt sur le fromage, mais de toute façon il n'y avait pas de loups, pour l'instant les biches n'avaient pas de soucis à se faire, il faudrait encore pas mal d'années pour qu'ils remontent des Alpes, ou même du Gévaudan.

Je ne rencontrai quoi qu'il en soit aucune biche. Je ne rencontrai plus généralement rien qui puisse justifier ma présence dans cette maison perdue au milieu des bois, et c'est presque inéluctablement me sembla-t-il que je remis la main sur la feuille où j'avais noté l'adresse et le téléphone du cabinet vétérinaire de Camille, après l'avoir recherché sur l'ordinateur installé dans le coin bureau de l'étable d'Aymeric, en un temps qui me paraissait très lointain, qui me paraissait presque appartenir à une vie antérieure, un temps qui remontait en réalité à moins de deux mois.

Il n'y avait qu'une vingtaine de kilomètres jusqu'à Falaise, mais il me fallut presque deux heures pour accomplir le parcours. Je demeurai longtemps garé sur la place principale de Putanges, fasciné par l'Hôtel du Lion Verd, sans autre motif perceptible que son étrange toponymie – mais un lion vert aurait-il été plus acceptable ? Je m'arrêtai ensuite, avec encore moins de raison, à Bazoches-au-Houlme. On quittait ensuite la Suisse normande, ses accidents et ses détours, les dix derniers kilomètres de la route vers Falaise étaient parfaitement rectilignes, j'avais l'impression de glisser sur un plan incliné et je m'aperçus que j'étais involontairement monté à 160, c'était une erreur stupide, c'était exactement le genre de coin où l'on installait des radars, et surtout cette glissade facile me conduisait probablement vers le néant, Camille avait dû refaire sa vie, elle avait dû retrouver un mec, cela faisait déjà sept ans, comment pouvais-je m'imaginer autre chose ?

Je me garai au pied des fortifications qui entouraient Falaise, dominées par le château où était né Guillaume le Conquérant. Le plan de Falaise était simple, et je trouvai sans difficulté le cabinet vétérinaire de Camille : il était situé place du docteur Paul-Germain, à l'extrémité de la rue Saint-Gervais, manifestement une des principales rues commerçantes de la ville, et près de l'église du même nom – dont les fondations, de style gothique primitif, avaient beaucoup souffert du siège de Philippe Auguste. À ce stade j'aurais pu entrer directement, m'adresser à la réceptionniste et demander à la voir. C'est ce que d'autres gens auraient fait, et c'est peut-être moi-même ce que je finirais par faire, après différentes tergiversations dénuées d'intérêt comme de sens. J'avais d'emblée écarté la solution du coup de téléphone ; l'idée d'une lettre m'avait plus longtemps retenu, les lettres personnelles sont devenues si rares qu'elles ont toujours un impact, c'était surtout la sensation de mon incompétence qui m'avait fait abandonner l'idée.

Il y avait un bar juste en face, *Au duc normand*, et c'est finalement la solution que je retins, dans l'attente que mes forces, ou mon désir de vivre, ou quoi que ce soit de ce genre, l'emporte. Je choisis de commander une bière, qui ne serait je le sentais que la première d'une longue série, il n'était que onze heures du matin. L'établissement était minuscule, il n'y avait que cinq tables et j'étais le seul client. J'avais sur le cabinet vétérinaire une vue parfaite, de temps en temps des gens rentraient, accompagnés d'un animal domestique – le plus souvent un chien, parfois dans un panier –, échangeaient les mots appropriés avec la réceptionniste. De temps en temps aussi des gens entraient dans le bar, s'installaient à quelques mètres de moi et commandaient un café arrosé, il s'agissait la plupart du temps de vieillards, pourtant ils ne s'asseyaient pas, ils préféraient consommer au comptoir, je comprenais et j'adhérais à leur choix, on avait là affaire à des vieillards courageux, qui souhaitaient montrer qu'ils en avaient encore sous le capot, qui ne fléchissaient pas sur leurs ischio-jambiers, on aurait eu bien tort de les balayer d'un revers de main. Pendant que ses clients privilégiés s'adonnaient à cette mini-démonstration de force, le patron poursuivait, avec une lenteur presque sacerdotale, la lecture de *Paris-Normandie*.

J'en étais à ma troisième bière, et mon attention était devenue légèrement flottante, lorsque Camille apparut devant mes yeux. Elle sortit de la salle où elle recevait ses patients, échangea quelques mots avec la réceptionniste – c'était l'heure de la pause déjeuner, évidemment. Elle était à une vingtaine de mètres de moi, pas davantage, et elle n'avait pas changé, physiquement elle n'avait pas changé du tout, c'était effrayant, elle avait dépassé trente-cinq ans maintenant et elle avait toujours l'allure d'une gamine de dix-neuf. J'avais moi-même changé, physiquement, j'étais conscient que j'avais subi un ou plusieurs *coups de vieux*, je le savais pour me croiser de temps à autre dans la glace sans réelle satisfaction, sans réel déplaisir non plus, à peu près comme on croise un voisin de palier pas très gênant.

Pire encore, elle était vêtue d'un jean et d'un sweat-shirt gris clair, et c'était exactement la même tenue qu'elle portait en descendant du train de Paris, un lundi matin de novembre, tenant son sac en bandoulière, juste avant que nos regards ne plongent l'un dans l'autre pour quelques secondes ou quelques minutes, enfin pour un temps indéterminé, et qu'elle ne me dise : « Je suis Camille », créant ainsi les conditions d'un nouvel enchaînement de circonstances, d'une nouvelle configuration existentielle dont je n'étais pas sorti, dont je ne sortirais probablement jamais, et dont je n'avais à vrai dire aucune intention de sortir. J'eus un bref moment de terreur quand les deux femmes, sortant du cabinet vétérinaire, échangèrent quelques mots sur le trottoir : allaient-elles déjeuner *Au duc normand* ? Me retrouver en face de Camille par hasard me paraissait la pire des solutions possibles, la certitude de l'échec. Mais non, elles remontèrent la rue Saint-Gervais, et à vrai dire, à mieux examiner le *Duc normand*, je compris que ma crainte avait été vaine, le patron ne proposait aucun type de restauration, pas même des sandwiches, le *coup de feu* de midi ce n'était pas son style, il continuait par contre sa lecture exhaustive de *Paris-Normandie*, à laquelle il me paraissait prendre un intérêt exagéré, morbide.

Je n'attendis pas le retour de Camille, payai immédiatement mes bières et retournai dans un état d'ivresse léger à la maison de Saint-Aubert-sur-Orne où je me retrouvai confronté aux murs triangulaires de la chambre, aux casseroles de cuivre sur les murs et plus généralement à mes souvenirs, il me restait une bouteille de Grand Marnier c'était insuffisant, l'angoisse augmentait d'heure en heure, par petits paliers secs, les épisodes de tachycardie commencèrent dès onze heures du soir, aussitôt suivis de sudations abondantes et de nausées. Vers deux heures du matin, je compris que c'était une nuit dont je ne me remettrais pas totalement.

En effet, c'est à partir de ce moment que mon comportement commence à m'échapper, que j'hésite à lui assigner un sens, et qu'il se met à s'écarter nettement d'une morale commune, et par ailleurs d'une raison commune, que je croyais jusque-là posséder en partage. Je n'avais jamais eu, je crois l'avoir suffisamment expliqué, ce qu'on appelle une personnalité forte, je n'étais pas de ceux qui laissent des traces indélébiles dans l'histoire, ni même dans la mémoire de leurs contemporains. Depuis quelques semaines je m'étais remis à lire, enfin si l'on peut dire, ma curiosité de lecteur n'était pas très étendue, je lisais en fait uniquement « Les âmes mortes », de Gogol, et je ne lisais pas beaucoup, une ou deux pages par jour pas davantage, et je relisais souvent, plusieurs jours de suite, les mêmes. Cette lecture me procurait des plaisirs infinis, jamais peut-être je ne m'étais senti aussi proche d'un autre homme que de cet auteur russe un peu oublié, pourtant je n'aurais su dire, contrairement à Gogol, que Dieu m'avait donné une nature très complexe. Dieu m'avait donné une nature simple, infiniment simple à mon avis, c'était plutôt le monde autour de moi qui était devenu complexe, et là j'avais atteint un état de trop grande complexité du monde, je ne parvenais simplement plus à assumer la complexité du monde où j'étais plongé, aussi mon comportement, que je ne cherche pas à justifier, est-il devenu incompréhensible, choquant et erratique.

Le lendemain j'étais au *Duc normand* à dix-sept heures, le patron du bar s'était déjà habitué à ma présence, la veille il avait paru un peu surpris aujourd'hui pas du tout, il avait déjà la main sur la manette de sa pompe à bière avant même que je ne passe ma commande, et je me réinstallai exactement à la même place. Vers dix-sept heures quinze une jeune fille d'une quinzaine d'années poussa la porte du cabinet vétérinaire, elle tenait un enfant par la main, un tout petit garçon, il pouvait avoir trois ou quatre ans. Camille surgit dans la pièce et le prit dans ses bras, elle tourna plusieurs fois sur elle-même en le couvrant de baisers.

Un enfant, donc, elle avait un enfant ; c'est ce qu'on appelle un fait nouveau. J'aurais pu l'anticiper, les femmes font parfois des enfants, mais le fait est que j'avais songé à tout sauf à ça. Et mes premières pensées, à vrai dire, ne furent pas pour l'enfant lui-même : un enfant se fait généralement à deux, voilà ce que je me disais, généralement mais pas toujours, il y a maintenant différentes possibilités médicales, dont j'avais entendu parler, et de fait j'aurais préféré que l'enfant soit issu d'une fécondation artificielle, il me serait apparu en quelque sorte *moins réel*, mais ce n'était pas le cas, cinq ans plus tôt Camille avait acheté un billet de train et une entrée pour le Festival des Vieilles Charrues, alors qu'elle était en pleine période de fécondité, et elle avait couché avec un mec rencontré dans un concert – elle ne se souvenait plus du nom du groupe. Elle n'avait pas choisi exactement le premier venu, le mec n'était ni trop moche ni trop con, c'était un étudiant dans une école de commerce. Le seul point un peu douteux, chez lui, était qu'il était fan de heavy metal, mais enfin nul n'est parfait, et pour un fan de heavy metal il était poli et propre. La chose avait eu lieu sous la tente du type, plantée dans une prairie à quelques kilomètres des scènes de concert ; cela s'était déroulé ni bien ni mal, enfin correctement ; la question du préservatif avait été éludée sans grande difficulté, comme toujours avec les mecs. Elle s'était réveillée avant lui et avait laissé en évidence une feuille de son carnet Rhodia, en indiquant un faux numéro de portable ; c'était à vrai dire une précaution un peu inutile, il y avait peu de chances qu'il la rappelle. La gare était à cinq kilomètres à pied, c'était le seul inconvénient, mais sinon il faisait beau, c'était une matinée d'été, claire et agréable.

Ses parents avaient accueilli la nouvelle avec résignation, le monde avait changé ils en étaient conscients, pas forcément en bien pensaient-ils au fond d'eux-mêmes mais enfin il avait changé, et la nouvelle génération devait en passer par de bizarres détours afin d'accomplir sa fonction reproductrice. Aussi avaient-ils hoché la tête, chacun de leur côté, mais d'une manière légèrement différente : chez le père persistait quand même la honte, la sensation d'avoir au moins partiellement failli dans sa mission éducative, et que les choses auraient dû se passer différemment ; alors que la mère était au fond déjà entièrement dans la joie d'accueillir son petit-fils – car elle savait que ce serait un garçon, elle en avait eu la certitude immédiate, et ce fut un garçon, en effet.

Vers dix-neuf heures Camille sortit en compagnie de la réceptionniste, qui partit de son côté dans la rue Saint-Gervais, ferma la porte du cabinet vétérinaire et s'installa au volant de sa Nissan Micra. J'avais plus ou moins anticipé de la suivre, enfin l'idée m'avait traversé l'esprit, plus tôt dans la journée, mais j'avais garé ma voiture près des remparts, c'était trop loin, je n'avais pas le temps d'aller la rechercher et de toute façon je ne m'en sentais plus la force, pas ce soir, il y avait quand même l'enfant, l'ensemble de la situation demandait à être reconsidéré, il était plus opportun pour l'instant d'aller au Carrefour Market de Falaise et de racheter une bouteille de Grand Marnier, même plutôt deux.

Le lendemain était un samedi, et le cabinet vétérinaire de Camille ne devait pas être fermé, me dis-je, c'était même probablement sa journée de plus grande activité, les gens attendent quand leur chien est malade, ils attendent jusqu'à avoir du temps libre, c'est comme ça que ça se passe, en général, la vie des gens. L'école ou la crèche ou la halte-garderie de son fils devait par contre, elle, être fermée, sans doute faisait-elle appel, pour cette journée, à une baby-sitter, enfin probablement elle serait seule, et ceci me paraissait une circonstance favorable.

J'arrivai dès onze heures et demie, au cas qui me paraissait improbable où elle fermerait le samedi après-midi. Le patron avait achevé *Paris-Normandie*, mais s'était lancé dans une lecture tout aussi exhaustive de *France Football*, c'était un lecteur exhaustif, il en existe, j'avais connu des gens comme ça, qui ne se contentent pas des gros titres, des déclarations d'Édouard Philippe ou du montant du transfert de Neymar, ils veulent aller jusqu'au fond des choses ; ils sont le fondement de l'opinion éclairée, le pilier de la démocratie représentative.

Des clients se succédèrent, à un rythme soutenu, dans le cabinet vétérinaire, mais Camille ferma cependant plus tôt que la veille, il était à peu près dix-sept heures. J'avais cette fois garé ma voiture dans la contre-allée, à quelques mètres de la sienne, j'eus peur un instant qu'elle ne la reconnaisse, mais c'était peu probable. Il y a vingt ans, à l'époque où je l'avais achetée, la Mercedes Classe G était une voiture peu répandue, les gens l'achetaient quand ils envisageaient de traverser l'Afrique, ou au minimum la Sardaigne ; elle était aujourd'hui à la mode, son côté vintage avait séduit, enfin c'était plus ou moins devenu une voiture de kéké.

Elle obliqua à Bazoches-au-Houlme, et au moment précis où sa voiture prit la direction de Rabodanges j'eus la certitude qu'elle vivait seule avec son fils. Ce n'était pas uniquement l'expression d'un désir : c'était une certitude intuitive, puissante quoique injustifiable.

Nous étions seuls sur la route de Rabodanges et je ralentis nettement, la laissant prendre de l'avance ; la brume se levait, je distinguais à peine ses feux arrière.

L'arrivée au bord du lac de Rabodanges, sur lequel le soleil commençait son déclin, m'impressionna : il s'étendait sur des kilomètres, de part et d'autre d'un pont, au milieu de forêts denses de chênes et d'ormes ; c'était un lac de barrage, probablement ; il n'y avait presque aucun signe d'occupation humaine, ce paysage ne me rappelait rien que j'avais pu voir en France, on se serait plutôt cru en Norvège, ou au Canada.

Je me garai à l'arrière d'un bar-restaurant situé au sommet de la pente, fermé pour la saison, dont la terrasse offrait des « vues panoramiques sur le lac », et qui s'affirmait prêt à réaliser sur demande des banquets, ainsi qu'en été à servir des glaces à toute heure. La voiture de Camille s'engagea sur le pont ; je sortis mes jumelles Schmidt & Bender de la boîte à gants, je n'avais plus aucune peur de la perdre, j'avais déjà deviné où elle se rendait : c'était un petit chalet en bois, de l'autre côté du pont, à quelques centaines de mètres ; une terrasse, à l'avant, donnait sur le lac. Perdu à mi-pente au milieu des forêts, le chalet ressemblait vraiment à une maison de poupée, cernée par les ogres.

En effet, au débouché du pont, la Nissan Micra s'engagea sur un chemin pentu, puis s'arrêta juste en dessous de la terrasse. Une jeune fille d'une quinzaine d'années accueillit Camille – la même que j'avais vue la veille. Elles échangèrent quelques mots, puis la jeune fille repartit en scooter.

Ainsi Camille vivait là, dans une maison isolée au milieu des bois, à des kilomètres du moindre voisinage – enfin j'exagérais il y avait une autre maison, un peu plus grande, située plus au Nord, à un ou deux kilomètres, mais c'était visiblement une maison de vacances, les volets étaient fermés. Il y avait le bar-restaurant panoramique *La Rotonde*, aussi, derrière lequel j'étais garé, un examen plus attentif m'apprit qu'il rouvrirait en avril, au début des vacances de Pâques (il y avait même juste à côté un club de ski nautique, qui reprendrait ses activités à peu près au même moment). L'entrée de la salle de restaurant était protégée par une alarme, un petit voyant rouge clignotait au bas d'un boîtier numérique ; mais, plus bas, une entrée de service permettait l'accès des livreurs, je forçai la serrure sans difficulté. La température à l'intérieur était plutôt douce, bien plus agréable que la température extérieure, il devait y avoir un système de thermostat, sans doute surtout pour protéger la cave – une très belle cave, avec des centaines de bouteilles. Du point de vue de la nourriture solide c'était moins brillant, il y avait quelques étagères de conserves – des légumes en boîte et des fruits au sirop, essentiellement. Je découvris également un mince matelas, sur un petit lit de fer, dans une pièce de service ; il devait servir aux employés, en saison, lorsqu'ils s'accordaient un moment de repos. Je le transportai facilement en haut, dans la salle du restaurant panoramique, et m'installai, mes jumelles à mes côtés. Le matelas était loin d'être confortable, mais le bar regorgeait de bouteilles d'apéritif entamées, enfin je ne saurais expliquer l'ensemble de la situation, mais pour la première fois depuis des mois – des années plutôt – je me sentais exactement à la place où je devais être, et pour le dire simplement j'étais heureux.

Elle était assise sur le canapé de son salon, son fils à ses côtés, et ils étaient plongés dans un DVD que j'avais du mal à identifier, probablement *Le Roi Lion*, puis l'enfant s'endormit, elle le prit dans ses bras et se dirigea vers l'escalier. Peu après, les lumières s'éteignirent dans toute la maison. Je n'avais pour ma part qu'une lampe-torche, et guère d'autre solution : j'étais sûr qu'à cette distance elle ne pouvait pas m'apercevoir, mais si par contre j'avais allumé la salle du restaurant elle aurait soupçonné quelque chose d'anormal. Je me restaurai rapidement à l'office, d'une boîte de petits pois et d'une autre de pêches au sirop, que j'accompagnai d'une bouteille de Saint-Émilion, et je m'endormis presque aussitôt.

Le lendemain vers onze heures Camille sortit, assujettit l'enfant dans un siège bébé et démarra, reprenant le pont dans l'autre sens, sa voiture passa à une dizaine de mètres de la salle de restaurant ; elle serait avant midi à Bagnoles-de-l'Orne.

Toute chose existe, demande à exister, ainsi des situations s'assemblent, parfois porteuses de puissantes configurations émotives, et une destinée finit par s'accomplir. La situation que je viens de décrire se poursuivit pendant à peu près trois semaines. J'arrivais en général vers dix-sept heures, je m'installais aussitôt à mon poste d'observation, j'étais maintenant bien organisé, j'avais mon cendrier, ma lampe-torche ; parfois j'apportais des tranches de jambon, pour accompagner les légumes en boîte de l'office ; une fois, même, je me munis d'un saucisson à l'ail. Quant aux réserves d'alcool, elles auraient pu me permettre de tenir des mois.

Il était maintenant évident non seulement que Camille vivait seule, qu'elle n'avait pas d'amants, mais qu'elle n'avait pas tellement d'amis non plus ; au cours de ces trois semaines, elle ne reçut aucune visite. Comment avait-elle pu en arriver là ? Comment avions-nous pu en arriver là, tous les deux ? Et, pour le dire dans les termes du barde communiste : est-ce ainsi que les hommes vivent ?

Eh bien oui, la réponse est oui, j'en prenais peu à peu conscience. Et je prenais également conscience que les choses n'allaient pas s'arranger. Camille était maintenant engagée dans une relation profonde et exclusive avec son fils ; cela durerait encore au moins dix ans, plus probablement quinze, avant qu'il ne la quitte pour faire des études – car il travaillerait bien à l'école, serait suivi avec attention et dévouement par sa mère, et il ferait des études supérieures, je n'avais aucun doute là-dessus. Peu à peu les choses deviendraient moins simples, il y aurait des filles – et puis, pire encore, il y aurait *une* fille, qui serait mal accueillie, Camille alors deviendrait une gêne, un empêchement (et même si ce n'était pas une fille mais un garçon la situation serait à peine plus favorable, nous n'en étions plus aux temps où les mères accueillaient avec soulagement l'homosexualité de leur fils, ils se mettent en couple aujourd'hui les petits pédés, et échappent tout autant à la domination maternelle). Elle se battrait alors, elle se battrait pour conserver l'unique amour de sa vie, la situation serait quelque temps douloureuse, mais elle finirait par se rendre à l'évidence, elle se plierait aux « lois naturelles ». Elle serait libre alors, à nouveau libre et seule – mais elle aurait cinquante ans déjà, et pour elle bien évidemment il serait trop tard, quant à moi n'en parlons pas, j'étais déjà à peine vivant, je serais dans quinze ans plus que largement mort.

Cela faisait deux mois que je n'avais pas utilisé la Steyr Mannlicher, mais les pièces s'ajustèrent sans difficulté, avec souplesse et précision, leur usinage était vraiment admirable. Je passai le reste de l'après-midi à m'entraîner sur une maison abandonnée, située un peu plus loin dans les bois, où il restait quelques vitres à casser : je n'avais rien perdu, ma précision à cinq cents mètres restait excellente.

Pouvait-on imaginer que Camille mette en danger pour moi cette relation parfaite et fusionnelle qu'elle vivait avec son fils ? Et pouvait-on imaginer que lui, l'enfant, accepte de partager l'affection de sa mère avec un autre homme ? La réponse à ces questions était passablement évidente, et la conclusion inéluctable : c'était lui ou moi.

Le meurtre d'un enfant de quatre ans provoque inévitablement une vive émotion médiatique, je pouvais m'attendre à ce que des moyens de recherche considérables soient mis en œuvre. Le restaurant panoramique serait rapidement identifié comme le lieu d'origine du tir, mais je n'avais jamais quitté mes gants de latex, à aucun moment, dans cet établissement, j'étais certain de ne laisser aucune empreinte. Pour l'ADN, je ne savais pas exactement ce qui permettait de prélever de l'ADN : sang, sperme, cheveux, salive ? J'avais prévu d'emmener un sac plastique où je déversais au fur et à mesure les mégots que j'avais tenus entre mes dents ; au dernier moment je rajoutai les couverts que j'avais portés à ma bouche, en ayant l'impression de prendre des précautions un peu superflues, à vrai dire mon ADN n'avait jamais été prélevé, le prélèvement systématique de l'ADN en dehors de toute infraction n'avait jamais été voté, nous vivions à certains égards dans un pays libre, enfin je n'avais pas l'impression d'un danger très vif. La clef du succès me paraissait résider dans une exécution rapide : en moins d'une minute après le tir, je pouvais avoir définitivement quitté *La Rotonde* ; en moins d'une heure, je pouvais être sur l'autoroute de Paris.

Un soir, alors que je passais mentalement en revue les paramètres de l'assassinat, je fus transpercé par le souvenir d'une soirée à Morzine, un 31 décembre, le premier soir de réveillon où mes parents m'avaient autorisé à rester éveillé jusqu'à minuit, ils recevaient quelques amis, c'était probablement une petite fête mais je n'avais aucun souvenir de cet aspect, ce dont je me souvenais par contre c'est de mon ivresse absolue à l'idée que nous entrions dans une nouvelle année, une année absolument neuve où chaque geste, y compris le plus anodin, y compris celui de boire un bol de Nesquik, serait en un sens accompli pour la première fois, je pouvais avoir cinq ans à l'époque, un peu plus âgé que le fils de Camille, mais je voyais alors la vie comme une succession de bonheurs qui ne pouvait que s'élargir, que donner lieu dans le futur à des bonheurs de plus en plus variés et plus grands, et au moment où ce souvenir me revint à l'esprit je sus que je comprenais le fils de Camille, que je pouvais me mettre à sa place, et que cette identité me donnait le droit de le tuer. À vrai dire si j'avais été un cerf, ou un macaque du Brésil, la question ne se serait même pas posée : la première action d'un mammifère mâle, lorsqu'il fait la conquête d'une femelle, est de détruire toute progéniture antérieure, afin d'assurer la prééminence de son génotype. Cette attitude s'était longtemps maintenue, dans les premières populations humaines.

J'ai tout le temps maintenant de repenser à ces quelques heures, et même à ces quelques minutes, je n'ai plus grand-chose d'autre, comme programme dans la vie, que d'y repenser : je ne crois pas que les forces contraires, les forces qui tentaient de me retenir sur la pente du meurtre, aient eu grand-chose à voir avec la morale ; c'était plutôt une question anthropologique, une question d'appartenance à l'espèce tardive, d'adhésion aux codes de l'espèce tardive – une question de conformisme, pour le dire autrement.

Si je parvenais à outrepasser ces limites, la récompense ne serait bien entendu pas immédiate. Camille souffrirait, elle souffrirait énormément, il me faudrait attendre au moins six mois avant de reprendre contact. Et puis je reviendrais, et elle m'aimerait de nouveau parce qu'elle n'avait jamais cessé de m'aimer, c'était aussi simple que cela, simplement elle voudrait un autre enfant, elle le voudrait très vite ; et c'est cela qui se produirait. Une large embardée s'était produite, quelques années auparavant, nous avions atrocement dévié de nos destinées normales ; j'avais commis la première faute, mais Camille avait renchéri de son côté ; il était temps maintenant de réparer, il était tout juste temps, c'était maintenant notre dernière chance, et j'étais le seul à pouvoir le faire, j'étais le seul à avoir les cartes en main, la solution était au bout de ma Steyr Mannlicher.

Une opportunité se présenta dès le samedi suivant, en milieu de matinée. Nous étions début mars, l'air était déjà d'une douceur printanière, et lorsque j'ouvris de quelques centimètres une des baies vitrées qui donnaient sur le lac, afin d'y glisser le canon de mon arme, je ne ressentis aucun souffle de froid, rien qui puisse compromettre la stabilité de ma visée. L'enfant s'était installé sur la table de la terrasse, devant une grande boîte de carton qui contenait les pièces d'un puzzle Disney – plus précisément Blanche-Neige, m'apprirent mes jumelles, seuls le visage et le buste de l'héroïne avaient jusqu'à présent été reconstitués. Je réglai la lunette de visée au maximum avant de positionner mon arme, puis ma respiration devint régulière et lente. La tête de l'enfant, de profil, occupait l'intégralité de la mire ; lui-même ne bougeait absolument pas, il était totalement concentré sur son puzzle – c'est un exercice, il est vrai, qui demande une grande concentration. Quelques minutes auparavant, j'avais vu la baby-sitter disparaître en direction des chambres du haut – lorsque l'enfant se lançait dans une lecture ou dans un jeu, je l'avais remarqué, elle en profitait pour monter surfer sur Internet après avoir enfilé un casque audio, elle en avait probablement pour quelques heures, je ne pensais pas qu'elle redescende avant l'heure du déjeuner de l'enfant.

Pendant dix minutes il demeura parfaitement immobile, à l'exception de lents mouvements de la main pour fouiller dans le tas de pièces en carton – le corsage de Blanche-Neige se complétait peu à peu. Son immobilité n'avait d'égale que la mienne –, jamais je n'avais respiré aussi lentement, aussi profondément, jamais mes mains n'avaient aussi peu tremblé, jamais je n'avais aussi bien maîtrisé mon arme, je me sentais sur le point d'accomplir le tir parfait, libérateur et unique, le tir le plus important de ma vie, le seul objectif au fond de mes mois d'entraînement.

Il s'écoula ainsi dix minutes immobiles, plus probablement quinze ou vingt, avant que mes doigts ne se mettent à trembler, et que je ne m'effondre sur le sol, mes joues râpaient la moquette et je venais de comprendre que c'était foutu, que je ne tirerais pas, que je ne parviendrais pas à modifier le cours des choses, que les mécanismes du malheur étaient les plus forts, que je ne retrouverais jamais Camille et que nous mourrions seuls, malheureux et seuls, chacun de notre côté. J'étais agité de tremblements lorsque je me relevai, ma vue était brouillée par les larmes et j'appuyai sur la détente à tout hasard, la baie vitrée de la salle panoramique explosa en centaines d'éclats de verre, le bruit était tel que je me suis dit qu'on l'avait peut-être entendu, dans la maison d'en face. Je braquai mes jumelles sur l'enfant : non, il n'avait pas bougé, il était toujours concentré sur son puzzle, la robe de Blanche-Neige se complétait peu à peu.

Lentement, très lentement, avec la lenteur d'un cérémonial funèbre, je dévissai les pièces de la Steyr Mannlicher, qui s'emboîtèrent, toujours avec la même précision, dans leurs logements de mousse. L'étui en polycarbonate une fois refermé, j'eus un moment l'idée de le jeter dans le lac, puis cette manifestation d'échec ostentatoire me parut bien inutile, l'échec était de toute façon consommé, le souligner davantage aurait été injuste à l'égard de cette honnête carabine, qui n'avait demandé de son côté qu'à servir son utilisateur, à accomplir ses desseins avec précision et excellence.

L'idée me vint, dans un deuxième temps, de traverser le pont, de me présenter à l'enfant. Je balançai le projet dans ma tête pendant deux à trois minutes puis je terminai une bouteille de Guignolet-Kirsch et ce fut le retour de la raison ou du moins d'une forme normale de raison, je ne pouvais être de toute façon qu'un père ou un substitut, et qu'est-ce que cet enfant pouvait bien avoir à faire d'un père, en quoi pouvait-il avoir besoin d'un père quelconque ? En rien absolument, j'avais la sensation de retourner dans ma tête les paramètres d'une équation déjà résolue, et résolue en ma défaveur, c'était lui ou moi, comme j'ai dit, et c'était lui.

Plus raisonnablement, dans un troisième temps, je rangeai l'arme dans le coffre de mon G 350 et démarrai sans me retourner en direction de Saint-Aubert. Dans un peu plus d'un mois des gens viendraient rouvrir le restaurant, constateraient des traces d'occupation sauvage, incrimineraient probablement un SDF, décideraient d'installer une alarme supplémentaire en bas pour protéger l'accès des fournisseurs – il n'était même pas certain que la gendarmerie ouvre une enquête, se lance dans la recherche d'empreintes.

De mon côté, plus rien ne semblait pouvoir freiner mon chemin vers l'anéantissement. Je ne quittai cependant pas la maison de Saint-Aubert-sur-Orne, du moins pas immédiatement, ce qui me paraît rétrospectivement difficile à expliquer. Je n'espérais rien, j'étais pleinement conscient que je n'avais rien à espérer, mon analyse de la situation me paraissait complète et certaine. Il existe certaines zones de la psyché humaine qui demeurent mal connues, parce qu'elles ont été peu explorées, parce que heureusement peu de gens se sont trouvés en situation d'avoir à le faire, et que ceux qui l'ont fait ont en général conservé trop peu de raison pour en produire une description acceptable. Ces zones ne peuvent guère être approchées que par l'emploi de formules paradoxales et même absurdes, dont l'expression *espérer au-delà de toute espérance* est la seule qui me revienne réellement. Ce n'est pas similaire à la nuit, c'est bien pire ; et sans avoir personnellement connu cette expérience j'ai l'impression que même lorsqu'on plonge dans la vraie nuit, la nuit polaire, celle qui dure six mois consécutifs, demeure le concept ou le souvenir du soleil. J'étais entré dans une *nuit sans fin*, pourtant il demeurait, tout au fond de moi il demeurait quelque chose, bien moins qu'une espérance, disons une incertitude. On pourrait aussi dire que même lorsqu'on a personnellement perdu la partie, lorsqu'on a joué sa dernière carte, demeure chez certains – pas chez tous, pas chez tous – l'idée que *quelque chose dans les cieux* va reprendre la main, va décider arbitrairement de distribuer une nouvelle donne, de relancer les dés, et cela même lorsqu'on n'a jamais ressenti, à aucun moment de sa vie, l'intervention ni même la présence d'une divinité quelconque, même lorsqu'on est conscient de ne pas particulièrement mériter l'intervention d'une divinité favorable, et même lorsqu'on se rend compte, considérant l'accumulation des erreurs et des fautes qui constitue votre vie, qu'on la mérite moins que personne.

La location de la maison courait encore sur une période de trois semaines, ce qui avait au moins l'avantage de fournir une borne concrète à ma démence – même s'il était peu probable que je tienne dans cette situation davantage que quelques jours. Il y avait de toute façon une nécessité immédiate, celle d'un aller-retour à Paris, je devais passer à 20 mg de Captorix, c'était une précaution de survie élémentaire, que je ne pouvais pas négliger. Je pris rendez-vous avec le docteur Azote le surlendemain matin à onze heures, peu après l'arrivée de mon train à Saint-Lazare, en laissant juste une marge de temps suffisante pour couvrir le retard probable.

Le voyage curieusement me fit un certain bien, en faisant dériver mes pensées vers des considérations certes négatives, mais impersonnelles. Le train arriva en gare Saint-Lazare avec un retard de trente-cinq minutes, ce qui était à peu près ce que j'avais anticipé. L'orgueil ancestral des cheminots, l'orgueil ancestral du respect de l'horaire, tellement puissant et ancré au début du XXᵉ siècle que les villageois, dans les campagnes, réglaient leurs horloges sur le passage des trains, avait bel et bien disparu. La SNCF était une des entreprises dont j'aurais assisté, de mon vivant, à la faillite et à la dégénérescence complètes. Non seulement l'horaire indicatif devait aujourd'hui être considéré comme une pure plaisanterie, mais toute notion de restauration semblait avoir disparu des trains Intercités, ainsi que tout projet d'entretien du matériel – les sièges, lacérés, laissaient échapper une bourre opaque, et les toilettes, celles du moins qui n'avaient pas été condamnées, probablement par oubli, étaient dans un état à ce point immonde que je ne pus me résoudre à y pénétrer, et que je préférai me soulager sur la plateforme entre deux voitures.

Une ambiance de catastrophe globale allège toujours un peu les catastrophes individuelles, c'est sans doute pour cette raison que les suicides sont si rares en période de guerre, et c'est presque d'un pas vif que je me dirigeai vers la rue d'Athènes. Le premier regard que me jeta le docteur Azote, cela dit, me fit rapidement déchanter. Il mélangeait inquiétude, compassion et pure préoccupation professionnelle. « Ça n'a vraiment pas l'air d'aller... » commenta-t-il avec brièveté. Je pouvais d'autant moins le contredire qu'il ne m'avait pas vu depuis plusieurs mois, il avait un point de comparaison qui me manquait, forcément.

« Évidemment je vais vous passer à 20 mg, poursuivit-il, mais bon 15 mg ou 20... Les antidépresseurs ne peuvent pas tout faire, je suppose que vous en êtes conscient. » J'en étais conscient. « Et puis 20 mg, il faut bien se rendre compte, c'est quand même le dosage maximal sur le marché. Évidemment vous pourriez prendre deux comprimés, passer à 25, 30, et puis 35, et puis où est-ce qu'on s'arrête ? Franchement, je vous le conseille pas. La vérité est que ça a été testé à 20, pas au-delà, et j'ai pas très envie de prendre le risque. Où est-ce que vous en êtes, sur le plan sexuel ? »

La question me laissa bouche bée. Ce n'était pourtant pas une mauvaise question, je devais en convenir, il y avait un rapport avec ma situation, un rapport qui me paraissait lointain, incertain, mais un rapport tout de même. Je ne répondis rien mais probablement est-ce que j'écartai les mains, que j'ouvris légèrement la bouche, enfin je devais offrir une expression assez parlante du néant parce qu'il dit : « OK. OK, je vois... »

« Vous allez quand même me faire une prise de sang, pour contrôler le taux de testostérone. Normalement il devrait être très mauvais, la sérotonine produite par l'intermédiaire du Captorix inhibe la synthèse de la testostérone, contrairement à la sérotonine naturelle, me demandez pas pourquoi on n'en sait rien. Normalement, je dis bien normalement, l'effet devrait être complètement réversible, dès que vous arrêterez le Captorix ça reviendra, enfin c'est ce que les études ont montré, en même temps on n'est jamais certains à 100 %, s'il fallait attendre d'avoir une certitude scientifique absolue on n'aurait jamais mis un seul médicament sur le marché, vous comprenez bien tout ça ? » J'acquiesçai.

« Quand même, quand même... poursuivit-il, on va pas se limiter à la testostérone, je vais vous faire un bilan hormonal global. Seulement moi je ne suis pas endocrinologue, il peut y avoir des choses qui me dépassent un peu, vous n'aimeriez pas consulter un spécialiste, j'en connais un qui n'est pas trop mal ?

— J'aimerais mieux pas.

— Vous aimeriez mieux pas... Bon, je suppose que je dois prendre ça comme une marque de confiance. Eh ben d'accord, on va essayer de continuer. Au fond ce n'est pas si compliqué que ça les hormones, une petite dizaine on a fait le tour. En plus j'aimais bien ça, du temps de mes études, l'endocrinologie, c'était une de mes matières préférées, ça me fera plaisir de m'y replonger un peu... » Il semblait atteint d'un vague relent de nostalgie, comme il est sans doute inévitable à partir d'un certain âge, lorsqu'on repense à ses années d'étudiant, je le comprenais d'autant mieux que j'avais moi aussi beaucoup aimé la biochimie, j'avais éprouvé un plaisir étrange à l'étude des propriétés de ces molécules complexes, la différence c'est que je m'étais plutôt intéressé à des molécules végétales, du genre chlorophylle ou anthocyanines, mais enfin les bases étaient en gros les mêmes, je voyais très bien de quoi il voulait parler.

Je repartis donc avec deux ordonnances, je me procurai le Captorix 20 mg dans une pharmacie proche de la gare Saint-Lazare, pour l'analyse hormonale ça attendrait mon retour à Paris, j'allais revenir à Paris maintenant c'était inéluctable, la solitude parfaite y est quand même plus normale, plus adéquate à l'environnement.

Je retournai pourtant, une dernière fois, sur les bords du lac de Rabodanges. J'avais choisi un dimanche midi, moment où j'étais certain que Camille ne serait pas là, qu'elle déjeunerait avec ses parents à Bagnoles-de-l'Orne. Il m'aurait été je pense presque impossible, si Camille avait été là, de prononcer des adieux définitifs. Adieux définitifs ? Est-ce que j'y croyais vraiment ? Oui j'y croyais vraiment, après tout j'avais vu des gens mourir, j'allais mourir moi-même dans peu de temps, l'adieu définitif on le rencontre constamment, tout au long de son existence, à moins que celle-ci ne soit bienheureusement brève, on le rencontre pratiquement tous les jours. Le temps était absurdement beau, un soleil vif et chaleureux illuminait les eaux du lac, faisait scintiller les forêts. Les vents ne gémissaient pas, les flots ne murmuraient pas davantage, la nature manifestait une absence d'empathie presque insultante. Tout était paisible, majestueux et calme. Aurais-je pu vivre pendant des années seul avec Camille, dans cette maison isolée au milieu des bois, et être heureux ? Oui, je savais que oui. Mon besoin de relations sociales (si l'on entend par là les relations autres que les relations amoureuses), d'abord très faible, était au fil des ans devenu nul. Était-ce normal ? Il est vrai que les peu ragoûtants ancêtres de l'humanité vivaient en tribus de quelques dizaines d'individus, et que cette formule s'était longtemps maintenue, aussi bien chez les chasseurs-cueilleurs que chez les premières peuplades agricoles, c'était à peu près la taille d'un hameau. Mais du temps avait passé depuis lors, il y avait eu l'invention de la ville et son corollaire naturel, la solitude, auquel seul le couple pouvait vraiment offrir une alternative, nous ne retournerions jamais au stade de la tribu, certains sociologues de peu d'intelligence prétendaient distinguer de nouvelles tribus dans les « familles recomposées », c'était bien possible, mais des familles recomposées pour ma part je n'en avais jamais vu, des familles décomposées oui, je n'avais même à peu près vu que ça, hormis bien entendu les cas d'ailleurs nombreux où le processus de décomposition intervenait déjà au stade du couple, avant la production d'enfants. Quant au processus de recomposition, je n'avais pas eu l'occasion de le voir à l'œuvre, « Quand notre cœur a fait une fois sa vendange / Vivre est un mal » écrivait plus justement Baudelaire, cette histoire de familles recomposées n'était à mon avis qu'une dégoûtante foutaise, quand bien même il ne s'agissait pas d'une propagande pure, optimiste et postmoderne, décalée, dédiée aux CSP+ et CSP++, inaudible au-delà de la porte de Charenton. Ainsi, oui, j'aurais pu vivre seul avec Camille, dans cette maison isolée au milieu des bois, j'aurais vu chaque matin le soleil se lever sur le lac, et je pense que, dans toute la mesure qui m'était permise, j'aurais été heureux. Mais la vie, comme on dit, en avait décidé autrement, mes bagages étaient prêts, je pourrais être à Paris en début d'après-midi.

Je reconnus sans difficultés la réceptionniste de l'hôtel Mercure, et elle me reconnut aussi. « Vous êtes de retour ? » s'enquit-elle, je le lui confirmai avec une pointe d'émotion car j'avais senti, j'avais senti avec certitude qu'elle avait été sur le point de dire : « Vous êtes de retour *parmi nous* ? », un scrupule l'avait au dernier moment retenue, elle devait avoir une notion très précise des familiarités acceptables avec un client, même un client fidèle. Sa phrase suivante, « Vous êtes notre hôte pour une semaine ? », était me semble-t-il exactement celle qu'elle avait prononcée il y a quelques mois, lors de mon premier séjour.

Je retrouvai avec une satisfaction puérile et même pathétique ma minuscule chambre d'hôtel, son aménagement fonctionnel et ingénieux, et je repris dès le lendemain mes circuits quotidiens qui m'emmenaient de la brasserie O'Jules au Carrefour City en passant par la rue Abel-Hovelacque, que j'enchaînais par la brève remontée de l'avenue des Gobelins, avant la bifurcation terminale vers l'avenue de la Sœur-Rosalie. Quelque chose cependant avait changé, dans l'ambiance générale, une année ou presque avait suivi son cours et nous étions au début du mois de mai, un mois de mai exceptionnellement doux, une véritable préfiguration de l'été. J'aurais normalement dû ressentir quelque chose de l'ordre du désir, ou du moins de la simple envie, en me retrouvant aux côtés de ces jeunes filles en jupes courtes, ou en leggings moulants, attablées non loin de moi dans la brasserie O'Jules, et qui commandaient des cafés en échangeant peut-être des confidences amoureuses, bien plus probablement qu'elles ne comparaient leurs plans respectifs d'assurance-vie. Je ne ressentais pourtant rien, radicalement rien, alors que nous appartenions théoriquement à la même espèce, il fallait que je m'occupe de cette histoire de dosage hormonal, le docteur Azote m'avait demandé de lui faire envoyer une copie des résultats.

Je l'appelai trois jours plus tard, il semblait embarrassé. « Écoutez, c'est bizarre... Si ça ne vous ennuie pas, j'aimerais bien consulter un confrère. On prend rendez-vous dans une semaine ? » Je notai sans commentaires le rendez-vous dans mon agenda. Lorsqu'un médecin vous dit qu'il a remarqué quelque chose de bizarre dans vos résultats d'analyse, on devrait au moins être traversé par une inquiétude ; ce n'était pas mon cas. Immédiatement après avoir raccroché je me suis dit que j'aurais pu, au moins, feindre l'inquiétude, enfin m'intéresser un peu, c'était probablement ce qu'il attendait de moi. À moins peut-être, me dis-je dans un deuxième temps, qu'il n'ait vraiment compris où j'en étais ; c'était là une idée embarrassante.

Mon rendez-vous était à 19 h 30, le lundi suivant, je suppose que c'était son dernier rendez-vous de la journée, je me demande même s'il n'avait pas prolongé un peu. Il avait l'air épuisé, et alluma une Camel avant de m'en proposer une – ça faisait un peu condamné à mort. Je vis qu'il avait griffonné quelques calculs sur mes résultats d'analyse. « Bon... dit-il, le taux de testostérone est franchement bas, ça je m'y attendais c'est le Captorix. Mais ce qu'il y a, aussi, c'est que votre taux de cortisol est très élevé, c'est incroyable ce que vous pouvez sécréter comme cortisol. En fait... je peux vous parler franchement ? » Je lui répondis que oui, que c'était plutôt le ton de nos échanges jusqu'à présent, la franchise. « Eh bien, en fait... », il hésita quand même, ses lèvres tremblèrent légèrement avant qu'il ne me dise : « J'ai l'impression que vous êtes tout simplement en train de mourir de chagrin.

— Ça existe, mourir de chagrin, ça a un sens ? », telle fut la seule réponse qui me vint à l'esprit.

« Bon, c'est pas très scientifique, comme terminologie, mais autant appeler les choses par leur nom. Enfin ce n'est pas le chagrin qui vous tuera, pas directement. Je suppose que vous avez déjà commencé à grossir ?

— Oui, je crois, je n'ai pas bien remarqué, mais il me semble.

— Avec le cortisol c'est inévitable, vous allez grossir de plus en plus, vous allez devenir franchement obèse. Et une fois que vous serez obèse, là ce ne sont pas les maladies mortelles qui manquent, il y a l'embarras du choix. Ce qui m'a fait changer d'avis sur votre traitement, c'est le cortisol. J'hésitais à vous conseiller d'arrêter le Captorix, de peur que votre taux de cortisol augmente ; mais là, franchement, je vois pas comment il pourrait monter davantage.

— Donc, vous me conseillez d'arrêter le Captorix ?

— Eh ben... c'est pas évident, comme choix. Parce que si vous arrêtez votre dépression va revenir, elle va même revenir beaucoup plus forte, vous allez devenir une vraie larve. D'un autre côté, si vous continuez, la sexualité vous pouvez faire une croix dessus. Ce qu'il faudrait, c'est maintenir la sérotonine à un niveau correct – là ça va, vous êtes bon – mais en baissant le cortisol, et peut-être un peu augmenter la dopamine et les endorphines, ça serait l'idéal. Mais j'ai l'impression de pas être très clair, ça va, vous suivez toujours ?

— Pas tout à fait, à vrai dire.

— Bon... » Il jeta de nouveau un regard sur la feuille, un regard un peu égaré, il me donnait l'impression de ne plus vraiment croire à ses propres calculs, avant de relever son regard sur moi et de me lancer : « Vous avez pensé aux putes ? » J'en restai bouche bée, et sans doute ma bouche s'ouvrit-elle effectivement, je dus lui donner une impression d'ahurissement complet, parce qu'il reprit :

« Enfin maintenant on appelle ça des escorts, mais ça revient au même. Sur le plan financier, je crois que vous n'êtes pas trop gêné ? »

Je lui confirmai que de ce point de vue-là, tout du moins, ça allait pour l'instant.

« Bon…, il me parut un peu ragaillardi par ma réaction, il y en a qui sont pas mal, vous savez. Enfin faut être honnête c'est l'exception, la plupart c'est des cash machines à l'état brut, en plus elles se sentent obligées de jouer la comédie du désir, du plaisir et de l'amour et tout ce qu'on veut, ça peut peut-être marcher avec des gens très jeunes et très cons, mais pas avec des gens comme nous (il avait probablement voulu dire « comme vous », mais le fait est qu'il dit « comme nous », il était quand même étonnant ce médecin). Bref, dans notre cas, ça ne peut qu'augmenter le désespoir. Mais quand même on baise, c'est pas rien, et si on peut baiser avec des filles valables c'est mieux, enfin je suppose que vous savez ça.

— Bref, poursuivit-il, bref, je vous ai préparé une petite liste… » Il sortit d'un tiroir de son bureau une feuille A4 sur laquelle étaient inscrits trois prénoms : Samantha, Tim et Alice ; chaque prénom était suivi d'un numéro de portable. « C'est pas la peine de dire que vous appelez de ma part. Enfin si, remarquez, peut-être il vaut mieux le dire, c'est des filles qui se méfient, il faut les comprendre, elles n'ont pas un métier facile. »

Il me fallut un certain temps pour me remettre de ma surprise. Je comprenais dans un sens, les médecins ne peuvent pas tout faire, il faut un minimum de plaisir pour réussir à vivre, pour mettre un pied devant l'autre comme on dit, enfin les escorts c'était quand même surprenant, et là je me tus, il lui fallut lui-même quelques minutes avant de reprendre (il n'y avait plus aucune circulation dans la rue d'Athènes, le silence dans la pièce était maintenant parfait) :

« Je ne suis pas partisan de la mort. La mort, en règle générale, je ne l'aime pas. Enfin, évidemment, il y a des cas... » (il eut un geste vague, impatient, comme pour balayer une objection récurrente et stupide), « il y a quelques cas où c'est la meilleure solution, des cas très rares d'ailleurs, beaucoup plus rares qu'on ne le dit, la morphine ça marche presque à tous les coups, et dans les cas rarissimes d'intolérance à la morphine il reste l'hypnose, mais vous n'en êtes pas là, bon Dieu vous n'avez même pas cinquante ans ! Il faut bien voir un truc, c'est que si vous étiez en Belgique ou en Hollande, et que vous demandiez à être euthanasié, avec la dépression que vous vous tapez, on vous l'accorderait sans problème. Mais moi, je suis médecin. Et si un mec vient me voir : "Je suis déprimé, j'ai envie de me flinguer", est-ce que je vais lui répondre : "OK, flinguez-vous, je vais vous filer un coup de main..." ? Eh ben non, je suis désolé mais non, c'est pas pour ça que j'ai fait médecine. »

Je lui affirmai que je n'avais, pour l'heure, aucune intention de me rendre en Belgique ni en Hollande. Il parut rassuré, je crois en effet qu'il attendait de ma part une affirmation de ce genre, est-ce que j'en étais vraiment là, de manière aussi visible ? J'avais à peu près compris ses explications, mais il y avait un point, quand même, qui m'échappait, et je lui posai la question : la sexualité était-elle le seul moyen de réduire la sécrétion excessive de cortisol ?

« Non, non pas du tout. Le cortisol on l'appelle souvent l'hormone du stress, et c'est pas faux. Je suis sûr que les moines, par exemple, sécrètent très peu de cortisol ; mais là, c'est plus vraiment de mon ressort. Alors je sais, ça peut paraître bizarre de vous qualifier de stressé alors que vous foutez à peu près rien de votre journée, mais les chiffres sont là ! », il tapota avec vigueur ma feuille de résultats d'analyse, « vous êtes stressé, vous êtes stressé à un point épouvantable, c'est un peu comme si vous faisiez un burn-out immobile, comme si vous vous consumiez de l'intérieur. Enfin, c'est pas évident à expliquer, ce genre de trucs. En plus, il se fait tard... » Je consultai ma montre, il était en effet plus de 21 heures, j'avais vraiment abusé de son temps, et en plus je commençais à avoir un peu faim, l'idée me traversa brièvement l'esprit que je pourrais aller dîner chez Mollard, comme du temps de Camille, et aussitôt après elle fut chassée par un mouvement de terreur pure, il n'y a pas de doute j'étais vraiment un con.

« Ce que je vais faire, conclut-il, c'est vous donner une ordonnance pour du Captorix 10 mg, au cas où vous décideriez d'arrêter – parce que, je vous le répète, pas d'arrêt brusque. En même temps, pas la peine de trop compliquer le protocole : vous restez deux semaines à 10 mg, et ensuite zéro. Je vous le cache pas, ça risque d'être dur, parce que ça fait déjà longtemps que vous êtes sous antidépresseurs. Ça va être dur, mais je crois que c'est la chose à faire... »

Il me serra longuement la main, sur le pas de sa porte, avant de me quitter. J'aurais aimé dire quelque chose, trouver une formule exprimant ma reconnaissance et mon admiration, je recherchai frénétiquement une formule pendant les trente secondes qu'il me fallut pour mettre mon manteau, pour marcher jusqu'à la porte ; mais, cette fois encore, les mots me manquèrent.

Deux ou peut-être trois mois passèrent, j'avais souvent sous les yeux l'ordonnance pour le 10 mg, celle qui devait me conduire à l'arrêt ; j'avais aussi la page A4, avec le numéro des trois escorts ; et je ne faisais rien, hormis regarder la télévision. Je l'allumais dès la fin de ma petite promenade, un peu après midi, et en définitive je ne l'éteignais jamais, il y avait un dispositif écologique d'économie d'énergie qui obligeait toutes les heures à appuyer sur la touche OK, j'appuyais donc toutes les heures, jusqu'à ce que le sommeil m'apporte une délivrance temporaire. Je la rallumais un peu après huit heures, les débats de *Politique matin* m'aidaient indiscutablement à me laver, au vrai je ne pouvais prétendre en avoir une compréhension parfaite, je confondais constamment La République en marche et La France insoumise, de fait ça se ressemblait un peu, les deux appellations avaient en commun de dégager une impression d'énergie presque insupportable, mais c'était cela, justement, qui m'aidait : au lieu d'attaquer directement la bouteille de Grand Marnier, je passais le gant savonneux sur mon corps, et bientôt j'étais paré pour ma petite promenade.

Le reste des programmes était plus indistinct, je m'enivrais lentement, zappant avec modération, avec l'impression dominante de passer d'une émission culinaire à l'autre, les émissions culinaires s'étaient multipliées dans des proportions considérables – alors que l'érotisme, dans le même temps, disparaissait de la plupart des chaînes. La France, et peut-être l'Occident tout entier, était sans doute en train de régresser au *stade oral*, pour le dire dans les termes du guignol autrichien. Je suivais la même voie, c'était indubitable, je grossissais doucement, et l'alternative sexuelle ne se présentait même plus clairement à mes yeux. J'étais loin d'être le seul dans ce cas, il demeurait sans doute encore des *queutards* et des *baiseuses* mais c'était devenu un hobby, un hobby minoritaire et particulier, réservé à une élite (élite à laquelle, je m'en souvins brièvement un matin au O'Jules, et ce fut sans doute la dernière fois que je repensai à elle, avait appartenu Yuzu), nous étions en quelque sorte revenus au XVIIIe siècle, où le libertinage était réservé à une aristocratie composite, mélange de la naissance, de la fortune et de la beauté.

Il y avait peut-être aussi les jeunes, enfin certains jeunes, appartenant de par leur simple jeunesse à l'aristocratie de la beauté, et qui y croyaient peut-être encore pour quelques années, entre deux et cinq, certainement moins de dix ; nous étions début juin et en allant chaque matin au café je devais bien me rendre à l'évidence : les jeunes filles n'étaient nullement en cause, les jeunes filles étaient toujours là, alors que les trentenaires et les quadragénaires avaient plus que largement renoncé, que la Parisienne « chic et sexy » n'était plus qu'un mythe sans consistance, enfin au milieu de la disparition de la libido occidentale les jeunes filles, obéissant j'imagine à une irrépressible impulsion hormonale, continuaient de rappeler à l'homme la nécessité de reproduire l'espèce, on ne pouvait objectivement s'en prendre à elles, elles croisaient les jambes au moment opportun lorsqu'elles étaient attablées au O'Jules, à quelques mètres de moi, parfois même elles se livraient à de délicieuses simagrées, léchant leurs doigts au moment de déguster un cornet pistache-vanille, enfin elles faisaient plus qu'honnêtement leur travail d'érotisation de la vie, elles étaient là mais c'est moi qui n'étais plus là, ni pour elles ni pour personne, et qui n'envisageais plus de l'être.

En début de soirée, à peu près à l'heure de *Questions pour un champion*, j'étais traversé par de douloureux moments d'autoapitoiement. Je repensais alors au docteur Azote, cet homme se comportait-il de la même manière avec tous ses patients je ne le savais pas mais si oui c'était un saint, et aussi je repensais à Aymeric mais les choses avaient changé, j'avais bel et bien vieilli, je n'allais pas inviter le docteur Azote chez moi pour écouter des disques, aucune amitié ne naîtrait entre nous, le temps des relations humaines était révolu, pour moi en tout cas.

J'étais donc dans cet état stabilisé, encore que morose, lorsque la réceptionniste m'annonça une bien mauvaise nouvelle. C'était un lundi matin, et je m'apprêtais comme chaque jour à prendre la direction du O'Jules, j'étais guilleret, avec même une certaine satisfaction à l'idée d'entamer une nouvelle semaine, lorsque la réceptionniste m'arrêta par un « Monsieur... » discret. Elle souhaitait m'informer, elle devait m'informer, c'était son triste devoir de m'informer que l'hôtel allait prochainement passer en 100 % non-fumeurs, c'étaient les nouvelles normes me dit-elle, la décision avait été prise au niveau du groupe, ils n'avaient aucun moyen de s'y soustraire. C'était ennuyeux lui dis-je, il allait falloir que j'achète un appartement, mais même si j'achetais le premier que je visitais ça allait prendre du temps en formalités, il y a tout un tas de diagnostics maintenant, performance énergétique gaz à effet de serre ou je ne sais quoi, enfin ça prend des mois, deux ou trois au minimum, avant qu'on puisse réellement emménager.

Elle me regarda avec perplexité, comme si elle n'avait pas bien compris, avant de se faire confirmer : j'allais acheter un appartement parce que je ne pouvais pas rester à l'hôtel, c'était bien ça ? J'en étais là ?

Eh bien oui, j'en étais là, qu'est-ce que je pouvais lui dire d'autre ? Il y a des moments où la pudeur cède, parce qu'on n'a simplement plus les moyens de la maintenir. J'en étais là. Elle me regardait droit dans les yeux, je lisais la compassion qui montait sur son visage, qui déformait peu à peu ses traits, j'espérais juste qu'elle n'allait pas se mettre à pleurer, c'était une gentille fille j'en avais la certitude, je suis sûr que son mec était heureux, mais qu'est-ce qu'elle y pouvait ? Qu'est-ce que nous pouvons, tous autant que nous sommes, à quoi que ce soit ?

Elle allait en parler à son supérieur, me dit-elle, elle allait lui en parler ce matin même, elle était sûre qu'on allait pouvoir trouver une solution. Je lui fis un grand sourire en partant, un sourire tout à fait sincère en tant que signe amical, mais qui voulait en même temps communiquer une impression d'optimisme héroïque – ça va aller, je vais m'en sortir – franchement malhonnête. Ça n'allait pas aller, je n'allais pas m'en sortir, et je le savais bien.

J'étais en train de regarder Gérard Depardieu s'émerveiller devant la fabrication de saucisses artisanales dans les Pouilles lorsque le supérieur en question me rappela. Son physique me surprit, il ressemblait à Bernard Kouchner, ou disons plus généralement à un médecin humanitaire, bien davantage qu'à un gérant d'hôtel

Mercure ; je ne comprenais pas comment ses fonctions quotidiennes avaient pu créer ces rides d'expression, ce bronzage. Il devait faire des treks de survie en milieu hostile le week-end, c'était sans doute l'explication. Il m'accueillit en allumant une Gitane, m'en offrit une. « Audrey m'a expliqué votre situation... » commença-t-il, ainsi elle s'appelait Audrey. Il semblait gêné en ma présence, il avait du mal à me regarder dans les yeux – c'est normal, quand on a affaire à un homme condamné on ne sait jamais comment s'y prendre, enfin les hommes ne savent jamais, les femmes parfois, rarement.

« On va s'arranger, poursuivit-il. Forcément je vais avoir une inspection, mais pas tout de suite, à mon avis dans six mois au minimum, mais plutôt dans un an. Ça vous laisse le temps de trouver une solution... »

J'acquiesçai, lui confirmai que je serais parti, au maximum, dans trois ou quatre mois. Voilà, c'était fini, nous n'avions plus rien à nous dire. Il m'avait aidé. Je le remerciai avant de quitter son bureau, il m'affirma que ce n'était rien, c'était vraiment le moins qu'il puisse faire, je sentis qu'il avait envie de se lancer dans une diatribe sur ces connards qui nous pourrissent la vie mais finalement il se tut, cette diatribe sans doute il l'avait déjà trop lancée, et il savait que ça ne servait à rien, les connards étaient les plus forts. De mon côté, avant de franchir la porte, je m'excusai du dérangement, et au moment où je prononçais ces mots banals je compris que c'était à cela, maintenant, qu'allait se résumer ma vie : m'excuser du dérangement.

J'en étais donc au stade où l'animal vieillissant, meurtri et se sentant mortellement atteint, se cherche un gîte pour y terminer sa vie. Les besoins d'ameublement sont alors limités : un lit suffit, on sait qu'on n'aura plus guère à en sortir ; pas besoin de tables, de canapés ni de fauteuils, ce seraient des accessoires inutiles, des résurgences superflues, voire douloureuses, d'une vie sociale qui n'aura plus lieu. Une télévision est nécessaire, la télévision divertit. Tout cela m'orientait plutôt vers un studio – plutôt un grand studio, autant se donner un peu de mouvement, si possible.

La question du quartier s'avéra plus difficile. Je m'étais au fil du temps constitué un petit réseau de thérapeutes, à chacun était dévolue la surveillance de l'un de mes organes, afin d'éviter que je ne sois confronté, avant l'heure de ma mort effective, à des souffrances exagérées. La plupart consultaient dans le 5e arrondissement de Paris, j'étais resté fidèle pour ma dernière vie, ma vie médicale, ma vraie vie, au quartier de mes études, de ma jeunesse, de ma vie rêvée.

Il était logique que je cherche à me rapprocher de mes thérapeutes, mes principaux interlocuteurs désormais. Ces déplacements jusqu'à leur cabinet étaient en quelque sorte aseptisés, rendus inoffensifs par leur nature médicale. Habiter dans le même quartier aurait au contraire constitué, je m'en rendis compte dès le début de mes démarches immobilières, une erreur terrible.

Le premier studio que je visitai, rue Laromiguière, était très agréable : haut de plafond, lumineux, il donnait sur une cour large et arborée, le prix était bien entendu élevé mais je pouvais peut-être me le permettre, enfin ce n'était pas si certain, mais quand même j'étais pratiquement résolu à conclure l'affaire lorsqu'en débouchant dans la rue Lhomond je fus fauché par une vague de tristesse affreuse, accablante, qui me coupa le souffle, je respirais avec difficulté et mes jambes ne me portaient qu'à peine, je dus me réfugier dans le premier café venu, ce qui n'arrangea rien bien au contraire, je reconnus immédiatement un des cafés que je fréquentais lors de mes études à l'Agro, sans doute même étais-je allé dans ce café avec Kate, l'intérieur avait à peine changé. Je commandai à manger, une omelette aux pommes de terre et trois Leffe m'aidèrent à me reprendre peu à peu, oh oui l'Occident régressait au stade oral, et je comprenais qu'il le fasse, je croyais être à peu près tiré d'affaire au moment où je quittai l'établissement mais tout recommença dès que je débouchai dans la rue Mouffetard, ce parcours se transformait en chemin de croix, cette fois c'étaient les images de Camille qui me revinrent, sa joie enfantine au moment de faire le marché le dimanche matin, son émerveillement devant les asperges, les fromages, les légumes exotiques, les homards vivants, ma remontée vers le métro Monge me prit plus de vingt minutes, je titubais comme un vieillard et je haletais de souffrance, de cette souffrance incompréhensible qui vient parfois aux vieillards, et qui n'est rien d'autre que le poids de la vie, non le 5e arrondissement était à exclure, à exclure absolument.

Ainsi entamai-je une descente progressive le long de la ligne 7, descente accompagnée par une baisse correspondante des prix, et me retrouvai-je avec surprise, au début du mois de juillet, à visiter un studio avenue de la Sœur-Rosalie, presque en face de l'hôtel Mercure. J'y renonçai au moment même où je pris conscience que je nourrissais, quelque part au fond de moi-même, le projet informulé de rester en contact avec Audrey, mon Dieu que l'espérance est difficile à vaincre, qu'elle est tenace et rusée, tous les hommes sont-ils ainsi ?

Il me fallait descendre, descendre encore plus au Sud, rejeter loin de moi tout espoir d'une vie possible, je ne pouvais pas m'en sortir autrement, et c'est dans cet état d'esprit que j'entamai la visite des tours qui s'étendent entre la porte de Choisy et la porte d'Ivry. Je devais rechercher le vide, le blanc et le nu ; l'environnement correspondait presque idéalement à cette quête, habiter dans une de ces tours c'était habiter nulle part, pas tout à fait nulle part, disons dans le voisinage immédiat de nulle part. Le prix au mètre carré devenait par ailleurs, dans ces zones peuplées d'employés, fort accessible, j'aurais pu pour le budget prévu y faire l'acquisition d'un deux, voire d'un trois pièces, mais en même temps pour y loger qui ?

Toutes ces tours se ressemblaient, et tous ces studios se ressemblaient aussi, il me semble que je choisis le plus vide, le plus tranquille et le plus nu, dans une tour des plus anonymes, là au moins j'étais sûr que mon emménagement passerait inaperçu, ne susciterait aucun commentaire – et mon décès pas davantage. Le voisinage, essentiellement composé de Chinois, m'assurerait neutralité et politesse. La vue de mes fenêtres était inutilement étendue, sur la banlieue Sud – dans le lointain on distinguait Massy, et probablement Corbeil-Essonnes ; cela était de peu d'importance, car il y avait des volets roulants, que je me proposais dès le lendemain de mon installation de clore à jamais. Il y avait un vide-ordures, ce qui je crois m'a définitivement séduit ; en utilisant le vide-ordures d'une part, et de l'autre le nouveau service de livraison de l'alimentaire mis en place par Amazon, je pouvais atteindre à une autonomie presque parfaite.

Mon départ de l'hôtel Mercure fut curieusement un moment difficile, surtout à cause de la petite Audrey, elle avait les larmes aux yeux, en même temps qu'est-ce que je pouvais faire, si elle ne supportait pas ça elle ne pourrait jamais rien supporter dans la vie, elle avait vingt-cinq ans à tout casser mais quand même il fallait qu'elle s'endurcisse. Du coup je lui fis une bise, et puis deux, et puis quatre, elle se lançait dans ces bises avec un réel abandon, elle me serra même fugitivement dans ses bras et puis tout fut dit, mon taxi était arrivé à la porte de l'hôtel.

Mon emménagement fut facile, je trouvai rapidement des meubles, me réabonnai à une box SFR – j'étais décidé à rester fidèle à cet opérateur, fidèle jusqu'à la fin de mes jours, c'était une des choses que la vie m'avait apprises. Leur offre sportive cependant m'intéressait moins, je m'en rendis compte au bout de quelques semaines, je vieillissais c'était normal je devenais moins sportif. Il demeurait cependant, dans le bouquet SFR, bien des pépites, sur le plan culinaire en particulier, je devenais maintenant un bon vieux gros bonhomme, un philosophe épicurien pourquoi pas, qu'est-ce qu'Épicure avait d'autre en tête, au juste ? En même temps un quignon de pain rassis et un filet d'huile d'olive c'était un peu limité, il me fallait des médaillons de homard et des Saint-Jacques avec leurs petits légumes, j'étais un décadent moi, pas un pédé rural grec.

Vers la mi-octobre je commençai à me lasser des émissions culinaires, irréprochables pourtant, et ce fut le vrai début de ma descente. Je tentai de m'intéresser aux débats de société,

333

mais cette période fut décevante et brève : l'extrême conformisme des intervenants, la navrante uniformité de leurs indignations et de leurs enthousiasmes étaient devenus tels que je pouvais à présent prévoir leurs interventions non seulement dans leurs grandes lignes mais même dans le détail, en réalité au mot près, les éditorialistes et les grands témoins défilaient comme d'inutiles marionnettes européennes, les crétins succédaient aux crétins, se congratulant de la pertinence et de la moralité de leurs vues, j'aurais pu écrire leurs dialogues à leur place et je finis par éteindre définitivement mon téléviseur, tout cela n'aurait fait que m'attrister davantage, si j'avais eu la force de continuer.

Cela faisait longtemps que j'avais le projet de lire *La Montagne magique*, de Thomas Mann, c'était j'en avais l'intuition un livre funèbre, mais après tout cela convenait à ma situation, c'était sans doute le moment. Je m'y plongeai donc, avec admiration d'abord, puis avec une réserve croissante. Même si son étendue, ses ambitions étaient considérablement plus grandes, le sens ultime de l'ouvrage était au fond exactement le même que celui de *Mort à Venise*. Pas davantage que ce vieil imbécile de Goethe (l'humaniste allemand tendance méditerranéenne, l'un des plus sinistres radoteurs de la littérature mondiale), pas davantage que son héros Aschenbach (largement plus sympathique pourtant), Thomas Mann, Thomas Mann lui-même, et c'était extrêmement grave, avait été incapable d'échapper à la fascination de la jeunesse et de la beauté, qu'il avait finalement placées au-dessus de tout, au-dessus de toutes les qualités intellectuelles et morales, et devant lesquelles il s'était au bout du compte lui aussi, sans la moindre retenue, abjectement vautré. Ainsi toute la culture du monde ne servait à rien, toute la culture du monde n'apportait aucun bénéfice moral ni aucun avantage, puisque dans les mêmes années, exactement dans les mêmes années, Marcel Proust concluait, à la fin du « Temps retrouvé », avec une remarquable franchise, que ce n'étaient pas seulement les relations mondaines, mais même les relations amicales qui n'offraient rien de substantiel, qu'elles étaient tout simplement une perte de temps, et que ce n'était nullement de conversations intellectuelles que l'écrivain, contrairement à ce que croient les gens du monde, avait besoin, mais de « légères amours avec des jeunes filles en fleurs ». Je tiens beaucoup, à ce stade de l'argumentation, à remplacer « jeunes filles en fleurs » par « jeunes chattes humides » ; cela contribuera me semble-t-il à la clarté du débat, sans nuire à sa poésie (qu'y a-t-il de plus beau, de plus poétique, qu'une chatte qui commence à s'humidifier ? Je demande qu'on y songe sérieusement, avant de me répondre. Une bite qui entame son ascension verticale ? Cela pourrait se soutenir. Tout dépend, comme beaucoup de choses en ce monde, du point de vue sexuel que l'on adopte).

Marcel Proust et Thomas Mann, pour en revenir à mon sujet, avaient beau posséder toute la culture du monde, ils avaient beau être à la tête (en cet impressionnant début du XXe siècle, qui synthétisait à lui seul huit siècles et même un peu plus de culture européenne) de tout le savoir et de toute l'intelligence du monde, ils avaient beau représenter, chacun de leur côté, le sommet des civilisations française et allemande, c'est-à-dire des civilisations les plus brillantes, les plus profondes et les plus raffinées de leur temps, ils n'en étaient pas moins restés à la merci, et prêts à se prosterner devant n'importe quelle jeune chatte humide, ou n'importe quelle jeune bite vaillamment dressée – suivant leurs préférences personnelles, Thomas Mann demeurant à cet égard indécidable, et Proust au fond n'étant pas très clair non plus. La fin de *La Montagne magique* était ainsi encore plus triste que la première lecture ne le laissait apparaître ; elle ne signifiait pas seulement, par la plongée en 1914 dans une guerre aussi absurde que meurtrière entre les deux plus hautes civilisations de l'époque, la faillite de toute idée de culture européenne ; elle signifiait même, par la victoire finale de l'attraction animale, la fin définitive de toute civilisation, de toute culture. Une minette aurait pu rendre *raide dingue* Thomas Mann ; Rihanna aurait fait *flasher* Marcel Proust ; ces deux auteurs, couronnements de leurs littératures respectives, n'étaient, pour le dire autrement, pas des hommes honorables, et il aurait fallu remonter bien plus haut, au début du XIXe siècle sans doute, aux temps du romantisme naissant, pour respirer un air plus salubre et plus pur.

Encore cela pouvait-il se discuter, cette pureté, Lamartine n'était au fond qu'une sorte d'Elvis Presley, il avait la capacité par son lyrisme de *faire craquer les gonzesses*, au moins ces conquêtes furent-elles gagnées au nom du lyrisme pur, Lamartine se déhancha avec davantage de modération qu'Elvis, enfin je le présume, il faudrait pouvoir examiner des documents vidéo inexistants à l'époque, mais cela n'avait pas une importance énorme, ce monde de toute façon était mort, il était mort pour moi et pas seulement pour moi il était simplement mort. C'est finalement dans la lecture plus accessible de sir Arthur Conan Doyle que je trouvai un certain réconfort. Outre la série des « Sherlock Holmes », Conan Doyle était l'auteur d'un nombre impressionnant de nouvelles, d'un agrément de lecture constant, et même souvent franchement palpitantes, il avait été toute sa vie un exceptionnel *page turner* et sans doute le meilleur de l'histoire littéraire mondiale, mais cela ne comptait sans doute pas beaucoup à ses propres yeux, là n'était pas son message, la vérité de Conan Doyle était qu'on sentait à chaque page vibrer la protestation d'une âme noble, d'un cœur sincère et bon. Le plus touchant était sans doute son attitude personnelle à l'égard de la mort : écarté de la foi chrétienne par des études médicales d'un matérialisme désespérant, confronté toute sa vie à des pertes répétées, cruelles, dont celle de ses propres fils, sacrifiés aux desseins guerriers de l'Angleterre, il n'avait pu en dernier ressort que se tourner vers le spiritisme, espoir dernier, consolation ultime de tous ceux qui ne parviennent ni à accepter la mort de leurs proches, ni à s'adhérer à la chrétienté.

Dénué de proches, il me semblait pour ma part que j'acceptais de plus en plus facilement l'idée de la mort ; bien entendu j'aurais aimé être heureux, accéder à une communauté heureuse, tous les humains veulent ça, mais enfin c'était vraiment hors sujet, à ce stade. Début décembre j'achetai une imprimante photo, ainsi qu'une centaine de boîtes de papier Epson mat, au format 10×15 cm. Parmi les quatre murs de mon studio, l'un était occupé par une baie vitrée, à mi-hauteur, dont je maintenais les volets roulants fermés, et par un grand radiateur en dessous. L'espace du second était réduit par mon lit, une table de chevet, deux bibliothèques demi-format. Le troisième mur était presque entièrement libre, à l'exception d'une ouverture conduisant à l'entrée, au coin salle de bains sur la droite, au coin cuisine sur la gauche. Seul le quatrième mur, en face de mon lit, était entièrement disponible. En me limitant par commodité aux deux derniers murs, je disposais d'un espace d'exposition de 16 m² ; compte tenu d'un format de tirage de 10×15 cm, je pouvais exposer un peu plus de mille photos. Il y en avait un peu plus de trois mille sur mon ordinateur portable, qui représentaient l'intégralité de ma vie. En choisir une sur trois cela me paraissait raisonnable, très raisonnable même, et me donnait l'impression que j'avais plutôt bien vécu.

(Elle s'était quand même déroulée étrangement, à bien y regarder, ma vie. Au fond, pendant plusieurs années, après ma séparation d'avec Camille, je m'étais dit que nous allions tôt ou tard nous retrouver, que c'était inévitable puisque nous nous aimions, qu'il fallait comme on dit laisser cicatriser les choses, mais que nous étions encore jeunes, que nous avions toute la vie devant nous. Maintenant je me retournais et je m'apercevais que la vie était finie, qu'elle était passée à côté de nous sans vraiment nous faire de grands signes, puis qu'elle avait repris ses cartes avec discrétion et élégance, avec douceur, qu'elle s'était tout simplement détournée de nous ; vraiment, à y regarder de près, elle n'avait pas été bien longue, notre vie.)

Je souhaitais en quelque sorte réaliser un mur Facebook, mais à mon usage personnel, un mur Facebook qui ne serait jamais vu que par moi – et, très brièvement, par l'employé de l'agence immobilière qui aurait à évaluer mon appartement à la suite de mon décès ; il serait un peu surpris, puis il jetterait tout ça à la poubelle, et sans doute prévoirait un lessivage, pour éliminer les traces de colle sur les murs.

La tâche était aisée, grâce aux fonctionnalités des caméras modernes ; à chacun de mes clichés étaient associées l'heure et la date de la prise de vue, rien n'était plus simple que de réaliser un tri selon ces critères. Aurais-je activé, sur mes appareils successifs, la fonction GPS que j'aurais également pu, avec certitude, retrouver les lieux ; mais cela en vérité était inutile, je me souvenais des lieux de ma vie, je m'en souvenais même parfaitement, avec une précision chirurgicale, inutile. Ma mémoire des dates était plus incertaine, les dates étaient sans importance, toute chose qui avait lieu avait lieu pour l'éternité, je le savais maintenant, mais il s'agissait d'une éternité fermée, inaccessible.

J'ai mentionné dans le cours de ce récit certaines photos, deux avec Camille, une avec Kate. Il y en avait d'autres, un peu plus de trois mille autres, d'un intérêt beaucoup moins grand, c'était même surprenant de constater à quel point mes photos étaient médiocres : ces clichés touristiques, à Venise ou à Florence, exactement semblables à ceux de centaines de milliers d'autres touristes, pourquoi avais-je cru bon de les prendre ? Et qu'est-ce qui avait bien pu m'inciter à faire développer ces images banales ? J'allais cependant les coller, chacune à sa place, sur le mur, sans espérer qu'il s'en dégage une beauté ni un sens ; mais j'allais quand même continuer, jusqu'au bout, parce que je pouvais le faire, matériellement je pouvais le faire, c'était une tâche physiquement à ma portée.

Par conséquent, je le fis.

Je finis, moi aussi, par m'intéresser au décompte des charges. Elles étaient extraordinairement élevées dans ces tours du 13ᵉ arrondissement, ce que je n'avais pas anticipé, et qui allait interférer avec mon plan de vie. Il y a encore quelques mois (quelques mois seulement ? une année entière, voire deux ? je ne parvenais plus à associer de chronologie à ma vie, seules quelques images survivaient au milieu d'un néant confus, le lecteur attentif complétera), enfin bref au moment où je décidai de disparaître, de m'éloigner définitivement du ministère de l'Agriculture comme de Yuzu, j'avais encore la sensation d'être riche, et que l'héritage de mes parents me permettrait un temps de vie illimité.

Il restait à présent sur mon compte un peu plus de deux cent mille euros. Naturellement il était hors de question que je prenne des vacances (des vacances pour quoi faire ? du funboard, du ski alpin ? et dans quel cadre ? Une fois, dans un club quelconque de Fuerteventura où j'étais parti avec Camille, j'avais croisé un type qui était venu seul : il dînait seul, et il dînerait seul, de toute évidence, jusqu'à la fin de son séjour ; il avait une trentaine d'années, c'était un Espagnol me semblait-il, physiquement pas mal et sans doute d'un niveau social acceptable, on l'imaginait guichetier dans une banque ; le courage qu'il devait journellement déployer, en particulier à l'heure des repas, m'avait sidéré, m'avait presque plongé dans la terreur). Je ne partirais pas non plus en week-end, les hôtels de charme c'était terminé pour moi, aller seul dans un hôtel de charme autant se tirer une balle, j'avais eu un vrai moment de tristesse en rangeant mon G 350 dans ce parking sinistre, au troisième sous-sol, qui était vendu avec mon appartement, le sol était répugnant et gras, l'atmosphère nauséabonde, des épluchures de légumes traînaient çà et là : c'était une bien triste fin, pour mon vieux G 350, la réclusion dans ce parking sale et glauque, lui qui avait dévalé des chemins de montagne, traversé des marécages, passé des gués, lui qui avait un peu plus de 380 000 kilomètres au compteur, et qui ne m'avait à aucun instant déçu.

Je ne pensais pas davantage faire appel à des escorts, d'ailleurs j'avais perdu la feuille que m'avait remise le docteur Azote. Au moment où je m'en aperçus, où je me dis que je l'avais probablement oubliée dans ma chambre de l'hôtel Mercure, j'eus un instant d'inquiétude à l'idée qu'Audrey avait pu tomber dessus, que son estime pour moi avait pu en être altérée (mais qu'est-ce que ça pouvait me foutre ? c'était vraiment n'importe quoi, ma psychologie). Je pouvais évidemment redemander à

Azote, ou bien je pouvais chercher par moi-même, les sites Internet ne manquaient pas, mais cela me paraissait bien vain : rien qui ressemble à une érection n'était pour l'heure envisageable, mes sporadiques tentatives de masturbation ne me laissaient aucun doute à ce sujet, ainsi le monde s'était transformé en une surface neutre, sans relief et sans attrait, mes dépenses de fonctionnement du coup s'étaient considérablement réduites ; mais le montant des charges était si indécemment élevé que même en me limitant aux joies modérées de la nourriture et des vins, je pouvais au maximum escompter dix ans avant que mon solde bancaire, s'approchant de zéro, ne termine le processus.

J'avais l'intention d'opérer de nuit, pour ne pas être arrêté par la vue du béton de l'esplanade, je croyais peu en mon propre courage. Dans la séquence que j'avais prévue, le déroulement des événements était bref et parfait : à l'entrée de la pièce principale, un commutateur me permettait de relever les volets roulants en quelques secondes. En essayant d'éviter toute pensée je me dirigeais vers la fenêtre, je faisais coulisser les baies vitrées, je me penchais et voilà c'était fait.

Je fus longtemps retenu par la pensée du temps de chute, je m'imaginais flotter des minutes dans l'espace, reprenant progressivement conscience de l'inéluctable éclatement des organes au moment de l'impact, de la douleur absolue qui me traverserait, et de plus en plus envahi, à chaque seconde de ma chute, par un état de terreur affreux, total, qui ne serait même pas adouci par la grâce bienheureuse d'un évanouissement.

C'était bien la peine d'avoir fait des études scientifiques longues : la hauteur h parcourue par un corps en chute libre en un temps t était en réalité précisément donnée par la formule $h = 1/2gt^2$, g étant la constante gravitationnelle, ce qui donnait un temps de chute, pour une hauteur h, de $\sqrt{2h/g}$. Compte tenu de la hauteur (cent mètres presque exactement) de mon immeuble, et du fait que la résistance de l'air pouvait pour ces hauteurs de chute être négligée, cela représentait un temps de chute de quatre secondes et demie, cinq secondes au maximum si l'on tenait absolument à introduire la résistance de l'air ; pas de quoi, comme on le voit, en faire un drame ; avec quelques verres de calvados dans le nez, il n'était même pas certain qu'on ait clairement le temps de penser. Il y aurait certainement bien davantage de suicides si les gens connaissaient ce simple chiffre : quatre secondes et demie. J'atteindrais le sol à une vitesse de 159 kilomètres/heure, ce qui était un peu moins agréable à envisager, mais bon, ce n'était pas de l'impact avant tout dont j'avais peur, mais du vol, et, la physique l'établissait avec certitude, mon vol serait bref.

Dix ans c'était beaucoup trop, mes souffrances morales auraient atteint bien avant un niveau insoutenable et directement létal, mais en même temps je ne me voyais pas laisser un héritage (à qui d'ailleurs, à l'État ? la perspective était suprêmement déplaisante), il fallait donc que j'augmente le rythme de mes dépenses, c'était pire que mesquin c'était franchement minable, mais la perspective de mourir avec de l'argent sur mon compte, je ne pouvais pas la supporter. J'aurais pu donner, me montrer généreux, mais avec qui ? Les paralytiques, les SDF, les migrants, les aveugles ? Je n'allais quand même pas filer mon pognon à des Roumains. On m'avait peu donné, et j'avais peu envie de donner moi-même ; la bonté ne s'était pas développée en moi, le processus psychologique n'avait pas eu lieu, les humains dans leur ensemble m'étaient au contraire devenus de plus en plus indifférents, sans même parler des cas d'hostilité pure et simple. J'avais tenté de me rapprocher de certains humains (et surtout de certaines humaines, parce qu'au départ elles m'attiraient davantage, mais de cela j'ai déjà parlé), enfin je crois que j'avais fait un nombre de tentatives normal, standard, dans la moyenne, mais pour différentes raisons (que j'ai également évoquées) rien ne s'était concrétisé, rien ne m'avait permis de penser que j'avais un endroit pour vivre, ni un cadre, ni une raison de le faire.

La seule solution pour réduire mon solde bancaire était de continuer à bouffer, d'essayer de m'intéresser à des mets onéreux et fins (truffes d'Alba ? homards du Maine ?), je venais de dépasser quatre-vingts kilos mais ça n'influencerait pas le temps de chute, comme l'avaient déjà établi les remarquables expériences de Galilée, effectuées selon la légende à partir du sommet de la tour de Pise, mais plus probablement du sommet d'une tour de Padoue.

Ma tour avait également un nom de ville italienne (Ravenne ? Ancône ? Rimini ?). La coïncidence n'avait rien d'hilarant, mais cependant il ne me paraissait pas absurde d'essayer de développer une attitude humoristique, d'envisager comme une plaisanterie le moment où je me pencherais par la fenêtre, où je m'abandonnerais à l'action de la pesanteur, l'esprit de plaisanterie était après tout, concernant la mort, atteignable, des tas de gens mouraient à chaque seconde et ils y réussissaient parfaitement, du premier coup, sans faire d'histoires, certains en avaient même profité pour faire des *bons mots*.

J'y arriverais, je sentais que j'étais sur le point d'y arriver, c'était la dernière ligne droite. Il me restait deux mois de Captorix sur mon ordonnance, il faudrait sans doute que je revoie une dernière fois le docteur Azote ; cette fois je devrais lui mentir, feindre une amélioration de mon état, éviter de sa part une tentative de sauvetage, une hospitalisation en urgence ou je ne sais quoi ; il faudrait que je me montre optimiste et léger, enfin sans exagérer non plus, mes capacités d'acteur étaient restreintes. Ce ne serait pas facile, il était loin d'être bête ; mais abandonner le Captorix, même une seule journée, n'était pas envisageable. Il ne faut pas laisser monter la souffrance au-delà d'un certain niveau sinon on se met à faire n'importe quoi, on avale du Destop Turbo et vos organes internes, composés des mêmes substances qui bouchent habituellement les éviers, se décomposent dans des souffrances horribles ; ou bien on se jette sous le métro et on se retrouve avec deux jambes en moins et les couilles hachées en morceaux, mais toujours pas mort.

C'est un petit comprimé blanc, ovale, sécable.

Il ne crée, ni ne transforme ; il interprète. Ce qui était définitif, il le rend passager ; ce qui était inéluctable, il le rend contingent. Il fournit une nouvelle interprétation de la vie – moins riche, plus artificielle, et empreinte d'une certaine rigidité. Il ne donne aucune forme de bonheur, ni même de réel soulagement, son action est d'un autre ordre : transformant la vie en une succession de formalités, il permet de donner le change. Partant, il aide les hommes à vivre, ou du moins à ne pas mourir – durant un certain temps.

La mort, cependant, finit par s'imposer, l'armure moléculaire se fendille, le processus de désagrégation reprend son cours. C'est sans doute plus rapide pour ceux qui n'ont jamais appartenu au monde, qui n'ont jamais envisagé de vivre, ni d'aimer, ni d'être aimés ; ceux qui ont toujours su que la vie n'était pas à leur portée. Ceux-là, et ils sont nombreux, n'ont, comme on dit, rien à regretter ; je ne suis pas dans le même cas.

J'aurais pu rendre une femme heureuse. Enfin, deux ; j'ai dit lesquelles. Tout était clair, extrêmement clair, dès le début ; mais nous n'en avons pas tenu compte. Avons-nous cédé à des illusions de liberté individuelle, de vie ouverte, d'infini des possibles ? Cela se peut, ces idées étaient dans l'esprit du temps ; nous ne les avons pas formalisées, nous n'en avions pas le goût ; nous nous sommes contentés de nous y conformer, de nous laisser détruire par elles ; et puis, très longuement, d'en souffrir.

Dieu s'occupe de nous en réalité, il pense à nous à chaque instant, et il nous donne des directives parfois très précises. Ces élans d'amour qui affluent dans nos poitrines jusqu'à nous couper le souffle, ces illuminations, ces extases, inexplicables si l'on considère notre nature biologique, notre statut de simples primates, sont des signes extrêmement clairs.

Et je comprends, aujourd'hui, le point de vue du Christ, son agacement répété devant l'endurcissement des cœurs : ils ont tous les signes, et ils n'en tiennent pas compte. Est-ce qu'il faut vraiment, en supplément, que je donne ma vie pour ces minables ? Est-ce qu'il faut vraiment être, à ce point, explicite ?

Il semblerait que oui.